DER KLAN

Joe Simpson

DER KLANG DES FREIEN FALLS

Roman

Aus dem Englischen von
Ulrike Frey und Edigna Hackelsberger

MALIK

Mehr über unsere Autoren und Bücher:
www.malik.de

Die englische Originalausgabe erscheint 2011
unter dem Titel »The Sound of Gravity«
bei Jonathan Cape / Random House UK Ltd. in London.

FSC
www.fsc.org

MIX

Papier aus ver-
antwortungsvollen
Quellen

FSC® C006701

ISBN 978-3-89029-405-6
© Joe Simpson, 2011
© der deutschsprachigen Ausgabe:
Piper Verlag GmbH, München 2011
Redaktion: Karin Steinbach Tarnutzer, St. Gallen
Satz: Satz für Satz. Barbara Reischmann, Leutkirch
Gesetzt aus der Adobe Garamond
Druck und Bindung: CPI – Ebner & Spiegel, Ulm
Printed in Germany

Für Tony Colwell und Val Randall –
Freunde und Mentoren, die mein Leben
als Schriftsteller geprägt haben

*In der Tiefe eurer Hoffnungen und Wünsche liegt
euer geheimes Wissen um das Jenseits. Und wie Samen,
die unter dem Schnee träumen, träumt euer Herz
vom Frühling.
Traut den Träumen, denn in ihnen verbirgt sich
das Tor zur Ewigkeit.*

Khalil Gibran, *Der Prophet*

TEIL EINS

1

Er hielt den Atem an, als sie starb. Sie verschwand so schnell, dass er kaum begriff, was geschah. Mit schonungsloser Abruptheit wurde er aus seinem Erschöpfungsschlaf gerissen. Sie stürzte einfach von ihm weg und aus dem Leben, fiel lautlos ins kalte Nichts, sank in die Dunkelheit. Er war völlig erstarrt, gebannt von der erschütternden Stille ihres Absturzes.

Er hatte einen heftigen Schlag wahrgenommen, als ihre Hüfte auf ihrem Schlafsack abrutschte, der – noch warm – auf ihrem Biwakplatz, einem Absatz im Eis, lag. Ihr hastig ausgestreckter Arm stieß hart gegen seine Brust, und er packte fest zu, doch der gelbe Nylonstoff rutschte ihm trotz seines Griffs durch die Hand. Ihre Finger trafen Halt suchend an seinem Handgelenk auf Widerstand. Zwar konnte er ihr Gewicht halten, doch es zog ihn über das Eis zum Rand des Absatzes. Er griff nach der orangefarbenen Bandschlinge, die hinter ihm hing. Ihre Beine machten ein scharrendes Geräusch, als sie über die Kante des Absatzes glitten, und er hörte ihren unterdrückten Ausruf des Schreckens, hervorgepresst mit bedauernder, trauriger Stimme, leise, fast verlegen.

»Beide Hände«, keuchte er, und vor Anstrengung versagte ihm die Stimme. »Ich brauch beide Hände … Ich hab dich, halt dich fest –«

Bevor er es noch realisierte, war sie weg. Er verfolgte ihren Absturz, sie wurde kleiner und kleiner, und er sah zu, wie sie starb. Es erschien ihm endlos. Dann war sie verschwunden.

Ein Teil seines Gehirns nahm die erschreckende Geschwindigkeit wahr, mit der sie sich von ihm entfernte, und doch war es so, als würden ihm seine Augen und seine Erinnerung übermitteln, das alles geschehe ganz langsam. Ihr Sturz in den Abgrund erschien ihm wie eine abgehackte Abfolge einfarbiger Bilder, die vor seinen Augen vorbeirasten und sich in sein Gedächtnis einbrannten. Sobald sie verschwunden war, verschwammen die Bilder in seinem Bewusstsein wie im Zeitraffer. Er wandte den Blick ab, schüttelte den Kopf, kniff die Augen fest zusammen, aber die Bilder blieben. Er hatte während des gesamten Sturzes und noch lange danach unwillkürlich den Atem angehalten.

Die Bilder würden ihn nie mehr loslassen.

Er hatte den Druck ihrer Finger an seinem Handgelenk, die warme Berührung ihrer Haut gespürt, und nun blickte er fassungslos auf seine ausgestreckte leere Handfläche. *Er hatte sie doch gehalten!* Sie fest gepackt und gehalten. Der Schmerz an seinem Handgelenk, wo das Metallarmband seiner Uhr ihm in die Haut geschnitten hatte, ließ zwar allmählich nach, wies jedoch darauf hin, wie fest ihre Umklammerung gewesen war. Er drehte seine Hand um. *Wie hatte sich sein Griff lösen können?* Er sah die rote Wunde über dem Handwurzelknochen, wo die Haut aufgerissen war, und drei dünne Kratzer ihrer Fingernägel.

Er hatte sie losgelassen.

Er drehte sich um und schaute in die winterliche Abenddämmerung. Eine unheimliche, ohrenbetäubende Stille umfing ihn. Dann drangen Geräusche in seine Einsamkeit: das laute Pochen seines Bluts in den Schläfen, der Wind, der sein Ohr streifte, der sanfte Hauch seines langen, kaum spürbaren Ausatmens – all jene leisen Geräusche des Lebens, die mit ihrem Tod verstummt waren. In ihm haften geblieben waren das Zischen der keuchend ausgestoßenen Luft, als sie auf den Absatz stürzte, das Scharren des Nylonstoffs über das Eis – nicht die Laute des Entsetzens. Lange waren weder Schmerzensschreie noch Geräusche eines Aufschlags zu hören gewesen, erst zuletzt drang ein hoher, markerschütternder Klageschrei aus der Tiefe zu ihm herauf.

Ihre Blicke hatten sich getroffen, in stummer Verzweiflung, bevor sie von ihm weg und in die Tiefe stürzte. Sie musste im

Fallen herumgerissen worden sein, nachdem sie mit den glatten Sohlen ihrer Innenschuhe auf dem blanken Eis neben ihrer Liegematte ausgerutscht war. Was auch immer geschehen war – ganz genau würde er das wohl nie erfahren –, er war aus dem Tiefschlaf hochgeschreckt, weil sie plötzlich mit voller Wucht auf ihn fiel, das Gesicht zu ihm hingewendet und den Blick auf seine Augen gerichtet. Als sie auf seinem Brustkorb aufschlug, berührte ihr Gesicht den Bruchteil einer Sekunde fast das seine. Er packte ihr Handgelenk. Ihr Arm wurde nach oben und von ihm weggeschleudert. Er spürte noch, wie seine Schultermuskeln sich anspannten, aber da stürzte sie schon nach unten, noch bevor sich sein Arm zu ihr hinbewegen konnte. Sein Griff hatte ihr nicht helfen können.

Er hatte gedacht, er könnte rasch zupacken und sie zurückzerren. Einen Moment lang hatte er sogar geglaubt, er würde sie gleich lachend umarmen. Stattdessen musste er mit ansehen, wie sie abstürzte. Schuldgefühle quälten ihn. *Warum hatte er sie nicht festgehalten?* Es hatte alles so mühelos ausgesehen, wie das Einfachste und Natürlichste der Welt.

Wenn er vernünftig darüber nachdachte – was den Überlebenden in solchen Fällen niemals weiterhilft –, wusste er, dass es ein Wunder gewesen wäre, wenn er sie hätte packen und ihren Sturz aufhalten können. Er hatte sich im Schlaf umgedreht, als sie sich aus ihrem Schlafsack herauswühlte, um aufzustehen und sich zu erleichtern. Im Halbschlaf hatte er mitbekommen, wie sie sich neben ihm zu schaffen machte, und hatte die fest zugezogene Kordel seiner Schlafsackkapuze gelockert, war dann aber wegen seiner bleiernen Müdigkeit wieder in tiefen Schlaf gesunken. Sie selbst war leise gewesen, nicht aber ihr Sturz. Ein zischender, sausender Ton drang herauf, als sie fiel – Kleidung, die über Eis scheuert –, und die charakteristischen sirrenden Geräusche eines Körpers, der aus großer Höhe hinunterstürzt: der Klang des freien Falls.

Er hatte sich vorgebeugt und ihren Absturz mit angesehen. Ihr Arm blieb ausgestreckt, die Finger deuteten auf ihn. Die Kapuze ihres leuchtend gelben Daunenanoraks wurde durch den Luftwiderstand nach oben gedrückt und umrahmte ihr Gesicht. Ihr Anblick schien lange unverändert zu bleiben – das leuchtende Gelb mit ihrem Gesicht in der Mitte, die Augen vor Überraschung geweitet. Ihr Mund war aufgerissen wie zu einem versteinerten, stimmlosen Schrei, und doch hörte er nur die Geräusche ihres Fallens. Auch sie verebbten rasch, als sie in die leblose Leere unterhalb des Biwakplatzes stürzte. Noch immer spürte er die Wärme und den kribbelnden Schmerz in seinem Schoß, wo ihn ihre Schulter getroffen hatte. Es war, als wäre sie noch bei ihm.

Und dann trug der Wind aus der Stille den Schrei herauf – einen unheimlichen, animalischen Laut. Zunächst meinte er, er komme gar nicht von ihr. Sie würde nicht so schreien, dachte er, während sie vor seinen Augen immer kleiner wurde, bis er fast nichts mehr von ihr sehen konnte. Der Gedanke ließ ihn erschauern. Es war ihre letzte Äußerung. Dies war ihr Abschied: Begleitet von einem gellenden, bestialischen Schrei, stürzte sie in kalte Vergessenheit. Sie war nun an einem Ort, den er sich nicht vorstellen konnte, und alles, was er je geliebt hatte, verschwand mit diesem letzten Aufschrei des unfassbaren Grauens und der nackten Angst.

Dann, auf einmal, schien etwas ihren Sturz zu bremsen. Es konnte nicht sein, da sie über eine dreihundert Meter hohe Wand aus blanken Eisrippen raste. In den heftigen, bitterkalten Winterstürmen hatten unzählige Pulverschneelawinen die immer dicker werdende Eisschicht poliert, bis sie ganz dunkel wirkte. Vorsprünge, die ihren Sturz hätten aufhalten können, gab es keine. Dennoch schien sie plötzlich in der Luft zu schweben. Er konnte ihre winzige dunkle Gestalt unterhalb des aufgebauschten gelben Daunenanoraks eben noch erkennen, denn wie mit betend ausgestreckten Armen hing die Jacke in der gefrorenen Abendluft. Dann wurde der Anorak von einem Windstoß vom Eisfeld weggewirbelt, und er sah wieder, wie einen in die Tiefe rasenden, verwischten Schatten, ihre Gestalt. Er hörte aus weiter Ferne einen dünnen, kaum mehr vernehmbaren, aber durchdringenden hohen Ton wie von einer

Hundepfeife, der abrupt verstummte. War das nur der Wind gewesen?

Mühsam setzte er sich in seinem Schlafsack auf und spürte die schneidende Kälte an seinen bloßen Händen. Er drehte sich zu dem Gewirr aus Bandschlingen und Sicherungsmaterial um, das an den Haken in der Wand hing, und sein Blick fiel auf die orangefarbene Schlinge, nach der er gegriffen hatte, als sie auf ihn gefallen war. Die Schlinge hing schlaff auf den Absatz hinunter. Er nahm sie in die Hand und starrte stumm darauf. Ihr Karabiner fehlte. Geistesabwesend legte er seine Rechte auf ihren Schlafsack. Die weichen Daunen waren noch warm von ihrem Körper. Doch er spürte bereits, wie die kalte Luft alles wegfraß, was von ihrem Leben geblieben war. Er beugte sich über den Schlafsack und legte sein Gesicht hinein.

Er spürte ihre Wärme auf seiner Haut, sog tief ihren Duft ein und weinte, bis ihm die Kälte in die Schultern kroch. Dann setzte er sich langsam auf und zog seinen Schlafsack um sich. Es wurde Nacht. Am Horizont brauten sich tief hängende Sturmwolken zusammen.

Sie hatten einen ganzen Tag schwieriger Kletterei hinter sich. Aufgebrochen waren sie im Morgengrauen, jener düsteren Tageszeit, in der die Steilwand, die vor ihnen aufragte, besonders abweisend und bedrohlich aussah. Diese frühen Morgenstunden werden von Polizisten bevorzugt, um Verdächtige zu verhaften, weil sie dann am schwächsten und am fügsamsten sind. Fast hätte sie ihn gefragt, ob sie nicht lieber wieder zu der kleinen hölzernen Schutzhütte umkehren sollten, in der es vom morgendlichen Kochen noch gemütlich warm war. Dann aber hatte sie diesen geistesabwesenden Zug um seinen Mund und den in weite Ferne gerichteten Blick gesehen, als wäre er schon hoch oben in der winterlichen Nordwand. Als sie sich mit fragender Miene zu ihm umwandte, blickte er sie forschend an, als spüre er ihr Zögern, schenkte ihr aber gleichzeitig ein ansteckendes Lächeln, und seine Augen glänzten vor Begeisterung.

»Dann gehen wir's an, oder?«, drängte er, als könne er ihre Gedanken lesen. Er beugte sich zu ihr hinüber und umfasste beschwichtigend ihre Arme. Sein Gesicht drückte so viel Freude aus, als hätte man ihn von der Mühsal alltäglicher Pflichten befreit. »Wird schon alles gut gehen«, versicherte er mit breitem Grinsen.

»Das sagst du immer«, erwiderte sie lächelnd, obwohl sie Zweifel beschlichen.

»Aber es stimmt doch. Wir schaffen das. Stell dir vor, nur wir beide … Wir können uns so viel Zeit lassen, wie wir wollen.«

»Und das Wetter?«, fragte sie mit Blick auf den bleiernen, blauschwarzen Himmel mit den dünnen Wolkenstreifen am Horizont, die sich in der Morgendämmerung dunkel zusammenballten. »Sieht so aus, als würde da eine Front aufziehen.«

»Nur eine kleine.« Er lächelte wieder. »Komm schon, das Wetter wird schon halten. Der Luftdruck ist stabil. Wir können ja immer noch umkehren, wenn es schlechter wird. Wir haben jede Menge Proviant dabei. Und wir gehen es langsam und vorsichtig an. Wenn es uns nicht geheuer ist, können wir zum Grat hinüberqueren.«

»Das wird nicht so einfach sein in einem Sturm«, entgegnete sie mit fragend hochgezogenen Augenbrauen. Ihr Blick verriet aber auch eine gewisse Belustigung.

»Dann sitzen wir ihn eben aus.« Er legte seine Arme um sie, drückte sie fest an sich, ließ sie dann wieder los und fuhr mit den Händen an den Ärmeln ihrer leuchtend gelben Daunenjacke auf und ab. »Das wird ein richtiges Abenteuer«, fügte er hinzu, als er merkte, dass sie ihren Widerstand aufgab. Er sah sie fragend an und spürte, dass sie noch immer zögerte. »Was ist los? Hast du ein ungutes Gefühl? Kalte Füße bekommen?«

»Eher Letzteres«, erwiderte sie und stampfte mit ihren Bergschuhen im Schnee auf. »Kalte Füße, meine ich. Ungute Gefühle bekomme ich nie.«

»Niemals?«

»Nein, an so was glaube ich nicht. Und ich habe auch keine Angst – nur ein kleines bisschen vielleicht, aber das ist ja auch gut so.«

»Da geht's mir genauso.«

»Ich hab eben auf einmal ein bisschen Schiss bekommen.« Sie reckte das Kinn und sah zu ihm auf. »Du weißt doch, ich bin morgens nie so in Bestform!«

»Das kann ich nicht bestätigen.« Lachend duckte er sich unter ihrem ausholenden Arm.

Sie blickte auf ihre eisverkrusteten Schuhe hinunter und stampfte dann wieder abwechselnd mit den Füßen im Schnee auf.

»Also, dann mal los«, sagte sie schließlich. »Du zuerst. Ich hasse es, den Bergschrund zu überqueren.«

Sie beobachtete ihn, wie er tastend seinen Fuß über den dunklen Schlund des Bergschrunds streckte. Es klang wie zerberstendes Glas, als sich die Frontalzacken seiner Steigeisen ins jenseitige Eis gruben und dünne Splitter aus der Wand hackten. Ein Klirren wie das eines Kristalllüsters verklang tief unter ihr im Innern des Gletschers. Sie erschauderte und trat nervös von der instabilen, weit aufklaffenden Abbruchkante zurück.

Es war ein langer, mühsamer Tag auf dem Eisfeld gewesen. Sie hatten gehofft, schnell voranzukommen, aber das Eis war spröde, hart und an manchen Stellen, wo es die Winterlawinen zu einer spiegelglatten, stahlharten Oberfläche poliert hatten, fast schwarz. Es hatte sie viel Kraft gekostet, ihre Eispickel und Steigeisen so tief einzuschlagen, dass sie hielten, und die unter ihren Hieben absplitternden Eisstücke schlugen fast die Frontalzacken ihrer Steigeisen aus ihrem sicheren Stand. Die Eisschrauben wurden rasch stumpf, und beim Hineintreiben ächzte das Eis und zersprang, sodass sie davon ausgehen mussten, dass die Schrauben einen Sturz nicht halten würden. Sie kletterten daher mit äußerster Vorsicht.

Auf Schnelligkeit kam es nicht an, denn sie wussten, dass sie die abweisenden Felsen des kombinierten Geländes sowieso nicht vor dem folgenden Tag erreichen würden. Sie hatten geplant, schon früh ein Biwak am oberen Rand des Eisfelds einzurichten, wo das kombinierte Gelände begann. Ihre Rucksäcke waren mit Gaskartuschen und Proviant schwer beladen. Schließlich sollte es eine lange Klettertour werden – lang genug, um dabei in eine vollkommen eigene Welt einzutauchen. So hatten sie es sich ausgemalt, als sie eng aneinandergeschmiegt in der kleinen Holzhütte gesessen hatten, die auf dem Grat über dem Gletscher stand. Wenn es ihnen zu anstrengend werden sollte, würden sie wieder absteigen. Wenn die Angst die Oberhand über ihren Mut gewänne, dann würden sie den Rückzug nach links zum Grat antreten und sich von dort abseilen, um sich schnell wieder in die Geborgenheit der Hütte zu flüchten. Sie kletterten, um Zeit miteinander zu verbringen – um die Schwierigkeit des Aufstiegs oder um die Herausforderung an sich ging es ihnen dabei nicht. Bergsteigerisch trauten sie sich einiges zu; sie fühlten sich nicht unwohl bei ihrem Vorhaben, obwohl es Winter und außer ihnen weit und breit niemand unterwegs war. Sie empfanden es als echte Bewährungsprobe ihrer Fähigkeiten, denn soweit sie wussten, war im Winter noch nie jemand ihre Route geklettert.

Es war Januar, und der Winter hatte das Gebirge fest im Griff. Nicht einmal Bergführer kamen um diese Jahreszeit herauf. Sie hatten sich durch die Pulverschneewehen gekämpft, die den Zugang zum Grat erschwerten, auf dem man mit Bedacht die Hütte errichtet hatte. Sie war zum Ende des Sommers, vor fünf Monaten, geschlossen worden.

Der Hüttenwart hatte die verschlossene Tür mit schweren Felsbrocken gesichert. Neben der Tür war Feuerholz aufgeschichtet, und auf der Ablage über dem einflammigen Gaskocher hatte er ein paar ungeöffnete Dosen mit Gemüse, etwas Reis in einem Glas, eine Packung Zigaretten, in der eine fehlte, eine halb volle Flasche mit billigem Weinbrand und eine verschrumpelte Salami zurückgelassen. Ein großer Gaszylinder, der vom Kocher getrennt worden war, war noch fast voll. Sie hatten fünfmal aufsteigen müssen, um all ihre Sachen heraufzubringen – die Kletterausrüstung, den Proviant, Bücher, eigenes Brennholz für behagliche Wärme, Wein, Kerzen, gepökeltes Fleisch, Brot, das bald altbacken war, Käse, Kekse und Tee.

Tagsüber saßen sie stundenlang draußen auf den Felsvorsprüngen und lasen, bis die Sonne endlich die Hütte erreichte und ihre Mauern aufwärmte. Die Abende verbrachten sie eng aneinandergekuschelt auf den feuchten, muffigen Matratzen der dicht gestellten Etagenbetten über einem Schachspiel. An einem Tag mit schönem Wetter überquerten sie angeseilt den Gletscher, blieben unterhalb des Eisfelds stehen und versuchten die Route nachzuvollziehen, die sie oberhalb des Eises zwischen den schwarzen Felsen hindurch nehmen wollten. Der Berg türmte sich hoch über ihnen auf, was ihre Wahrnehmung der Entfernungen verzerrte – sie schienen von dort aus, wo sie standen, viel kürzer, als sie in Wirklichkeit waren. Bei einem Steinschlag aus dem kombinierten Gelände rund dreihundert Meter über ihnen wurde ein einzelner kleiner Felsbrocken hinaus in den eisigen Himmel geschleudert. Das hohe Pfeifen des Luftwiderstands ließ sie erschrocken aufblicken; als sie das schwarze Gebilde sahen, lachten sie erleichtert auf und kamen sich etwas dumm vor, weil sie Angst gehabt hatten. Der Stein schlug mehrere Hundert Meter links von ihnen mit einem dumpfen Aufprall in den weichen Schnee des Gletschers ein.

Am folgenden Tag kletterten sie weit hinauf auf den Grat, der sich oberhalb der Hütte in einer gezackten Linie aus messerscharfen Felstürmen emporzog. Als sie rund dreihundert Höhenmeter über dem Hüttendach stehen blieben und den Blick über die weite, harte Eisfläche schweifen ließen, entdeckten sie einen geeigneten Biwakplatz. Eine kurze, im Schatten liegende Wand am unteren Ende der Felsen neigte sich schräg über das Eis und bildete ein Dach, das einen gewissen Schutz bot. Ein guter Schlafplatz, da waren sie sich einig. Er beugte sich über den Gratkamm hinaus, und sie gab ihm auf Zug etwas Seil aus, sodass er einen Blick in die Tiefe werfen konnte. Eine steile Eisrinne führte zu der kurzen, überhängenden Felswand herauf, die unter ihnen lag. Ihre Spur vom Vortag schlängelte sich mehr als dreihundert Meter unter ihnen über den Gletscher. Ganz schön weit da hinunter, dachte sie sich, dann schaute sie nach oben zum Gipfelgrat – sie hatten erst ein Drittel des Aufstiegs hinter sich.

Wenn irgendetwas schiefgehen sollte, hatte er gesagt, könnte die Eisrinne ein guter Fluchtweg aus der Wand und auf den Grat sein. Doch als sie sich nun vorbeugte, um sie genauer zu betrachten, wuchs ihre Skepsis. Das Eis sah dünn und morsch aus, und der Fels war glatt und äußerst steil. Sie ließ ihren Blick über das Eisfeld wandern und malte sich aus, wie schwierig ein Entkommen sein würde: Die gesamte Wand wäre in ständiger Bewegung, denn von oben würde eine wahre Flut von Pulverschneelawinen in die Tiefe brausen, die genug Wucht hätte, um sie beide aus der Wand zu reißen. Doch dann sah sie wieder die Begeisterung in seinem Blick. Bestimmt verschwendete er keinen Gedanken an einen Fluchtweg. Er hob den Arm und zeigte ihr den Verlauf der Kletterroute, und sie ließ sich lächelnd von seiner Begeisterung anstecken.

Sie kletterten weiter den Grat hinauf, in der Hoffnung, von dort aus die Felspfeiler im oberen Teil der Wand besser einsehen zu können, aber das half ihnen nicht weiter. Obwohl der Ostgrat von der schwachen Wintersonne beschienen wurde, war die Luft eiskalt. Vom Kontakt mit dem eiskalten Fels wurden ihre Hände bald gefühllos, und sie hauchten in ihre hohlen Handflächen und brachten durch Klatschen wieder etwas Leben in ihre blutleeren Finger.

Als sie von der Seite her in die Nordwand schauten, sahen sie eine Reihe düsterer Felsaufschwünge, die sich hoch über dem Eisfeld erhoben. Mächtige Pfeiler, gesäumt von schneegefüllten Rissen, ragten hinauf bis zum Gipfel. Hier und da entdeckten sie mit Pulverschnee bedeckte Absätze – sie waren die Zufluchtsorte, die es inmitten dieser gewaltigen Wand aus Fels und Eis anzusteuern galt. Doch es gelang ihnen nicht, jene Eislinie auszumachen, die sie von der Veranda der Hütte aus gesehen hatten, eine Schwachstelle in der Wand, die zwischen den Felsen nach oben führte. Auch die durch graue Eisreste verbundenen verräterischen weißen Schneerinnen – Anzeichen für das seichte, schräge Couloir, das zu den Gipfeleisfeldern führte – konnten sie nicht erspähen.

Sie beobachteten, wie hoch über ihnen der Wind in großen Schleiern Schnee vom Grat wehte. Aus den Gipfelhängen gab es keinen leichten Fluchtweg. Wäre der Pulverschnee zu locker, würde er einen Rückzug über die Wand vereiteln. Sie sah, mit welcher Faszination er die Wand betrachtete; dann drehte sie sich um und blickte weit hinunter zum Fuß des Berges, wo die tief stehende Abendsonne lange Schatten auf die westlichen Hänge der Täler warf. Wie Rauchfetzen schmiegten sich Wolken an die Felsen und die steilen, bewaldeten Berghänge. Die sich überschneidenden Gratlinien strebten Richtung Tal, und jedes der Seitentäler war hauchfein nachgezeichnet durch Stränge aus Nebelschleiern und miteinander verwobene rauchgraue Dunstschichten in verblassenden Schattierungen; der steinhart gefrorene Talgrund lag durch die Winterschatten in nachtschwarzer Dunkelheit, die Flüsse schienen stillzustehen. Der Frost hatte alles in seinem eisigen Griff.

Der Horizont im Westen schimmerte in einem blassen, kalten Licht. Die schwarzen Silhouetten der exponierten, zerklüfteten Felsabbrüche und der windzerzausten, vom Schnee befreiten Bäume sahen vor der erstarrten Winterlandschaft aus wie Skelette. Es fühlte sich seltsam an, in der untergehenden Sonne mit ihrer kaum spürbaren Wärme hoch oben auf einem vorspringenden Berggrat zu sitzen und auf eine Welt hinunterzuschauen, die still und starr, leer und verlassen zwischen den Jahreszeiten driftete.

Hier oben auf den sonnenbeschienenen Felsen empfand sie ein Gefühl der Freiheit und der geistigen Klarheit, doch wenn sie in die fernen, schattigen Täler hinunterblickte, erschien ihr diese seltsam fremde Welt dort unten in ihrer eiskalten Starre wie ein tiefer schwarzer See kurz vor dem Gefrierpunkt. Bei diesen finsteren Gedanken rann ihr ein kalter Schauer über den Rücken.

»Lass uns absteigen«, sagte sie, »sonst wird es dunkel.« Er wandte sich ihr lächelnd und voller Elan zu, doch ihr Gesichtsausdruck ließ ihn stutzen.

»Alles okay bei dir?«, fragte er und berührte ihre Schulter. »Ist irgendwas?«

»Mir wird allmählich kalt«, erwiderte sie und schaute in die immer tiefer im Schatten versinkenden Täler. »Dort unten sieht es düster aus.«

Sie hatten ihre Seile entlang des Grates ausgeworfen und sich an ihnen abgeseilt. Ihr Ziel war das in der Ferne sichtbare sonnenbeschienene Dach der Schutzhütte. Ihre Rufe hallten in der stillen Abendluft wider, als sie rasch und mühelos an den Seilen hinunterglitten und dabei beobachten konnten, wie die nächtlichen Schatten am Fuß des Berges höher stiegen und sich wie verschüttete Tinte ausbreiteten. Lachend stießen sie schließlich die Holztür der Hütte auf. Ihre Atemwolken vereinigten sich in der windstillen Abendluft, als sie die Tür hinter sich zuzogen. Das Wetter war ruhig, der Himmel klar, aber die Kälte hielt den schneehellen Berg in eisigem Griff. Das Schwarz der Nacht jagte die untergehende Sonne westwärts, bis schließlich am ganzen Himmel unzählige Sterne funkelten.

Als sie am nächsten Tag das Eisfeld hinaufkletterten, ragte die Wand schweigend vor ihnen auf, und die umliegenden Gipfel blickten wachsam. Die Schläge ihrer Eispickel hallten im winterlichen Amphitheater der Nordwand wider. Ihre Stimmen schienen in der Luft zu schweben, wenn sie einander Seilkommandos zuriefen und damit die Stille durchbrachen. Abgesplittertes Eis klirrte unter ihren Bergstiefeln, und sie blickten mit zunehmender Beklemmung auf die Wand, die sich steil vor ihnen erhob. Die Stille, zunächst angenehm, wurde allmählich bedrückend. Wenn sie miteinander sprachen, klang ihre Unterhaltung aufgrund der Anspannung und der Bedrohung abgehackt und gedämpft. Das im Winter steinhart gefrorene Eis erforderte einen präzise dosierten Krafteinsatz. Es barst immer wieder, spröde Splitter platzten beim Einschlagen ihrer Eispickel wie gläserne Blätter ab und verstärkten ihr Gefühl von Unsicherheit. Wie über eine zerborstene Spiegelwand balancierten sie auf den Spitzen ihrer Frontalzacken nach oben, und jedes plötzliche Knacken neuer Risse um sie herum ließ sie zusammenzucken. Die Zacken der Steigeisen brachen immer wieder beängstigend abrupt aus, und nur ihr Keuchen und ihre zwischen den Zähnen hervorgepressten Flüche durchbrachen das aufs Äußerste angespannte Schweigen.

Die Kälte brannte auf ihren Gesichtern, bis die Haut kribbelte und sich so trocken und spröde anfühlte, als hätte man sowohl die beiden Bergsteiger als auch diesen Tag gründlich gewaschen und dann zum Trocknen in die eisige Luft hinausgehängt. Wenn sie sich an den aus dem Eis gehackten Standplätzen das Material übergaben, tauschten sie Blicke aus. Die Gefahr elektrisierte sie geradezu. Vorsichtig und ruhig kletterten sie weiter, und nur ihre Augen verrieten den Balanceakt zwischen Sorge und Faszination. Es blieb unausgesprochen, aber an die Stelle ihrer aufgekratzten Stimmung zu Beginn des Tages war eine grimmige Entschlossenheit getreten – und an die Stelle kameradschaftlicher Zuneigung eine zielstrebige Routine. Sie mussten nicht viele Worte machen.

Als die Sonne hinter dem Berg aufging, flimmerte das Licht im gesamten Farbenspektrum. Der Winterhimmel war von einem klaren Blau, wie poliert, und das metallische Klirren des Sicherungsmaterials an ihren Klettergurten und das Geräusch ihrer Eispickel schienen in der windstillen Luft zu schweben. Das Gefühl der Bedrohung war allgegenwärtig. Der Tag war geprägt von nervöser Anspannung. Meist blickten sie nach oben, stets auf der Suche nach der einfachsten Route und auf der Hut vor der Gefahr. Sie würde unerwartet eintreten, schnell und brutal.

Die Ruhe war unheimlich; regungslos und aufmerksam abwartend, beängstigend still. Sie blickte immer wieder zum Talboden hinunter, als suche sie dort nach irgendeiner drohenden Gefahr. Er bemerkte ihre Zerstreutheit und folgte ihrem Blick, prüfte die Anzeichen für eine Wetteränderung über den dunkel in der Morgendämmerung liegenden Tälern. Später würde er noch oft über jene unheilvolle Stille nachgrübeln und über die monströse Gewalt, die in ihrem Gefolge kam.

Er sah ihr anerkennend zu, wie sie sich über ihm geschickt ihren Weg suchte, sich behutsam auf den Stahlzacken höhertastete, die nur wenige Millimeter ins fragile Eis eindrangen. Er bewunderte die tänzerische Eleganz ihrer flüssigen Bewegungen und kam sich mit seinen wuchtigen Eispickelschlägen und brutalen Tritten in das unnachgiebige Eis ungehobelt und schwerfällig vor.

Der Tag war so ausgesprochen ruhig, dass sie ihn schließlich als perfekt empfanden – als einen Tag, der ihnen in Erinnerung bleiben würde. Die beharrliche Wachsamkeit beim Klettern würde er dennoch nie vergessen, diese angespannte, ahnungsvolle Stimmung, das Gefühl, dass etwas auf sie lauerte. Sicher war das nur die Folge einer ganz natürlichen Überreiztheit, weshalb er diesen Gedanken auch strikt aus seinem Kopf verbannte. Die leise über ihnen schwebende Bedrohung zerrte an seinen Nerven. Übersah er etwas Wesentliches? An der Grenze seines Gesichtsfelds glaubte er flüchtig eine schemenhafte Gefahr zu erkennen, eine undefinierbare Bedrohung; er wurde das Gefühl nicht los, gejagt zu werden. Ihre Nerven waren zum Zerreißen gespannt, aber schließlich war es auch eine schwierige Route. Sie mussten auf alles gefasst sein. Sie hatten die Tour sorgfältig und gut geplant, aber mit dieser extremen Stille hatten sie nicht gerechnet.

Feiner Raureif hatte sich weiß auf ihre kastanienbraunen Locken gelegt, die unter ihrem Helm hervorquollen. Wenn sie ihn am Standplatz nachsicherte, stand ihr Atem wie eine weiße Wolke in der Luft.

Während sie kletterten, ließ nur das ständige Klirren der Eissplitter unter ihren Füßen auf Bewegung schließen – und das seltsam lebendige Knirschen des Eises, als habe sein gewaltiger glatter Leib gerade mit einem majestätischen, trägen, federnden Beben seine Muskeln spielen lassen. Sie nahmen keine Veränderung der Oberfläche wahr, spürten aber die unheimlichen Schwingungen, die das Eis durchliefen.

Als sie die Seile in ihr Sicherungsgerät eingelegt hatte, um ihn nachzusichern, ließ ein gewehrschussartiger Knall sie zusammenzucken. Sie hob ruckartig den Kopf und versuchte mit panischem Schrecken festzustellen, woher die Gefahr kam. Er hielt etwa dreißig Meter unterhalb von ihr mitten im Einschlagen seines Eispickels inne und starrte in ängstlicher Erwartung eines plötzlichen Steinschlags nach oben. Wie ein Schwarm aufgescheuchter Stare platzte ein Hagel Felssplitter von der Wand ab und prasselte mit schaurigem Gepolter herab. Im nächsten Moment schwirrten sie als scharfkantige Querschläger übers Eis hinunter. Die krachenden Aufschläge hallten als Echo in der konkav geformten Wand wider. Schnell hängte er sich in eine Eisschraube ein und lehnte sich zurück, um die Steinsalve zu beobachten. Die steife Schlinge knarrte in der Kälte, und die Schraube bewegte sich im morschen Eis. Am Stand blickten sie sich mit nervösem Grinsen an. Schleichend kehrte die Stille zurück.

Sie erreichten das obere Ende des Eisfelds, über dem die kurze Felswand emporragte. Weil sie überhing, bildete sie ein Schutzdach und gab einen sicheren Biwakplatz ab. Es dauerte eine Stunde, bis sie am Fuß der Felswand eine Plattform graben hatten. Sie schaufelten eilig den weichen Schnee weg und stießen bald auf pickelhart gefrorenes Wintereis. Die schwere Arbeit mit den Eisgeräten hielt sie warm, und bald hatten sie eine Liegefläche gegraben, die zur Felswand hin abfiel. An gut sitzenden Felshaken spannten sie ein Geländerseil und fixierten darin eine lange orangefarbene Bandschlinge, in die sie sich mit Verlängerungsschlingen an ihren Klettergurten einhängten, damit sie sich beim Graben frei bewegen konnten.

Wie Hunde, die sich ihr Territorium freischarren, bearbeiteten sie mit ihren Steigeisen das Eis, sodass die Splitter nach allen Seiten wegstoben. Die Seile legten sie in Schlingen auf dem Boden aus, darüber kamen ihre Liegematten. Dann knieten sie sich darauf und breiteten ihren Zwei-Mann-Biwaksack und darin ihre Daunenschlafsäcke aus. Er schlug einen Haken in einen Riss und hängte den Kocher an seiner Kette daran.

Dann füllte er den Topf mit Eissplittern und zündete die zischende blaue Flamme des Propan-Butan-Gemischs.

Sie zog die Außenschalen ihrer Plastikbergstiefel ab und hängte sie vorsichtig an das Geländerseil. Dann schlüpfte sie mit den Beinen in den Biwaksack und tastete darin mit den Händen nach dem Kopfteil ihres Schlafsacks. Sie zog ihn sich über die Hüften und rutschte mit dem Hinterteil auf der Liegematte hin und her, bis sie mit den Beinen ganz im Schlafsack steckte. Die orangefarbene Bandschlinge führte straff zu jener Stelle hinauf, wo sie in das Geländerseil eingehängt war. Mochte ihr Klettergurt mit seinen steifen Nähten und Knoten auch drücken, so war sie zumindest gut gesichert. Bevor sie sich in die orangefarbene Schlinge einhängte, prüfte sie, ob die Sicherung locker genug war, dass sie sich bequem hinlegen konnte. Falls sie abrutschte, würde sie höchstens einen Meter unterhalb des Absatzes baumeln.

Er reichte ihr einen Becher mit dampfendem Tee. Als sie danach griff, ließ sie die Schlinge los, die nun schlaff am Geländerseil hing. Der Karabiner ihrer Selbstsicherung war nicht in sie eingehängt. Sie stützte sich auf dem Ellbogen auf, nippte an ihrem Tee und spähte hinunter in den gähnenden Abgrund des Eisfelds.

Sie tranken gierig und bereiteten abwechselnd ein Abendessen und noch mehr Tee zu. Mit kalten Fingern drehte er sich eine dünne Zigarette und rauchte sie bedächtig, während er beobachtete, wie sich am Horizont allmählich eine Wolkenfront aufbaute. Er mochte den starken, bitteren Tabakgeschmack und das durch das Nikotin hervorgerufene leichte Schwindelgefühl. Als er ihre missbilligende Miene sah, musste er lächeln.

Später lagen sie aneinandergeschmiegt auf der Plattform. Ihre gemurmelte Unterhaltung verebbte schließlich, als die Anstrengung des Tages ihren Tribut forderte und die Wärme ihrer Körper sie schläfrig machte. Er sank rasch in einen tiefen Schlummer, sie hingegen nur in einen unruhigen Dämmerzustand, denn sie spürte die zerfurchte, abschüssige Liegefläche und ihren Klettergurt, der ihr schmerzhaft seitlich in die Hüften schnitt. Obendrein quälte sie ein leises Unbehagen, etwas, was sie unbedingt noch tun wollte, was ihr aber nicht mehr einfiel. Sie dachte an die düstere Stille der Täler und die Beklemmung, die ihr Anblick in ihr hervorgerufen hatte. Ohne diese innere Unruhe wäre sie sicher eingeschlafen. Nach einer Stunde immer wieder unterbrochenen Halbschlafs hob sie schließlich den Kopf und tastete nach dem Kordelstopper ihres Schlafsacks. Sie hatte zu viel Tee getrunken.

Sie spürte den sanften Widerstand seines warmen Rückens an ihrem Körper, denn es war ihr gelungen, den inneren Platz auf dem Absatz zu ergattern, während er mit dem Kocher hantiert hatte. Obwohl es zeitweise recht eng wurde, fühlte sie sich dennoch sicherer, wenn sein im Schlaf entspannter Körper die Schräge hinunterrutschte und sie gegen die Felswand drückte. So wurde sie von ihm gewärmt und brauchte sich obendrein keine Sorgen zu machen, dass sie nachts über die Kante der Plattform rutschen könnte.

Vorsichtig öffnete sie den Biwaksack, und sofort strömte eiskalte Luft in ihren warmen Kokon. Sie ignorierte seinen im Schlaf gemurmelten Protest, denn sie war vollauf mit dem Problem beschäftigt, wie sie sich vom Rand des Absatzes aus sicher erleichtern könnte. Durch den ständigen Druck auf ihre Blase war sie endgültig aus ihrem ohnehin schon unruhigen Schlaf gerissen worden. Sie stand auf und sah auf ihn herunter; er schlief auf seiner linken Seite. Vom Klettern war sie ganz steif, und ihre Knie schmerzten. Bald würde es dunkel sein, und sie wollte es lieber hinter sich bringen, solange es noch einigermaßen hell war. Sie sah den Kocher an der Kette von seinem Haken hängen. Das war wie ein Warnsignal – doch woran sollte es sie erinnern?

Dann bemerkte sie die lose nach unten hängende orangefarbene Bandschlinge an der Felswand. Schlagartig fiel ihr wieder ein, was sie noch hatte tun wollen, und ihre Hand tastete nach dem Karabiner der Selbstsicherungsschlinge an ihrem Klettergurt. Sie fragte sich, wieso er ausgehängt war. Sie konnte es sich nicht erklären.

Als sie sich zum Geländerseil vorbeugte und nach der losen Schlinge greifen wollte, verrutschte die Liegematte unter ihrem Fuß. Sie sah kurz das Eis darunter hervorblitzen, als der gelbe Schaumstoff der Matte wegrutschte und die Eisfläche neben ihrem Innenschuh freilegte. Dann glitt ihr Fuß aus, schlitterte seitwärts, und im nächsten Moment war er schon von der Plattform gerutscht.

Sie stürzte auf die Seite, landete auf seinem Brustkorb und versuchte im Fallen vergeblich, das Geländerseil zu fassen zu bekommen – dabei durchfuhr es sie mit eisigem Schrecken, dass sie nicht eingehängt war. Als sie gegen ihn prallte, hatte sie das Gefühl, als würde auf einmal alles wie in Zeitlupe ablaufen: Es tat ihr leid, dass sie so heftig gegen ihn gestoßen war und ihn aufgeweckt hatte, dann sah sie sein Gesicht mit vor Schreck weit aufgerissenen Augen ganz nah an ihrem. Ihr Arm wurde durch den Aufprall vom Geländerseil weggerissen, und sie spürte, dass ihre Beine und Hüften schon über die Kante der Liegefläche gezogen wurden, während sie noch nach einem Halt suchte.

Ihre Finger scharrten über den Biwaksack, hängten sich in seine Armbeuge ein und krallten sich dort verzweifelt fest. Sie spürte, wie der Stoff seines Ärmels über ihre Handfläche rieb, als sie an seinem Unterarm herunterglitt, dann, wie das harte Metallgehäuse seiner Uhr in ihren Daumenballen drückte, als sie mit dem gesamten Oberkörper über die Kante rutschte. Ihre Beine schlitterten über das Eis, sie spürte die Kälte, und zugleich floss etwas Warmes, Nasses innen an ihren Schenkeln hinunter.

Alles passierte wie in einer abgehackten Aneinanderreihung verwackelter Schnappschüsse: das Ausgleiten, der Aufprall, die zupackende Hand, und dann war sie nicht länger oben auf dem Absatz im Eis, sondern schaute an ihrem mit einem Ruck gestreckten Arm hinauf, wo sich ihre Finger an seinem Uhrarmband festkrallten, schaute in sein aschfahles Gesicht, sah die weit aufgerissenen Augen, den panischen Blick. Sein Oberkörper wurde immer weiter zur Kante des Absatzes gezogen.

Ihr Warnschrei blieb ihr im Hals stecken, als ihr Sturz plötzlich gehalten wurde und sie die lose Schlinge sah: Es war ihre einzige Sicherung, ihre Verbindung mit dem Leben. Sie hatte sie beide ausgehängt – sich selbst und ihn. Mit seiner freien Hand hatte er instinktiv nach hinten gegriffen, als ihr Gewicht ihn vom Absatz zog. Sie starrte auf seine Hand, die sich Halt suchend nach der Schlinge ausstreckte. Sie sah die Anstrengung in seinem Gesicht, als er sich verzweifelt bemühte, seine Finger so weit um ihr Handgelenk zu legen, dass er es fest umklammern konnte, doch sie hatte die Oberseite seines Unterarms umfasst und konnte ihre Hand nicht weit genug herumdrehen, um seinem Griff zu entsprechen.

»Beide Hände«, keuchte er. »Ich brauch beide Hände ... Ich hab dich, halt dich fest –« In diesem Augenblick wusste sie, dass er mit der anderen Hand die Schlinge loslassen wollte. Sie hatte sie beide ausgehängt, und er wusste es nicht. Er war in dem festen Glauben, wenn er die Schlinge losließe und sich vorbeugte, um beide Hände nach ihr auszustrecken, würde er durch den sicheren Fixpunkt im Fels gehalten werden. Sie starrte auf seine Hand, mit der er die Schlinge umklammerte. Sie würden beide abstürzen. Zum Schreien blieb keine Zeit. Sein Körper glitt auf sie zu, und ihre Beine rutschten immer weiter über das Eis ab.

Sie musste loslassen, oder sie würden beide sterben. »Lass los!«, wollte sie ihm zurufen, aber die Furcht schnürte ihr die Kehle zu. Sie löste ihre Finger von seinem Uhrarmband. Sein Arm schnellte zurück, und sie fiel.

Sie spürte den Sturz mehr, als dass sie etwas davon sah. Sie nahm das Rauschen des Windes wahr, der plötzlich ihre Jacke nach oben zog und um ihre Schultern bauschte, spürte die geriffelte Oberfläche des Eises, die ihr die Ellbogen und Knie aufschlug. Ihr Verstand sagte ihr, dass sie verloren war, aber sie weigerte sich, es zu glauben.

Sie musste doch irgendwann aufgehalten werden, ans Ende des Seils kommen, mit einem Ruck in ihrem Klettergurt hängen bleiben, gestoppt werden, einfach irgendwie gestoppt, aber sie raste immer schneller, stürzte immer tiefer, noch schneller, ohne Widerstand, ohne Ende. Ihr schien, als wirble sie durch einen sich immer mehr verjüngenden Kegel aus Geschwindigkeit, grellem Licht und wachsender Bedrohung.

Die eisigen Schauer, die durch jede Faser ihres Körpers zuckten, steigerten sich zu einem einzigen vibrierenden Dröhnen. Ihr Blick wurde undeutlich. Sein Gesicht wich scheinbar abrupt von ihr zurück; seine verzweifelten Augen verschwanden. Die zusammengekauerte, reglose Gestalt, die von der Plattform herunterstarrte, verschwamm hinter Tränenschleiern. Dann war er fort, und ihrem Innern entrang sich ein Schrei.

Sie versuchte ihre Finger ins Eis zu graben. Ihre Fingernägel rissen ab und hinterließen blutige Streifen. Sie zuckte vor Schmerz zusammen und verringerte den Druck ihrer Hände, bis ihr durch den Kopf schoss, dass es das Einzige war, was sie noch tun konnte. Sie zwang also ihre Finger wieder in das harte Eis, und auch wenn es ihr die Fingerspitzen zerfetzte, die Nägel bis zu den Wurzeln absplitterten und nach hinten umgebogen wurden, verlagerte sie ihr ganzes Gewicht auf ihre Hände. Ihr Kopf polterte gegen das glänzende Eis, bis sie mit dem Kinn gegen eine Eisrippe schlug. Ihr Kopf wurde zurückgerissen, und für einen Augenblick war sie wie betäubt.

Mit einem flatternden Geräusch und einem Ruck wurde ihr die Daunenjacke über den Kopf und von den Armen gezogen, gleichzeitig riss es ihr die blutigen Hände vom Eis. Sie spürte den stechend kalten Wind durch ihr dünnes Thermohemd. Der plötzliche Luftwiderstand hatte ihren Körper hochgerissen und umgedreht. Für einen kurzen Moment sah sie die leuchtend gelbe Jacke über sich schweben wie ein gelbes Kreuz in der Luft. Dann kippte sie zur Seite, wurde durch das Abprallen vom Eis herumgeschleudert, bis sie mit dem Kopf voran rücklings weiterstürzte. Sie sah rechts von sich kurz die felsige Gratlinie, dann kam der Gletscher in den Blick und der dunkle Schatten des Bergschrunds – nah und immer näher. Ein fremder Laut drang tief aus ihrer Brust herauf. Sie hörte ihn kommen, schloss die Augen und ließ ihn zu.

Er entrang sich ihrem Innersten. Es war ein wilder, gellender Schrei – ein Schrei der Verweigerung. Ein Teil von ihr wollte ruhig bleiben, an ihn denken, akzeptieren, resignieren und still sein, aber dieser animalische Aufschrei drängte aus ihr heraus. Sie hörte ihn wie aus weiter Ferne.

Als sie über die obere Kante des Bergschrunds schoss, wurde sie wie über eine Rampe hoch in die Luft geschleudert. Sie hob ab und fühlte sich einen Augenblick lang schwerelos, frei im Raum schwebend und erlöst, und sie war froh, dass die markerschütternden Laute aus ihrem Innern verstummt waren. Sie kniff die Augen fest zusammen und spürte den scharfen, pfeifenden Luftwiderstand, nur dass er nun für sie etwas Vertrautes und Tröstliches hatte. Er erinnerte sie an ihre Kindheit, als sie auf der Schaukel gesessen und mit geschlossenen Augen – denn so erschien ihr der Schwung noch viel größer – angstvoll und glücklich zugleich die verschwommenen Schemen der Äderchen in ihren Lidern gegen das Sonnenlicht betrachtet und lächelnd den kühlen Lufthauch in der Sommerhitze genossen hatte. Es war dasselbe Gefühl, und sie freute sich darüber.

Mit unerbittlicher Gewalt schlug sie auf dem Gletscher auf. Durch den Aufprall drang ihr Körper tief in die Schneeoberfläche ein und krachte durch die dicke Eisbrücke über der schmalen Öffnung einer Gletscherspalte. Ihre Wirbelsäule brach im unteren Bereich, und sie spürte nichts mehr, nicht ihren abgebremsten Sturz ins Innere der Spalte, nicht, wie ihr gebrochener Oberschenkelknochen den Stoff ihrer Hose durchstieß, und nicht, wie das blutige, zersplitterte Knochenende an der Eiswand der Gletscherspalte entlangschrammte. Als ihr Körper mit einem Ruck zum Stillstand kam, brach ihr Genick.

Sie nahm nicht einmal wahr, dass ihr Sturz aufgehört hatte. Nicht der Aufprall raubte ihr das Bewusstsein, aber ihre Verletzungen setzten all der Furcht und den Schmerzen ein jähes, gnädiges Ende.

In ihrem verlöschenden Bewusstsein blitzten Erinnerungen auf, unzusammenhängende Bildsequenzen, die ihr Gehirn erzeugte. Elektrische Impulse ihrer neurologischen Codes schossen bruchstückhaft durch ihr sterbendes Gehirn und erzeugten wirre Signale, die wie bei einem außer Kontrolle geratenen Filmprojektor vor ihrem geistigen Auge vorbeiflackerten. Dann brachen Blutzufuhr und Sauerstoffversorgung zusammen.

Sie lag auf der Seite und atmete nicht mehr, das zerschmetterte, grässlich verdrehte Bein war von ihrem Oberkörper verdeckt. Von oben rieselte leise Pulverschnee in den windstillen Schacht hinunter, und aus dem Loch im Eis etwa sechs Meter über ihr, durch das sie gestürzt war, drang fahles Licht herein.

Zuletzt erfüllte sie etwas Leeres, Hohles, Kaltes. Sie versuchte zu sprechen, vermochte es aber nicht. Tränen stiegen in ihr auf, und eine rollte langsam und klebrig über ihre Wange. Dann versank sie in tiefe Dunkelheit, Eiseskälte breitete sich in ihr aus, und ein gedämpftes weißes Licht flimmerte vor ihren Augen. Sie versuchte, sich gegen das Versinken zu wehren, aber der Sog war beharrlich. An ihrer Schläfe hörte sie ihren eigenen, verebbenden Pulsschlag – dann war es still. Ihre Finger erzitterten krampfartig an ihrer Wange. In ihr stieg eine schemenhaft aufflackernde Erinnerung an sein Gesicht auf, ein verblassender, undeutlicher Impuls, dann entströmte ihren Lippen ein letztes, langes Ausatmen. Abgehackte, unzusammenhängende Signale zuckten durch die sterbenden Synapsen ihres Gehirns, sein Bild erlosch. Sie war tot.

2

Bei Einbruch der Nacht erfasste der Sturm seinen Lagerplatz, und die Dunkelheit schien das Wüten noch zu verstärken. Er kauerte in dem vom Wind aufgeblähten Zwei-Mann-Biwaksack und machte keinerlei Anstalten, das Flattern des leichten Gewebes einzudämmen oder sich auf dem Absatz besser zu sichern. Immer wieder hörte er den an der Kette baumelnden Aluminium-Gaskocher gegen die Felswand schlagen. Er wusste, dass er ihn einpacken sollte, aber er rührte sich nicht. Scharf, wie aus einem Sandstrahlgebläse, fegte der Schnee über das Nylongewebe. Der Biwaksack schlug im Wind hin und her und peitschte ihm ins Gesicht.

In der Hocke sitzend, presste er den Rücken gegen die Felswand. Sein Kopf war unbedeckt und der Schlafsack zur Hälfte offen. Die Kälte kroch ihm in den Rücken, und er begann krampfartig zu zittern. Mittlerweile war die Lufttemperatur auf fast minus zwanzig Grad abgesunken, und durch den Windchill des zunehmenden Sturms würde die gefühlte Temperatur bald auf minus fünfzig Grad abfallen. Von weit oberhalb der Eisplattform hörte man das immer lauter werdende Heulen des Windes, der über den Gipfelgrat jagte. Er senkte den Kopf und ließ zu, dass ihm die Kälte in den Körper kroch. Es war ein zielgerichtetes, hinterhältiges Eindringen, das merklich stärker wurde, und doch ignorierte er teilnahmslos die verzweifelten Warnsignale seines Körpers. Mit eiskalter Entschlossenheit nahm er wahr, wie sich der Blutfluss in seinen Adern verdickte, doch er ließ es geschehen: Es machte ihn angenehm schläfrig.

Anfangs, als der Wind begonnen hatte, am Biwaksack zu zerren, hatte er nicht weiter darauf geachtet. Er saß nur dumpf da und registrierte mechanisch, wie ihre Körperwärme aus dem leeren Schlafsack entwich. Jedes Zeitgefühl war ihm abhandengekommen, und er merkte nur, wie sich die Dunkelheit über sein Gesicht legte und ihm die Kälte in die Brust schlich. Seine Beine waren wie abgestorben, die Finger schon ganz weiß und hölzern. Dennoch starrte er regungslos seine Hände an, die ohne Handschuhe auf seinem Schoß lagen. Ganz blass sahen sie aus, fast leblos im düsteren Licht. Er schloss die Faust einige Male, als greife er nach etwas. Die Finger bewegten sich steif, langsam und unkoordiniert, als folgte jeder einzelne einem eigenen Befehl. Er ballte sie zur Faust und drückte fest zu, doch die Hand fühlte sich schlapp und kraftlos an, wie beim Aufwachen aus tiefem Schlaf.

War es so passiert? Hatte er sie nicht festhalten können, weil er noch so schlaftrunken gewesen war? Er starrte die Hand an. Sie war immer stark gewesen. Nicht gerade schön, rau und vernarbt vom Klettern, aber immer stark. Diese Hände waren seine Werkzeuge, sie hatten ihn noch nie im Stich gelassen, und trotzdem war sie ihm entglitten.

Er senkte den Kopf und versuchte, sich in Erinnerung zu rufen, wie sich ihre Hände angefühlt hatten. Alles war so schnell gegangen: das plötzliche Festkrallen an seinem Handgelenk, das Gefühl, dass ihr Gewicht ihn hinabzog, sein kräftiger Widerstand, mit dem er den Sturz abfing und sie diesen flüchtigen Moment lang festhielt, und dann das entsetzliche Zurückschnellen, die Leichtigkeit, sein Fall nach hinten, während sie in die Tiefe stürzte. Er öffnete die Hand und starrte hilflos und nach einer Antwort suchend in die Finsternis. Dann schloss er die Augen und weinte.

Plötzlich spürte er einen Stoß von der Seite und wurde gewaltsam aus seinen Gedanken gerissen. Als ihn die ersten schweren Sturmböen erreichten, überfiel ihn die nackte Angst. Es war ein massiver Windstoß gewesen, wie von einer Riesenhand, die ihn plötzlich hart an der Schulter packte – ein tätlicher Angriff. Der Wind schleuderte ihn an die Felswand und stieß ihn immer weiter, sodass er schnell den rechten Arm ausstrecken musste, um nicht das Gleichgewicht zu verlieren. Der Sturm kam jetzt nicht mehr in jähen Böen, sondern als starke, beharrliche, pulsierende Kraft. Mit dem zunehmenden Druck hob plötzlich auch das jaulende Tosen des Winds an. Er begann zu zittern. Noch nie war er einem solchen Sturm ausgesetzt gewesen, nie hatte er eine solch brachiale Macht der Elemente erlebt.

Eigentlich hatte er sich von der Kälte sanft in einen dämmrigen letzten Schlaf treiben lassen wollen, und ohne den Sturm wäre ihm das auch gelungen. Doch die unablässige Kraft, die ihn von seinem Absatz herunterzuzerren und ins Dunkel hinauszuschleudern drohte, vertrieb jeden Gedanken an Schlaf. Seine Trauer trat schlagartig in den Hintergrund, und instinktiv fing er an, um sein Leben zu kämpfen. Niemand hätte diesen düster überwältigenden Wind hören können, ohne von Todesangst erfasst zu werden. So niederschmetternd seine Gefühle von Schuld und Verzweiflung auch sein mochten, sie verblassten vor diesem brutalen Ansturm, der seine Sinne weit stärker attackierte als seine Gedanken. Sein Instinkt gebot ihm, sich zu wehren, denn sobald er sich von der Angst überwältigen ließe, wäre er verloren. Die Angst war wie eine Krankheit, und wenn man sich ihr nicht widersetzte, nistete sie sich tief im Herzen ein. Man durfte ihr niemals nachgeben. Er musste sie vertreiben. *Unternimm etwas!*

Der von der Seite kommende Wind brachte ihn aus dem Gleichgewicht, und plötzlich verwirrte ihn das wilde Flattern des Biwaksacks, der ihm um Kopf und Schultern schlug und ihm die Sicht raubte. Von dem lästig gegen ihn klatschenden und ihn beengenden Gewebe behindert, tastete er mit seiner Linken nach der Schlinge, an der er, wie er hoffte, immer noch gesichert war. Panische Angst überkam ihn, als der unerbittliche Wind ihn Zentimeter um Zentimeter über die Eisfläche schob. Seine Finger nestelten fahrig an seiner Taille herum und suchten verzweifelt die beruhigende Gewissheit, dass seine Selbstsicherung am Klettergurt fixiert war. Er ertastete die Selbstsicherungsschlinge, die aus der dunklen Wärme seines Schlafsacks emporführte. Auf den Knien kauernd, ließ er seine tauben, bebenden Finger an dem zwei Zentimeter breiten Band entlanggleiten, bis sie gegen die plötzliche Kälte des Karabiners stießen. Der Verschluss war zugeschraubt, er war in seinen Rettungsanker – die orangefarbene Bandschlinge – eingehängt.

Ein zittriger Seufzer entfuhr ihm, und erst jetzt merkte er, dass er bei seiner hektischen Suche die ganze Zeit über den Atem angehalten hatte. Die Angst schnürte ihm die Kehle zu und drohte ihn zu überwältigen. Er biss die Zähne zusammen, bis sich seine Kiefermuskeln verkrampften, so als könne der Schmerz seine Furcht vertreiben. Als er an der Bandschlinge zerrte, spürte er mit Erleichterung den festen Zug des Geländerseils. Über dem Tosen des Sturms war schwach das Scheppern des Kochers und das metallische Klirren des Sicherungsmaterials zu hören, das am Geländerseil hing. Er war gesichert.

Der Sturm wurde stärker. Er hatte gehofft, den ersten scharfen Windstößen würden die üblichen Böen eines normalen schweren Unwetters folgen, doch stattdessen schien ihre Geschwindigkeit weiter zuzunehmen. In der Ferne vernahm er donnerndes Dröhnen, ein tiefes, dumpf trommelndes Geräusch, das er sich nicht erklären konnte. Um ihn herum schien der Wind die Luft zerfetzen zu wollen. Schnee- und Eisteilchen stoben über die Wand und fegten mit einem hohen, schneidenden Ton, der die wahnsinnige Kakophonie noch verstärkte, über die ausgesetzte Eisplattform.

Er blieb zusammengekauert auf dem Boden hocken, den Oberkörper tief über die Knie gebeugt. In dieser Embryohaltung fühlte er sich sicher – so würde er dem Wind standhalten können. Lange Zeit schirmte er sich so ab und grub Knie und Hände in den Boden. Dann bemerkte er, dass die Liegematten unter den Schlafsäcken und dem Biwaksack zu rutschen begannen. Er spürte, wie der Wind unter die Matten fuhr, und hatte plötzlich das Gefühl, hochgehoben, hin und her gestoßen und allmählich über das Eis geschoben zu werden. Panik stieg in ihm auf, und er warf sich seitwärts gegen die Felswand, um dem beharrlichen Angriff des Winds zu trotzen. *Kämpf doch, kämpf! Lass dich nicht unterkriegen!*

Als er spürte, wie er den Kontakt zum Boden verlor und abzugleiten drohte, durchzuckte ihn diese Vorstellung zunächst wie ein Schock. Doch dann fielen ihm die Sicherungsschlingen wieder ein und das Geländerseil und die sauber eingeschlagenen Haken, die sie tief in die Risse der Felswand hineingetrieben hatten, und er sagte sich, dass er nicht weit fallen konnte. Der plötzlich hereinbrechende Sturm und die Heftigkeit der Böen hatten sein Denkvermögen gelähmt. Es war wohl sinnlos, sich diesem Sturm zu widersetzen. Er würde nicht abstürzen. Das wiederholte er wie ein Mantra, mit dem er verzweifelt gegen den Sturm anmurmelte.

Er drehte sich im Biwaksack um und versuchte, das lose flatternde Material einzuholen, es zusammenzudrücken und unter seinen Oberschenkeln festzuklemmen. Der Wärmevorteil des großen Zweimannsacks hatte sich erübrigt, stattdessen drohte er zu einem riesigen, knatternden Segel zu werden, das dem Wind, der ihn in die Tiefe zerren wollte, eine willkommene Angriffsfläche bot. Nachdem er den Sack eng um sich zusammengerafft hatte, spürte er die ständige kalte Zugluft am Rücken und an den Oberschenkeln. Der Sieg, den er errungen hatte, mochte klein sein, aber er hatte sich behauptet. Das war alles, was zählte.

Der Sturm erschien ihm nun weniger stark. Es war also der Sack gewesen, der ihn in Gefahr gebracht hatte, indem er ihn unaufhaltsam über die Eisfläche zerrte. Das rasende Schlagen des Stoffs hatte den Wind für ihn zu etwas Lebendigem, zu einer verheerenden, bösen Macht werden lassen. Nun wurde es besser. Zwar war hoch über ihm noch immer das donnernde Dröhnen zu vernehmen, und die messerscharfen Eisteilchen stürmten weiter über ihn hinweg, doch die Windstärke hatte nachgelassen. Eine Welle der Zuversicht stieg in ihm auf und gleichzeitig eine wütende Entschlossenheit.

Er wollte den Biwaksack ein Stück weit öffnen und mühte sich mit seinen tauben Fingern ab, um den Verschluss an der

Zugkordel zu lockern. Als er seinen bloßen Kopf herausstreckte, zuckte er vor der rasenden Gewalt des Sturms zurück. Kälte und vorbeifegende scharfkantige Eisteilchen schlugen ihm ins Gesicht, stachen ihn in die zusammengekniffenen Augen und brannten auf den ungeschützten Ohren. Der eisige Wind ließ seine Haut ganz starr werden und blies ihm so heftig entgegen, dass er die Augen kaum offen halten konnte. Mit der Hand wühlte er sich zur Öffnung durch, schob den Arm hinaus und tastete sich zur Sicherungsschlinge vor. Sie baumelte schlaff am Fels herunter. Ihm war klar, dass er aufstehen oder sich halb aufrichten musste und beide Hände brauchte, um die Sicherung zu straffen. In der Dunkelheit unter dem Absatz spürte er den gähnenden Abgrund.

Als er die Zugkordel des Biwaksacks um seine Taille festgezurrt hatte, war ihm kalt bis ins Mark, und er zitterte krampfartig. Er wünschte, er hätte die Daunenjacke angezogen, denn der Wind raubte seinem Körper unter dem dünnen Thermohemd alle Wärme. Fieberhaft begann er, die Fixpunkte zu kontrollieren und einzelne Seilschlingen direkt in die Haken einzuhängen. Obwohl er zitterte, platzierte er die Knoten sorgfältig so, dass jedes Seilstück straff mit seinem Klettergurt verbunden war und sich sein Gewicht auf diese Weise gleichmäßig verteilte. Dann kroch er schlotternd in den dunklen Schutz des Biwaksacks zurück. Nun war er durch die Seilschlingen so fixiert, dass er nicht mehr hin und her rutschen konnte. Sie zogen ihn zur Felswand hin und hielten ihn gegen die bergseitige Begrenzung der Plattform gepresst. Er lehnte sich nach allen Seiten, um die Stabilität dieses Nests aus Seilen und Schlingen zu testen. Nun konnte ihm nur noch eine Lawine gefährlich werden, und er zwang sich, nicht an die Bedrohungen zu denken, die über ihm lauern konnten. Hier sei er sicher, sagte er sich, und die Wand würde ihm Schutz bieten.

Er mummelte sich in seinen Schlafsack ein und legte die Seile und Liegematten zu einer dicken Schicht zusammen, die er auch zwischen sich und die Wand stopfte. Er drehte und wand sich in seinem Schlafsack, bis er sich schließlich hinter das Gewirr von Seilen gezwängt hatte, das ihn gegen die Wand drückte. Als er schließlich mit seiner halb aufrechten Position zufrieden war, entspannte er sich, ließ die Schultern nach vorn sinken und presste den Rücken gegen die Felswand.

Er ballte die Hände zur Faust und öffnete sie wieder, um die Blutzirkulation anzuregen. Seine Hände würde er dringend brauchen. Dann durchsuchte er die losen Teile des Biwaksacks, bis er ihren Schlafsack gefunden hatte. Er schob seine Beine in die Öffnung und zog den bis zu den Knien geschlossenen Reißverschluss auf, um weiter hineinkriechen zu können. Zwar konnte er ihn über seinem eigenen dicken Schlafsack nicht ganz schließen, doch die zweite Daunenschicht bot einen höchst willkommenen zusätzlichen Wärmeschutz gegen den anbrandenden Wind. Er schob den Kopf tief in die weiche Nylonkapuze und schützte ihn so vor dem Wind. Sie roch noch ein wenig nach ihrem zarten Duft, und er kniff die Augen fest zusammen, während er seine Finger bewegte und vor Schmerz weinte, als mit dem Blut unerwartet ein Schwall von Erinnerungen zurückkehrte.

Die Stunden vergingen unendlich langsam, und der Sturm nahm noch immer an Heftigkeit zu. Er war warm genug eingepackt, um zu überleben, doch allmählich kroch ihm die Kälte in die Knochen und machte jede Hoffnung auf Schlaf zunichte. Stumm ließ er sich nach vorn sinken und lauschte dem Heulen des Winds, dessen Lautstärke und Tonhöhe immer weiter anstiegen, je dunkler die Nacht wurde. Das Gewicht des Schnees, das auf ihn drückte, nahm zu. Tief drunten in den Tälern legte sich der Schnee schwer auf die Erde, doch hier oben, in der ungeschützten Flanke der Nordseite, tobte er über den Steilhang und ergoss sich über sein Felsennest. Er hatte das unbehagliche Gefühl, langsam unter der Schneedecke zu ersticken.

Ob der Wind auch die Gipfelwechten lockern würde, bis sie abbrachen und sich die tonnenschwere Masse aus Eis und Schnee über die Bergwand ergoss? Sie würde auf seinen leicht angreifbaren Zufluchtsort herunterdonnern und ihn in die schwarze Finsternis hinausschleudern. Er malte sich aus, wie die Haken herausgerissen würden, und bemühte sich, nicht weiter über die Wechten nachzudenken, doch bei jedem Anschwellen einer Sturmböe lauschte er angstvoll dem wütenden Toben des Winds, der über den Gipfelgrat fegte.

Noch nie zuvor hatte er einen solchen Wind gehört. Er schien beinahe lebendig zu sein. Wie ein gewaltiger Rechen fuhr er über das Eisfeld. Mit jedem neuerlichen Aufheulen des Sturms schien er selbst kleiner zu werden, denn er vergrub sich immer tiefer in sein Netz aus Seilen und Schlingen. Der Wind zerrte an ihm, wie eng er sich auch an die überhängende Felswand schmiegte. Wie mit langen, starken Fingern stieß der Wind ihn an, zwängte sich hinter seinen Rücken und suchte nach Schwachstellen.

Er spürte, dass er langsam, aber sicher weggedrückt wurde. Die Seile spannten sich, doch sie hielten.

Stunden vergingen in diesem Tosen, und er driftete ab in einen Nebel von Gedanken und Erinnerungen an das, was gewesen war und was er so plötzlich verloren hatte. Er stellte sie sich schlafend vor, seitlich zusammengerollt, wie immer, wenn sie schlief, von ihm abgewandt, wie ein ordentliches kleines Bündel, das sich leicht in die Arme nehmen ließ. Er wiegte sich im Rhythmus des Winds auf den Knien, atmete ihren immer schwächer werdenden Duft aus dem Schlafsack ein und klammerte sich krampfhaft an seine Erinnerung an sie. In dieser Sturmhölle entschwand sie ihm schnell. Er würde sie die ganze Nacht über festhalten müssen, sonst würde es für ihn kein Morgen geben.

Er liebte es, sie beim Schlafen zu beobachten. Stets versank sie rasch in tiefen Schlummer, voller Zuversicht und Leichtigkeit, und ihr Atem wurde so ruhig wie ein schwacher Hauch. Er lag dann oft mit aufgestütztem Kopf wach da und betrachtete die Schatten, die sich auf ihrem Gesicht abzeichneten, im schwachen Schein der Straßenlaterne, der durch einen Vorhangspalt hereinfiel. Wo ihre Träume sie wohl hinführten? Es gab verschiedene Strömungen in ihrem Unterbewusstsein, die er nie hatte ergründen können. Vom sanften Heben und Senken ihres Atmens konnte er ihre körperliche Verfassung ableiten, und aus der Stille ihres Schlafs las er ihre innere Zufriedenheit heraus. Sie ließ sich entspannt in den Schlaf sinken wie in eine abschwellende warme Flut, ruhte sanft und sicher bis zum Morgen, und wenn er das Gefühl hatte, dass sie ganz in ihre stille, verborgene Welt abgetaucht war, beugte er sich vor und küsste sie auf den Nacken.

Er wusste dann, dass sie ihn liebte. Diese leise, unbemerkte Geste berührte eine geheime Quelle seiner Gefühle für sie. Manchmal behielt er den Augenblick für sich wie ein kleines, verstohlenes nächtliches Vergnügen, doch ab und zu musste er sie einfach wecken und ihr sagen, wie sehr er sie liebte. Dann wandte sie ihm ihr Gesicht zu, und er konnte es von ihren Augen ablesen. Aus ihnen leuchtete die Wahrheit.

Er wiegte sich auf schmerzenden Knien vor und zurück, spürte Tränen auf seinem Gesicht und hob verwirrt den Kopf. Wie lange mochte er geschlafen haben? Hatte er geträumt, oder war sie bei ihm? Suchend griff er neben sich, hielt aber augenblicklich inne, als er sich mit lähmendem Grauen an das erinnerte, was geschehen war. Einen Moment lang überwältigten ihn seine Gefühle, und er versank in eine abgrundtiefe Traurigkeit, die ihn wie ein unstillbarer Hunger überfiel. Er hatte sie verloren. Er ballte die Hand zur Faust und erinnerte sich an die plötzliche Leere um sein Handgelenk. Warum hatte er sie losgelassen?

Der Kocher schlug scheppernd gegen den Fels. Er sollte sich aufraffen und ihn hereinholen, bevor der Sturm ihn fortriss. Ohne ihn gäbe es kein Wasser, keine Wärme und keine warmen Mahlzeiten. Er durfte ihn auf keinen Fall verlieren. Widerwillig richtete er sich auf; ihm graute vor der Kälte, vor dem Wind und der Nacht da draußen. *Der Kocher ist aus Metall*, sagte er sich, *er ist an den Seilen und Haken gesichert und kann nicht losgerissen werden.* Er lehnte sich wieder gegen den vertrauten Druck der Seilschlingen und dachte an sie und daran, wo sie jetzt wohl sein mochte.

Er stellte sich einen kalten, vollkommen stillen Ort vor – es war kein zeitweiliger Schlaf, von dem sie wieder erwachen konnte, sondern ein Ort der eisigen Leere. Dort gab es keine Sicherheit bis zum morgendlichen Erwachen, kein stilles Liebesbekenntnis. Sie war jetzt an diesem Ort, während hier, außerhalb seiner Schutzhülle aus Nylon, der Sturm tobte. Sie lag allein dort im Dunkeln, vom eisigen Griff des Winters umfangen. Er musste herausfinden, wohin sie gegangen war, und ihr sagen, was er getan hatte. Nur sie konnte ihm Absolution erteilen.

Vorhin noch hatte er daran gedacht, ihr zu folgen, sich lautlos von dem Absatz im Eis in ihre Sturzbahn gleiten zu lassen. Das Heulen des Windes, der sich mit rasender Wut austobte, hatte ihm jedoch solche Furcht eingejagt, dass er vor Angst bebend zurückgeschreckt war. Der Sturm würde so lange gegen sein verletzliches Biwak anrennen, bis er genügend Mut gefasst hätte, um sich hinabzustürzen, ihr nach. Mit seinem Tod würde auch der Wind sich beruhigen, der Sturm sich legen, es würde still werden, denn dann wäre die Schuld beglichen.

Er wusste, es war die Kälte, die ihm solche Gedanken eingab. Stürme waren nun mal bedrohlich. Und in seiner Vorstellung war dieser Sturm ein Feind, der nach Schwachstellen suchte, sich ins Innere einschlich und von dort heraus tötete, der ihm wie ein Messer ins Mark schneiden und ihn unerbittlich zum Abgrund drängen würde.

Er musste einfach durchhalten. Der Sturm würde aufhören. Alle Stürme hörten einmal auf. Dann würde er wie ein Hund den Schnee von sich abschütteln, seine festgefrorenen Seile ausgraben und sich über die Wand abseilen. Er würde ihrer Sturzbahn folgen und sie dort unten finden. Er musste nur durchhalten.

3

Der schlimmste Sturm seit Menschengedenken begrub Dörfer unter lautlosen Schneewehen, machte Straßen unpassierbar und ließ unachtsame Reisende erfrieren. Hoch oben auf den umliegenden Bergen schulterten schwer beladene Hänge die dicht fallenden Flocken, bis sich Lawinen lösten und Tausende Tonnen Schnee in die Täler spien. In den kleinen Weilern kämpften die Menschen beim Sichern der Fensterläden und Zaungatter tapfer gegen den Wind an. Zuweilen wurden sie auf die Knie gezwungen und mussten immer wieder ein Nachlassen der Böen abwarten; viele brachten sich schleunigst in Sicherheit.

Seltsame Dinge geschahen. Der stürmische Wind verursachte kaum spürbare elektromagnetische Impulse. Vögel suchten das Weite. Menschen wurden in den Wahnsinn getrieben. Von hoch oben über den höchsten Gipfeln vernahm man ein fernes, pulsierendes Brausen. Das Chaos des Föhnsturms hatte eingesetzt.

Eine Alpendohle ließ ihr glänzendes Gefieder vom Aufwind tragen, schwang sich in einer waghalsigen Schleife seitwärts und schnappte im Flug nach einem Insekt. Die Atmosphäre war elektrisch aufgeladen und knisterte vor Energie. Irritiert tauchte die Dohle von den Gipfelfelsen ab und stieß auf einen großen Vogelschwarm hinunter, der in raschen Spiralen schnell an Höhe verlor. Die Vögel flüchteten vor dem sinkenden Luftdruck und suchten im Tal Schutz. Eine plötzlich aufkommende Brise stäubte entlang des Gipfelgrats Pulverschnee auf und sandte eine weiße Wolke in den spätnachmittäglichen Himmel. Die Sturmfront rückte näher.

Die Vögel waren schon längst verschwunden. Tief unterhalb der Gipfelwechten erklangen die leisen, metallischen Geräusche von anderen Kletterern. Ihre Rufe stiegen dünn in die Winterluft auf. Oben auf dem ersten Eisfeld trieben zwei ameisengroße Gestalten ihre Eisgeräte in den Hang. Lachen mischte sich unter den hellen Klang der Pickelschläge. Wolken zogen am Gipfel vorbei, von rastlos jagenden Winden getrieben. Stunden später, als die vorrückende Wolkenwand den letzten Nachbargipfel verschluckte, trug der auffrischende Wind einen spitzen Todesschrei empor, und ein dunkler Punkt stürzte das Eisfeld hinab.

In den oberen Schichten der Atmosphäre, hoch über dem sich ausbreitenden Wolkenmeer, schob sich eine Kaltfront auf die Alpen zu; sie zeichnete sich am Horizont durch eine düstere Wolkenwand ab.

Bei Einbruch der Nacht stand der Berg unter einem immer kleiner werdenden Stück wolkenlosem Himmel. Eine lang gestreckte Linsenwolke hing melancholisch an seinem Felskamm. Die angrenzenden Gipfel ragten über ihren Wolkenkranz hinaus. Der bitterkalte Wind, ein Vorbote des nahenden Unwetters, blies immer stärker. Aufgewirbelter Schnee wehte über die Gipfelfelsen, sammelte sich in den Spalten und bildete weiße Linien, die wie Quarzadern aussahen. Die Berge ringsum verschwanden nach und nach.

Die steilen Grate waren von schweren Schneewechten gesäumt, die den dunklen Kessel der darunterliegenden Nordwand bedrohten. Gefrorenen Wogen gleich, ragten diese Schneemassen weit über die Grate hinaus und hingen gefährlich über dem Abgrund. Auf der Südseite begann sich im Schnee ein langer Riss zu öffnen. Die Schwerkraft siegte über das enorme Gewicht des kompakten Firns. Tief im Innern des Spalts blitzte blaues Eis hervor. Die Wechte senkte sich ein Stück und setzte sich dann mit unheilvollem Ächzen wieder. Der Spalt klaffte weiter auf, Schnee schob sich in seine Tiefen, und Eis zersplitterte wie Glas. Die Wechte erzitterte, und der aufbrechende Riss raste den Kamm entlang. Im Sturm ging die Katastrophe unter.

Sobald die Nacht ihn umgab, schien der Wind immer lauter zu heulen, und die Dunkelheit zehrte an ihm. Der Sturm kam ihm vor wie ein lebendiges Wesen, das ihn vernichten wollte. Die Kakophonie des Windes bedrängte, lähmte und überwältigte seine Sinne. Er wiegte sich auf den Knien und presste sich mit den Händen den Daunenschlafsack an die Ohren, als ließe sich das Dröhnen auf diese Weise dämpfen. Jedes Zeitgefühl war ihm abhandengekommen, und seine Welt reduzierte sich auf das hilflose Ertragen von Windstößen, die ihn aus der Schwärze der Nacht heraus unerwartet trafen und ihm den letzten Rest Verstand raubten. Sein Bewusstsein trübte sich immer mehr ein.

Irgendwann spürte er, trotz des wilden Wirbels um ihn herum, einen heftigen Druck auf der Blase. Sein krampfartiges Zittern zwang ihn in einen dumpfen Wachzustand. Im Dunkeln tastete er mit einer Hand nach dem harten, kalten Profil seiner Wasserflasche; er fand sie unter seinem Knie. Dann hantierte er an seiner Stirnlampe herum und musste blinzeln, als das gelbliche Licht den vom Wind gebauschten Biwaksack erhellte und er eine blaue Aluminiumflasche sah. Zunächst war er irritiert: Seine Wasserflasche war doch rot.

Beim Schütteln der Flasche merkte er, dass etwas darin herumschwappte. Fast leer. Er drehte den Verschluss auf und trank die paar Schlucke Flüssigkeit mit Orangengeschmack aus. Ihre Flasche. Wieder sah er sie vom Absatz rutschen, sah sie fallen und starrte die blaue Metallflasche an. Plötzlich drehte der Wind und erwischte ihn so unerwartet aus der anderen Richtung, dass er heftig gegen die Felswand gestoßen wurde, an die er mit den Schlingen und Seilstücken festgebunden war. Seitlich kauernd, zog er umständlich den Reißverschluss seiner Hose auf, schob den Klettergurt so weit wie möglich hoch und drückte sein Becken nach vorn. Er spannte den Bauch an und stöhnte, als er spürte, wie sich die Metallflasche in seiner Hand durch den drängenden Strahl, der gegen die Innenwände spritzte, erwärmte. Als er fertig war, beutelte ihn ein weiterer Windstoß, und etwas von dem warmen, säuerlich riechenden

Schaum schwappte in seinen Daunenschlafsack. Mit der einen Hand hielt er die Flasche aufrecht, mit der anderen suchte er nach dem Schraubverschluss, der hinuntergefallen war, als er instinktiv den Arm ausgestreckt hatte, um das Gleichgewicht zu halten. Er konnte den Verschluss nirgendwo entdecken.

Als er den Biwaksack oben öffnete, schlug ihm der Sturm mit voller Wucht entgegen. Eiskristalle stachen ihn wie Nadeln ins Gesicht, und er musste nach Luft ringen. Trotzdem streckte er die warme Flasche in den Sturm hinaus und schüttelte die letzten Tropfen in den Wind, wobei ihm Urin über die Hand lief und im Nu gefror. Dann setzte er sich wieder in die Hocke, verschränkte die Hände ineinander und rieb sie, bis seine Finger wieder etwas wärmer wurden. Die Kälte drang immer tiefer in seinen Körper ein. Auf den Fersen sitzend, wiegte er sich stöhnend vor und zurück und versuchte zu verstehen, was mit ihm los war. Seine Gedanken waren träge und unkonzentriert. Mit den kalten, sauer riechenden Händen schlug er sich gegen die Wangen, die von dem gnadenlosen Wind noch immer ganz taub waren. Die eisige Luft hatte seine Lungen versengt.

Er schüttelte den Kopf und zwang sich seine Gedanken zu ordnen. Er hatte zu lange regungslos im Dunkeln gekniet. Als er versuchte die Finger zu krümmen, die sich steif und abgestorben anfühlten, fiel ihm wieder ein, wie schwer es gewesen war, den Reißverschluss zu öffnen und den Biwaksack zuzuziehen. Mit seiner Motorik ging es offenbar bergab.

Wenn du noch länger hier sitzen bleibst, stirbst du. Wie lange geht dieses Zittern schon so? Er konnte es nicht sagen. *Ist es ständig zu spüren, oder kommt es in krampfartigen Schüben?*

Das Zittern bedeutete, dass seine Körperkerntemperatur sank. Die chemischen Reaktionen, die von den schnellen Muskelkontraktionen des Zitterns ausgelöst wurden, erzeugten Wärme, allerdings nur solange der Glukosevorrat in den Muskeln ausreichte. Er musste schon wieder pinkeln – ein untrügliches Symptom dafür, dass die Kälte seine Blutzirkulation beeinträchtigte. Von Minute zu Minute zogen sich seine Blutgefäße enger zusammen, das spürte er in seinen Armen und

Beinen, die sich ganz steif und wie abgestorben anfühlten. Die sinkende Kerntemperatur und seine Blutdruckrezeptoren hatten sich verschworen und sandten Signale ans Gehirn, das Volumen an Körperflüssigkeit habe sich erhöht. Das wiederum weckte in ihm das dringende Bedürfnis, sich zu erleichtern. Er wiegte sich vor und zurück und spürte, wie die Muskeln unter seinen Händen vibrierten. Die Kälte wollte ihn einlullen.

Er rappelte sich hoch, bis er aufrecht saß, stampfte mit den Füßen auf und schwang die Arme. Mit den Fäusten schlug er sich heftig gegen die Brust, ließ die Schultern kreisen und warf sich mehrfach mit dem Rücken gegen die Felswand. Sein Atem in dem stickigen Biwaksack ging schneller, und er warf den Kopf zurück und schrie wütende Laute ohne jede Bedeutung in seinen Schlafsack hinein. Nach einer Viertelstunde verstummte er und ließ sich in den sicheren Halt seiner Schlingen sinken. Er horchte in seinen Körper hinein: Das Zittern hatte aufgehört. Er fühlte sich schon etwas lebendiger und spürte keinen Druck auf der Blase mehr. *Essen. Du brauchst etwas zu essen, Zucker, Energie.*

Auf den Knien beugte er sich nach vorn und schob die Hände tief in seinen Rucksack hinein. Seine Finger trafen auf etwas Hartes, und er zog es heraus. Im Strahl der Stirnlampe sah er einen Bergschuh aus Leder. Er legte ihn neben sich und wühlte tiefer – noch ein Lederschuh, blau, etwas kleiner. Im Licht der Lampe starrte er ihn an und legte ihn sich vorsichtig in den Schoß. Als er alle Schuhe gefunden und den Proviantbeutel aus seinem Rucksack gezerrt hatte, lehnte er sich zurück und blickte abwesend auf die blauen Bergschuhe. Die würde sie jetzt nicht mehr brauchen. Er zog den Verschluss des Biwaksacks auf und schob die Schuhe einzeln nach draußen in den Sturm, wo sie noch ein paarmal gegen seine Beine schlugen, bevor der Wind sie in die Nacht hinausfegte.

Beim Durchsuchen des Proviantbeutels fand er etwas Trockenobst und ein paar Schokoriegel. Für einen kurzen, verlockenden Augenblick spielte er mit dem Gedanken, sich eine Nudelsuppe zu kochen, aber dann hörte er den Kocher im

Wind gegen den Fels schlagen. Er wusste, dass es unmöglich sein würde, ihn anzuzünden. Also zog er den Deckel einer Sardinenbüchse auf, stopfte sich ihren Inhalt in den Mund und leckte zum Schluss die letzten Soßenreste von seinen Fingern. Der gefrorene Fisch knirschte beim Kauen zwischen seinen Zähnen, und die feinen Gräten kratzten ihn am Gaumen. Anschließend schob er frostharte Aprikosen und schwarzbraun verfärbte getrocknete Bananen hinterher und kaute sie lange und gründlich. Seine verkrampfte Kiefermuskulatur taute auf und lockerte sich. Zum Schluss ließ er sich ein paar Stücke Schokolade langsam im Mund zergehen. Er sog die süße Masse durch die Zähne, schob sie auf der Zunge hin und her und genoss den plötzlichen Energierausch des Zuckers.

Seine eigenen Bergschuhe stellte er im Biwaksack nebeneinander auf den Boden, bedeckte sie mit seinem Rucksack und legte noch eine zusammengefaltete Liegematte darauf. In seinen beiden Schlafsäcken konnte er nun erhöht sitzen, ein wenig beengt zwar und unsicher, wenn der Wind heftig von der Seite kam, aber wenigstens war ihm jetzt nicht mehr so kalt. Er konnte die Beine ausstrecken und mit den Füßen aufstampfen, wenn sie durch das lange Sitzen kalt und steif wurden.

Das Essen hatte seine Lebensgeister geweckt. Er lauschte dem Heulen des Sturms und beobachtete im Strahl seiner Stirnlampe, wie die Falten des Biwaksacks im Wind flatterten. Nach einer Weile schaltete er widerwillig die Lampe aus. Sogleich kam ihm der Sturm lauter vor. Er legte das Kinn auf die Knie und überschlug im Kopf, was ihm an Proviant, Batterien, Gasvorrat und Ausrüstung zur Verfügung stand. In ihrem Rucksack fand er die Reservebatterien für die Stirnlampe, die er gesucht hatte, und verstaute sie im Proviantbeutel. In der Deckeltasche waren noch ein paar Schokoriegel und Trockenfrüchte. Solange der Wind so stark blieb, konnte er sich unmöglich etwas Warmes zum Essen oder Trinken zubereiten, deshalb musste er sich die Snacks und das Obst gut einteilen. Sobald der Wind abflaute, würde schwerer, dichter Schneefall einsetzen. Zwar bot ihm die Felswand etwas Schutz, aber der

Schnee würde sich hinter ihm anhäufen und ihn nach und nach von der Plattform drängen. Pulverschneelawinen würden das Kochen nahezu unmöglich machen und in jede Ritze seines Biwaksacks eindringen und in der Wärme tauen. Dann wäre die Isolierfähigkeit seiner Daunenschlafsäcke schnell dahin. Er musste sich etwas einfallen lassen. Er stöberte wieder in ihrem Rucksack, bis er auf ihre wollene Sturmhaube stieß. Mit ihr konnte er den Pulverschnee von den Schlafsäcken wischen.

Die rote Wasserflasche war noch drei viertel voll. Er teilte sich die Flüssigkeit ein und wollte, bis der Wind abflaute, nur hin und wieder daran nippen. Sobald sich die Möglichkeit ergäbe, würde er den Kocher anwerfen, die Flasche auffüllen und sich eine Mahlzeit aus Suppe, Nudeln und Sardinen kochen. Dann würde er abwarten, bis der Schneefall aufhörte, und noch länger warten, bis die Lawinen abgegangen waren und sich die Schneemassen in der Wand gesetzt hatten. Erst dann würde er aufbrechen können.

Er wiegte sich auf seinem Sitz hin und her und überlegte. *Wohin aufbrechen? Hinunter oder hinauf?* Über ihm lagen mehr als sechshundert Meter schwierige Kletterei in kombiniertem Gelände. Unter ihm erstreckte sich ein glattes Eisfeld, das dreihundert Meter tief zum Gletscher abfiel. Er hatte acht Eisschrauben. Das reichte, um sich über die gesamte Länge des Eisfelds abzuseilen – sofern sie noch scharf waren. Er dachte zurück an die Eiskletterei vom Vortag, und ihm war klar, dass einige der Schrauben schon jetzt unbrauchbar waren. Dennoch war der Abstieg die schnellste und sicherste Option. Er bezweifelte, dass er es allein zum Gipfel schaffen würde. Schon der Gedanke daran flößte ihm Angst ein: Er würde absteigen.

Das Essen und die Bewegung hatten ihm wieder Energie und Zuversicht gegeben, doch mit den Stunden, die vergingen, ebbte das Hochgefühl ab. Er horchte wie hypnotisiert auf die Kadenzen des Winds und hoffte, aus ihnen irgendein Anzeichen eines Abflauens herauszuhören. Von Zeit zu Zeit öffnete er den Biwaksack und streckte den Kopf in die Nacht hinaus. Wenn er den Wind im Gesicht spürte, konnte er dessen

Stärke besser einschätzen als anhand der gedämpften Windgeräusche innerhalb seiner Schutzhülle. Neben dem schabenden Geräusch des Griesels auf dem Nylon hörte er von weit oben ein unheimliches Grollen, das an- und abschwoll. Der Wind blies unerbittlich.

Er drehte die Stirnlampe aus, starrte in den Schneesturm hinein und versuchte, in der nächtlichen Finsternis einen ersten Lichtschimmer auszumachen. Doch alles, was er sah, war die dunkle Masse des Sturms, der um ihn wogte. Als er die Lampe wieder anschaltete, sah er entsetzt, wie der Sturm das Licht verschluckte. Nun war der Schnee gekommen. Er zog die Öffnung seines Biwaksacks zu und wiegte sich in der Hocke. Ein beklemmender Schauer lief ihm über den Rücken. Der erste Anflug von Furcht krampfte ihm den Magen zusammen, während ihm das Adrenalin kalt durch die Adern schoss.

Das Rascheln des Schnees, der auf ihn rieselte, zermürbte ihn allmählich. Er fühlte sich wie in einer Falle. Es war, als würde um ihn herum ständig ein gewaltiger, dämonischer Generator brummen. Die endlos brodelnde Sturmhölle stumpfte ihn geistig ab, ließ ihn aus einem unruhigen Schlummer immer wieder verwirrt hochschrecken, bis die Erschöpfung dann doch die Oberhand gewann und ihn wieder ein kurzer Schlaf übermannte. Der Sturm tobte weiter, doch irgendwie schien es ihn nichts mehr anzugehen. Der Wind raubte ihm die Sinne, und er fühlte sich von ihm eingeschüchtert, bezwungen.

Weit über ihm leuchtete ein zu drei Vierteln gefüllter Mond auf ein wogendes Quecksilbermeer hinunter, in dem sich die dahinjagenden Wolken bis hoch in den Himmel türmten, während darunter eine unnatürliche Dunkelheit herrschte. Verwehte Nebelbänke, durch den Schneesturm zerrissen, peitschten an ihm vorbei, als der Sturm um die Bergflanke fegte. Der träge Strom der Nacht floss langsam; er kämpfte mit seinen wirren Gedanken und hatte das Gefühl, an einem trostlosen, einsamen Ort auf sich selbst zurückgeworfen dahinzutreiben, umgeben von Kakophonie und Katastrophe. Aber er hielt durch.

Als die Nacht schließlich der matten Morgendämmerung wich, sickerte ein fahles Licht in den Himmel. Er blieb in seiner dunklen Schutzhülle sitzen und merkte nicht, dass der Tag angebrochen war. Ihm wurde kalt, während der Sturm ihn mit einer dicken Schneeschicht zudeckte. Benommen hörte er, wie sie sich ganz allmählich über seine dünne Schutzhülle legte. Wenn ihn kurz der Schlaf übermannte, wurden die Geräusche undeutlicher, als flösse die Welt draußen von ihm weg, und wenn er dann wieder erwachte, hatte er das Gefühl, seine Ohren hätten sich mit Wasser gefüllt. Er gähnte und schob den Kiefer hin und her, doch der dumpfe, ferne Klang des Sturms war immer noch zu hören. Er legte den Kopf auf die Hand und schlief wieder ein.

Vor seinem inneren Auge sah er, wie sie abstürzte, und er träumte, seine Hand sei mit ihr gegangen. Er beobachtete, wie seine Finger sie freigaben und fallen ließen. Er sah ihre Hand eng um die seine verkrampft, die sich dann vollkommen schmerzlos vom Gelenk löste. Mit einem Ruck fuhr er hoch. Seine Hand fühlte sich eisig an, wie gelähmt; sie war eingeschlafen, weil er mit dem Kopf auf ihr gelegen hatte. Er schüttelte sie energisch, bis die Wärme des zurückschießenden Bluts brennendes Leben in seine Finger pumpte.

Wütend stieß er mit den Armen um sich und fühlte, wie sich das Gewicht auf dem Nylongewebe des Biwaksacks verschob. Er lag unter dem Schnee begraben. Immer wieder schlug er um sich und kickte mit seinen eingepackten Füßen dagegen. Das gespannte Nylongewebe erschlaffte und hing im Licht seiner Stirnlampe durch. Schlaff? Er blickte sich um, lauschte aufmerksam. Der Wind hatte aufgehört.

Er tastete nach dem Kordelstopper, zog ihn auf, schob den Kopf aus dem Biwaksack und blinzelte in das milchige Licht. Schneeflocken fielen ihm auf die Wangen und schmolzen wie Tränen. Es war warm. Er horchte, ob der Sturmwind noch den Gipfelgrat umtoste. Stille.

Als er nach oben schaute, sah er hie und da dunkle Felspartien oberhalb der schneeverkrusteten Sicherungsschlingen und des Geländerseils. Unter ihm lag eine Welt voller träge dahintreibender Schneemassen. Der Schnee, auf dem er saß, vermischte sich mit der Schneedecke, die an ihm vorbeiströmte. Er schien auf einer Wolke zu schweben. Wie viel Zeit vergangen war, wusste er nicht. Die frische, kühle Luft blies ihm die wirren Gedanken aus dem Kopf, und er sah sich mit erleichterter Neugier um. Lächelnd blickte er auf die weiße, bewegliche Stille und fühlte sich beruhigt.

Die Entrücktheit beim Anblick der träge dahinziehenden Massen von Wolken und Nebel und abgleitendem Schnee wurde ihm schließlich unbehaglich, und er fragte sich, wohin all diese unbändige Gewalt verschwunden war. Er fühlte sich benommen; sein flacher, zögerlicher Atem stieß kleine Wölkchen in die stille Luft. Fast fühlte er sich versucht, ganz ruhig vom Absatz herunterzusteigen und über diese gespenstischen Wolken hinwegzuschreiten.

Er streckte den Arm aus und beobachtete den Schnee, der in Wirbeln und kleinen, sanften Wellen verrann. Doch dann schüttelte er den Kopf, verwirrt von dem, was er sah. War er noch klar bei Sinnen? Die Zeit stand still. Diese friedliche, nomadisch vorbeiziehende Wolkenlandschaft wickelte ihn in ihr Leichentuch ein. Er fühlte sich körperlos – wie ein Gespenst.

Eigentlich hätte er jetzt froh sein müssen, doch stattdessen empfand er eine leise Bedrohung, eine gespannte Unruhe. Plötzlich wurde er nervös und sah nach oben. Schnee rieselte leise und friedlich herab. Von hoch droben hörte er ein dumpfes Donnern, als sich eine Lawine löste. Er spannte seine Muskeln an, wartete auf die Schneeflut. Doch alles blieb still, und er spürte nur die samtigen Liebkosungen der Schneeflocken. Sie schmolzen und rannen ihm wie Tränen über das Gesicht. Fast wünschte er, der Wind würde zurückkommen. Es war einfach zu still.

Das Gefühl, von einer unerbittlichen Macht belauert zu werden, erfüllte sein gesamtes Denken. Beklemmung stieg in ihm auf, und er fühlte sich ausgeliefert. Die atemlose Anspannung um ihn herum verdichtete sich, wurde fast greifbar. Würgend saß ihm die Furcht in der Kehle, und er suchte argwöhnisch die alles verschleiernden Wolken ab. Ein uralter, kaum mehr vorhandener Instinkt warnte ihn scharf vor einer altvertrauten Gefahr: Er wurde gejagt. In dieser unermesslichen feindlichen Landschaft ganz auf sich allein gestellt, war er zur Beute geworden. Er fuhr sich mit der Zunge über die aufgesprungenen Lippen und schmeckte Angst.

4

Auf dem tröstlich summenden Gaskocher tanzte ein blaues Flämmchen. Er stellte den mit Schnee gefüllten Topf vorsichtig darauf und prüfte, ob der Sockel sicher an der Felswand stand. Er beobachtete, wie der Schneehaufen in sich zusammensackte und immer dunkler wurde, je stärker die Hitze durch das Aluminium drang. Kondenswassertropfen liefen an der Außenseite des Topfes hinunter und fielen zischend in die Flamme. Er drehte sich um und legte sich auf den Biwaksack, durch dessen Haut er die verbliebene Wärme der Schlafsäcke spürte.

Seit er verblüfft von seiner Schutzhülle aus auf die leise dahinströmenden Schneemassen gestarrt hatte, war erst eine Stunde vergangen. Das Gefühl der Bedrohung war allmählich von ihm gewichen, und er hatte zugesehen, wie der Schneefall immer schwächer wurde und die Wolken sich lichteten. Dann war er mit steifen Gliedern aufgestanden und hatte die Plattform von den Pulverschneeverwehungen befreit, den Schnee von den Sicherungsschlingen und vom Geländerseil abgeschüttelt und dabei dem metallischen Klirren der Eisschrauben, der Haken und des Kochers gegen die Felswand gelauscht. Das Geräusch wurde von den Wolken unter ihm verschluckt. Bei jedem Blick nach unten konnte er mehr vom Eisfeld erkennen, das jetzt mit unberührtem Neuschnee bedeckt war. Über dem Biwakplatz tauchte nach und nach wie ein drohender Finger ein düsterer Felspfeiler aus den aufklarenden Nebelschwaden auf. Die Risse und Rinnen waren mit Schnee zugeweht worden, und die glatten, hoch aufragenden Wände, die nach oben hin in den Wolken verschwanden, glänzten tückisch. Sie waren mit Wassereis überzogen.

Nachdem er den Absatz freigeräumt und überprüft hatte, ob die Haken noch gut saßen und die Sicherungsschlingen in seinen Klettergurt eingehängt waren, hatte er, obwohl er noch unsicher auf den Beinen war, den Biwaksack zwischen beiden Händen hochgehalten und den Pulverschnee abgeschüttelt.

Sobald Dampf aus dem Topf stieg, durchsuchte er den Inhalt des Proviantbeutels, ließ dabei aber immer wieder seinen Blick umherschweifen, um das Wetter zu beobachten. Äußerlich war er zwar ruhig, aber es plagten ihn düstere Vorahnungen. Die Schnelligkeit, mit der sich das wütende Toben des Sturms gelegt hatte, irritierte ihn. Er dachte an die lange Nacht zurück, in der er im Sturm fast sein Leben gelassen hatte – an die panische Angst, die ihm die Kehle zugeschnürt hatte, und an den Moment, als er sah, wie das Licht seiner Stirnlampe von der Dunkelheit und dem Schneegestöber verschluckt wurde –, und wusste, dass er nicht durchkommen würde. Der Sturm hatte, als er sich darangemacht hatte, ihn auszulöschen, die Welt mit einer weißen Decke verhüllt. Nun sah er das blasse Morgenlicht, in dem alles ringsherum schimmerte, und fragte sich, wie alles gekommen war.

Während der Nacht hatte ihn einmal in seinem Wahn die Vorstellung heimgesucht, er würde abstürzen: Zusammengekauert in dem vom Wind durchgeschüttelten Biwaksack und von dem ständigen Schaben und Rascheln des Schnees umgeben, hatte er plötzlich das Gefühl gehabt, von den Schlingen los- und von der Plattform gerissen zu werden und mit rasender Geschwindigkeit in einem langen freien Fall durch die Wolken in die Nacht hinein zu stürzen. Er glaubte, vom Wind angehoben und weit aus der Wand getragen zu werden, wobei er in seinem dunklen Kokon herumgewirbelt wurde und sich überschlug. Die Vorstellung hatte für ihn etwas Tröstliches gehabt, sodass er es dankbar als Erlösung empfand, als er schwerelos auf den wartenden Gletscher fiel. Sogar seine Hand hatte er prüfend ausgestreckt, ob das alles auch tatsächlich geschah – und ob es vorüber war.

Dann war er seltsam verwirrt in einen erschöpften Schlaf geglitten und hatte, ein wenig ratlos und verloren, auf etwas gewartet. Später war er aufgewacht und hatte einen Arm ausgestreckt, weil er mit einem Schrei aus seinem Bett gefallen war. Er hatte im Dunkeln murrend nach der Nachttischlampe getastet, bis mit einem Mal ein grässliches Geräusch die Luft zu zerreißen schien und die Erinnerung an den Sturz und den Sturm ihn überrollt hatte. Um ihn herum war sein Unterschlupf erneut im Rhythmus der Windböen erschüttert worden.

Er blickte sich um. Es war dunkel gewesen, jetzt war heller Tag. Er hatte gegen einen Sturm angekämpft, und nun herrschte diese Ruhe, diese vollkommen ungestörte Stille, als hätte der Sturm einen Augenblick innegehalten, um sein Werk zu betrachten. Jetzt, wo die Nebelfetzen und Wolken träge um ihn herumzogen, war dieser plötzliche Wandel kaum nachvollziehbar. Er hob seine Hand und untersuchte sein Handgelenk; die drei Kratzer über seinem Uhrarmband waren deutlich zu sehen. Das Blut war dunkel verkrustet und hatte einen metallisch-bitteren Geschmack.

Ein dünner Dampfstrahl blies über seinen Arm. Im Topf brodelte das Wasser. Er zog die Folie einer Plastikschale ab, goss heißes Wasser über den pulvrigen Inhalt und rührte um. Schon roch er den Duft von Rindfleisch, verbranntem Holz und etwas undefinierbar Süßem. Er pustete das Essen zum Abkühlen an und sog kalte Luft ein, als er sich daran den Gaumen verbrannte. Mit weit von den Zähnen zurückgezogenen Lippen kaute er weiter, schob den heißen Essensbrei mit der Zunge im Mund hin und her, kühlte ihn mit schnellem Hecheln. Die heiße Masse schmeckte nach süßer, sandiger Erde. Er musste sich zwingen, die krustig harten, nur teilweise durchgeweichten Rindfleischstreifen zu kauen, bevor er sie hinunterschlang. Es schmeckte besser als alles, was er je gegessen hatte.

Sobald das Wasser wieder kochte, gab er einen Teebeutel und vier Löffel Zucker hinein. Dann drückte er eine halbe Tube Kondensmilch in den Topf, rührte mit dem Löffel um,

an dem noch Eintopfreste klebten, und beobachtete die oben-
auf schwimmenden Fettaugen. Der Tee schmeckte unvergleichlich gut. Voller Gier schlürfte er abwechselnd von der
zuckersüßen Flüssigkeit und aß dann wieder ein paar Löffel
Eintopf. Als er fertig war, lehnte er sich mit dem Rücken an die
Felswand und blickte zum Himmel auf.

Minute um Minute wurde das diffuse Licht heller. Wie
durch eine Milchglasscheibe leuchtete es durch die seltsam ziel-
los dahindriftenden Wolken. Es war unmöglich, den genauen
Stand der Sonne zu erkennen. Als er sich vorbeugte und auf
das Eisfeld hinuntersah, war ihm, als schaue er auf einen tiefen,
unruhigen weißen Ozean. Der Anblick erinnerte ihn an Licht,
das sich im Meerwasser bricht und dort ein Kaleidoskop von
Farben erzeugt, wie zersplittertes Glas. Der ungeheure Raum,
der sich unter ihm auftat, machte ihn schwindlig.

Wenn er nach unten schaute, konnte er beobachten, wie die
am Himmel driftenden Wolken und Nebelstreifen Schatten
auf die Schneedecke warfen, die dort kreuz und quer dahin-
trieben. Die sich ständig bewegenden und ihre Form verän-
dernden Wolken erzeugten träge weißgraue Schatten und glitten gleichzeitig als matt leuchtende Schwaden darüber – ein
faszinierender Anblick. Er konnte die Augen nicht abwenden
und spürte eine Art Sog, eine undefinierbare Sehnsucht. Plötzlich durchbrach das Licht die Wolken, und tief unten, auf dem
weißen Mantel des Gletschers, mehr als dreihundert Meter unter ihm, erkannte er wie am Ende eines fernen weißen Tals die
dünnen Rippen der Gletscherspalten.

Wenn er nach oben schaute, sah er in einer kleinen Lücke
zwischen den hohen weißen Wolkentürmen ein Stück blauen
Himmel aufblitzen. Er beobachtete, wie die Wolken von messerscharfen Sonnenstrahlen geteilt wurden, die still und leise
den Nebel wegbrannten. Der Wind spielte mit den Wolkenfet-
zen, und immer mehr blauer Himmel trat hervor. Das alles
geschah völlig lautlos und mit einer erstaunlichen Schnelligkeit, und schon bald war der Himmel bis auf ein paar letzte
Reste von Nebelfetzen klar.

Auf einmal tauchten die Berge auf, zunächst als nebelhafte Schemen, dann traten ihre Umrisse immer deutlicher hervor. Imposante, mit Raureif bedeckte Gipfel stachen in den azurblauen Himmel wie dunkle Eisberge, deren Spitzen aus einem nebelverhangenen Meer herausragen.

All diese Veränderungen gingen so still und leise vor sich, dass er einen Moment lang an seinem Verstand zweifelte. Auch jetzt noch, während er zusah, wie die letzten Wolken sich auflösten, ließ ihn die Erinnerung an den Sturm erschaudern. Wie der Nebel, den die Wärme der Sonne verdampfen ließ, so verwandelte sich auch der Sturm in Stille, wie eine lautlose Transformation von etwas Festem, das sich zu Gas verflüchtigt. Er empfand Dankbarkeit, dass er überlebt hatte, dass ihm das Leben neu geschenkt worden war. Tief unter ihm schlängelten sich die Wellen des Gletschers in einem weiten Bogen talwärts. Seine schneebedeckten Spalten waren an den schuppenförmigen Schatten zu erkennen, die von der schräg stehenden Sonne auf den Gletscher geworfen wurden.

Beim Blick auf seine Armbanduhr stellte er erstaunt fest, dass es bereits später Nachmittag war. Der Vormittag war unbemerkt verstrichen. Hatte er tatsächlich so lange zusammengekauert in seiner Schutzhülle verharrt, während die Schneewolken klagend ihre nasse Last herabgeschneit hatten? War der Sturm wirklich vorüber? Er schüttelte ungläubig den Kopf. Wie leicht man sich doch mit der Zeit verschätzen konnte. Nachdem er sich einen weiteren zuckersüßen Tee gekocht hatte, legte er sich, den Oberkörper auf die zusammengelegten Schlafsäcke und den Biwaksack gestützt, auf die Seite und nippte geistesabwesend an der dampfenden Flüssigkeit. Der Biwaksack hatte die Wärme der blassen Wintersonne absorbiert.

Ein leichtes Abendrot breitete sich über den Himmel aus. Die Luft war klar und von einem strahlenden Licht erfüllt, und das Wolkenband am Horizont reflektierte den eisigen, gleißend hellen Glanz der Schneeflächen. Es blendete ihn so, dass ihm die Tränen kamen.

Links unterhalb des Eisfelds ragte ein Hängegletscher aus dem Westgrat heraus. Gewaltige Eiskeile erhoben sich, durch tiefe, schattige Spalten voneinander getrennt, als wären sie vom Messer eines Riesen aus der Eiswand geschnitten worden. An diesem Hängegletscher entlang wanderte sein Blick bis zu ihrer Sturzbahn von der Eisplattform auf den tief unterhalb liegenden Gletscher, aber er versuchte dabei, die belastenden Gedanken und Gefühle schon im Ansatz zu ersticken. Sein verwirrter Geist und seine angeschlagene Psyche bereiteten ihm Sorge. Er war zu lange allein gewesen.

Bei der Betrachtung des Gletschers ertappte er sich dabei, dass er in der Umgebung nach irgendeiner unverwechselbaren Formation, einem ausgeprägten Schatten suchte, an dem er sich orientieren konnte. Als ihm der Grund dafür bewusst wurde, fasste er spontan einen Entschluss: Er würde sie finden. Zunächst suchte er mit den Augen beide Seiten des weiten Gletscherbeckens ab, das an den Fuß der Bergwand anschloss, konnte dort aber keine offenen Gletscherspalten ausmachen. Daraufhin richtete er den Blick nach links, auf Höhe des Absatzes, auf dem er stand, und versuchte dort, ein unverkennbares Merkmal in der Struktur des Berges zu finden, das ihm als Orientierung dienen konnte. Die Felspfeiler über ihm und das an der Stelle, wo das Eisfeld in kombiniertes Gelände überging, unregelmäßig verlaufende Felsband waren von Pulverschnee bedeckt. Ihm war klar, dass von dreihundert Meter weiter unten alles ganz anders aussehen würde, verkürzt und verzerrt. Einprägsame Felspfeiler, Verschneidungen und Risse, die von seinem jetzigen Standpunkt aus deutlich auszumachen waren, würden aus der Perspektive von unten mit den gewaltigen Felswänden verschmelzen und nicht mehr erkennbar sein. Er brauchte einen möglichst unverwechselbaren Orientierungspunkt.

Um sich die genaue Lage des Biwakplatzes einzuprägen, blickte er direkt über sich und dann rasch nach unten, merkte jedoch sofort, dass das ein hoffnungsloses Unterfangen war. Wenn er auch nur die geringste Chance haben wollte, die Stelle zu finden, wo sie lag, musste er sich eine senkrecht über das Eisfeld herabführende Linie vorstellen, während er sich dem Wandfuß vom Gletscher aus näherte.

Er lehnte sich zurück und starrte mit blicklosen Augen zur Silhouette der Eisgipfel. Ein Orientierungspunkt. Zwei Orientierungspunkte! Er brauchte eine Peilung! Warum war ihm das nicht früher eingefallen? Er durchwühlte seinen Rucksack und blickte zwischendurch besorgt zum Himmel, um abzuschätzen, wie lange es noch hell sein würde. Dann ertastete seine Hand den harten Plastikrand des Kompasses. Er hängte sich die dünne Schnur um den Hals, beugte sich aufgeregt über die Kante des Absatzes und folgte dem Verlauf des Westgrats über eine Reihe zerklüfteter Felstürme bis hinunter zu der Stelle, wo er auf den rechten Rand des Gletschers traf. Dort fand er rasch, wonach er gesucht hatte. Eine ausgeprägte Scharte am Fuß des Grates, deren Umrisse in der tief stehenden Abendsonne deutlich hervortraten, markierte den Punkt, wo sie von der Hütte herübergequert waren, um den Fuß der Wand zu erkunden. Diesen Punkt würde er verwenden, um seine erste Peilung zu machen. Er hielt den Kompass horizontal vor sich hin, peilte die Scharte an und stellte sicher, dass die rote Spitze der Nordnadel mit dem Nord der Windrose übereinstimmte. Er las die Gradzahl ab und murmelte sie gebetsmühlenartig so oft vor sich hin, bis er sie sich eingeprägt hatte. Mit dem Rücken zur Wand stehend, entdeckte er einen auffällig zerklüfteten Gipfel, der den Horizont exakt in einer Linie mit der Eisplattform berührte. Wieder machte er eine Peilung und prägte sich die Richtungszahl ein.

Er lehnte sich zufrieden zurück und überlegte sich das weitere Vorgehen. Zumindest hatte er nun einen Plan, ein Ziel. Morgen würde er sich vom Biwakplatz aus direkt über das Eisfeld abseilen, auf demselben Weg, den sie genommen hatte. So würde er den Bergschrund an derselben Stelle erreichen, wo auch sie aufgekommen war. Dann sollte es ein Leichtes sein, vom Wandfuß aus mithilfe seiner zweiten Peilung ihre genaue Position ausfindig zu machen. Der schwere Sturm hatte allerdings auf dem Gletscher hohe Schneewehen hinterlassen. Sicher lag sie tief darunter vergraben. Doch wenn er sich genau an die Linie hielt, konnte er den Suchbereich zumindest eingrenzen. *Wenn du auf dieser Linie einfach immer weitergräbst, findest du sie. Du wirst sie nach Hause bringen.* Er blickte hinüber zur Scharte am Grat und wiederholte laut die Richtungszahl. Sie war seine Rückversicherung: Wenn er aus irgendeinem Grund nicht in gerader Linie absteigen könnte oder gezwungen wäre, zunächst zur Hütte zurückzukehren, könnte er später diese erste Peilung dazu verwenden, eine imaginäre direkte Linie von der Scharte bis zu der Stelle zu ziehen, wo sie den Fuß der Wand schnitt. Dann könnte er seine Suche mithilfe der zweiten Peilung wieder aufnehmen.

Die Tatsache, dass er plötzlich ein Ziel vor Augen hatte, verlieh ihm neue Energie. Von nun an konnte er aktiv etwas tun und musste nicht wie bisher einfach nur durchhalten. Er griff nach der Schlinge mit den Eisschrauben und klinkte sie aus dem Geländerseil aus. Sie klirrten in seinem Schoß, während er sorgfältig die Zähne jeder einzelnen Schraube prüfte und diejenigen Schrauben aussortierte, die zu stumpf waren, um sie noch zu verwenden. Fünf gute Eisschrauben blieben ihm, und er hängte sie in eine Schlinge ein, die er sich schräg um die Schulter legen würde. Nach seinen Berechnungen müsste er sich, wenn er sich von der letzten scharfen Schraube abgeseilt hätte, rund dreißig Meter über dem Gletscher befinden. Er würde versuchen, eine der drei abgenutzten Schrauben für das letzte Stück über den Bergschrund zu verwenden; er könnte jedoch auch einen ihrer Eispickel als Fixpunkt einsetzen oder einen Eisblock ausgraben und um diesen die Seile fixieren.

Er zog die Schäfte ihrer Eispickel durch die Schlaufen auf seinem Rucksack und zog die Haltegurte stramm. Den Rucksack stellte er als Windschutz neben dem Kocher ab, wobei er darauf achtete, dass die Tragegurte im Geländerseil eingehängt waren. Während der Arbeit kaute er auf einem Stück scharf gewürzter Wurst herum, wobei er auf Eiskristalle und hart gefrorenes Fett biss. Als der zweite Topf Schnee geschmolzen war, füllte er seine Wasserflasche und setzte noch einmal Schnee auf, um Tee zu kochen. Gern hätte er jetzt eine Zigarette gehabt. Er würde wieder rauchen, wenn er es nach unten geschafft hätte – falls er es schaffen sollte. Alles war startklar. Er würde frühmorgens, noch bei Dunkelheit, aufbrechen und die ersten Abseilfahrten hinter sich bringen. Um am Seil hinunterzugleiten oder die nächsten Fixpunkte anzubringen, brauchte er kein Licht.

Während er alles für seinen Abstieg zurechtgelegt und sich eine Mahlzeit zubereitet hatte, schlug das Wetter ganz allmählich um. Voller Sorge betrachtete er den Horizont. Hinter den fernen, eisbedeckten Gipfeln hatte sich eine Wolkenfront aufgebaut. Der Sturm zog wieder auf, mit dem Einbruch der Nacht, und als er an den Wind dachte, lief es ihm kalt den Rücken hinunter.

Forschend ließ er den Blick über die Nachbargipfel schweifen und sah, dass der Schnee und das Eis die Farben der untergehenden Sonne annahmen. Die Eiswände hatten jetzt, im letzten Licht der Dämmerung, ihr Aussehen verändert: Waren sie kurz zuvor noch in gleißendes Licht getaucht und ihre Konturen scharf gezeichnet gewesen, so schimmerten sie nun in allen Schattierungen von Aquamarin. Ihre strahlenden Farben ließen die dunklen, tiefblauen Hohlräume, die zu ihren Füßen gähnten, noch deutlicher hervortreten.

Die umstehenden Berge mit ihren schneebedeckten Gipfeln umschlossen das unter ihm liegende Gletscherbecken wie schützende Palisaden. Unheilverkündende dunkelviolette Wolkenadern durchzogen die herannahende Sturmfront. In den schattigen Tälern jenseits davon sah er kurz einen fernen See aufblitzen, als die letzten Strahlen der untergehenden Sonne auf seine Wasseroberfläche trafen.

Während er dasaß und an seinem Tee nippte, betrachtete er die Berge, die um ihn herum Wache standen. Die gelassene, selbstverständliche Macht ihrer atemberaubenden Schönheit und tödlichen Gefahr berührte ihn zutiefst. Sie strahlten einen Hauch von Ewigkeit aus: still, unverwundbar, hypnotisch.

Wie ein Blitz traf ihn die Erkenntnis, warum er immer wieder hierher zurückkam. Mysterien verbargen sich in dieser seltsamen Landschaft, sie hatte etwas Übersinnliches, Traumartiges, das ihn magisch anzog.

Für einen Augenblick war ihm, als könne man auf einem Berg lange Zeit dasitzen und wie einen Stein eine ganze Lebensgeschichte in der Hand halten. Als könne man in der Stille, im reinen Licht und in jenem Meer aus schweigsamen Gipfeln, die alle Pulsschläge der Zeit überdauerten, mit ein wenig Glück etwas Unerschütterliches, zutiefst Lebendiges in sich finden.

Zusammengekauert und demütig sah er von seinem ausgesetzten Eisbalkon, an dem noch die Spuren ihrer Pickelhiebe zu sehen waren, dem ersterbenden Licht des Tages zu. Ein kühler Windstoß streifte ihn und ließ ihn erschauern. Er schüttete die letzten Tropfen Tee auf den uringelben Schnee unter der Plattform, verstaute den Topf im Rucksack und zog die Öffnung des Biwaksacks auf. Die Ausläufer der Sturmfront erreichten die umliegenden Berge, als er sich mit den Beinen in die feuchte Wärme der beiden Schlafsäcke nestelte. Die Wolkenwand hatte den Schutzwall der Berge überwunden, und der Schnee stürmte lautlos als grauer Staub über die fernen Gipfel. Er steckte den Kopf in den Biwaksack, zog den Kordelstopper fest zu, legte sich auf die Seite und wartete, starr vor Angst, auf die Nacht. Noch bevor sich die ersten Schneeflocken auf seinem zusammengerollten Körper niederließen, hatte ihn der Schlaf übermannt.

5

An einem langen, sonnigen Nachmittag hatte sie sich zum Sonnenbaden nackt vor die Hütte gelegt. Von der Brennholzkiste auf der Veranda hatte sie den langen Deckel aus Brettern abgenommen und vor die Stufen gelegt, wo es windgeschützt war. Er war aus der Hütte getreten, um sich auf die Treppe in die Sonne zu setzen, und hatte sie dort mit geschlossenen Augen liegen sehen. Sie hatte ihm den Kopf zugedreht, geblinzelt und dann langsam die Augen aufgeschlagen.

»Was schaust du?«, hatte sie leise gefragt.

»Nur so«, war seine Antwort gewesen.

»Lügner!«, hatte sie gemurmelt und die Augen wieder geschlossen.

An diese Erinnerung klammerte er sich, als der Schnee sanft, aber beharrlich vom Himmel fiel, die Berge bestäubte und die Falten des Biwaksacks beschwerte, den er eng um sich gewickelt hatte. Er versuchte zu schlafen, sich mit seinen Erinnerungen zu trösten.

Die sanfte Brise umkoste die Konturen ihres Körpers, strich über die flache Wölbung ihres Bauchs, und er folgte dem Lufthauch, der sie umschlang, von ihr abperlte wie Tautropfen, ihr kreisend über die sich abzeichnenden Rippen fuhr. Er schob sich unter den Bogen ihres Rückgrats, ruhte für einen Augenblick in dem engen Zwischenraum zwischen ihrem Körper und der Erde; er strömte und verebbte, sammelte sich in ihrem Nabel, rann mit einem Flüstern um den Schwung ihrer Hüfte und setzte sich kühlend, als kaltes Prickeln, in ihre Halsgrube, bevor er mit einem Erschauern über ihrer Haut verdunstete.

Er fühlte sich so leicht wie das Sonnenlicht, als er mit ihr sprach, ihr über die Haut flüsterte. Er beobachtete, wie ihr Körper auf ihn reagierte, wie sich ihre Haut unter seiner Berührung spannte. Als er ihren Mund betrachtete, dachte er, dass sie eine natürliche Güte an sich hatte, die ihr energisches Kinn weicher aussehen ließ. Ihr Gesicht strahlte eine liebenswürdige Autorität aus, es hatte einen abwägenden, ernsthaften Ausdruck. Ihre ausgeprägten, hohen Wangenknochen, weich eingerahmt vom warmen Feuer ihres Haars, verliehen ihr ein gefälliges, hübsches Äußeres.

Er hatte ihr sofort vertraut – nicht ihrer Schönheit wegen, sondern weil sie ihm so offen und ehrlich begegnet war. Ihre Augen und ihr auffällig breites Lächeln waren wunderschön. Wenn ihr Blick und ihr Lächeln zusammenwirkten, dann war sie wie verwandelt. Sie wandte ihr Gesicht der Sonne zu. Ein würziger Duft umgab sie.

Ihre Augen öffneten sich zu einem strahlenden Lächeln, und sie sah ihn überglücklich und mit einem verschmitzten Augenzwinkern an. Er war wie verzaubert, in ihrem Bann. Das Leben schien farblos ohne sie.

Warum sie ihn liebte, konnte er nie herausfinden, nur dass sie es tat – und dieses unerwartete Geschenk des Schicksals nahm er dankbar an. Von ihrer gemeinsamen Zukunft hatte er eine gewisse Vorstellung, und das verlieh ihm eine ungewohnte Gelassenheit.

Der Schlaf verscheuchte die Erinnerung, der Traum verblasste, sein Leben schien zu verebben. Die Vergangenheit lag weit hinter ihm, wie im Nebel, eine Täuschung seines träumenden Bewusstseins. Mit plötzlichem Schaudern erwachte er.

»Ich hab nicht …«

Er hörte sich ins Dunkel des Biwaksacks sprechen. Schnee glitt leise von den Nylonwänden. »… geträumt«, flüsterte er entmutigt, als die bestürzende Erkenntnis dumpf in seiner Brust aufstieg. »… geträumt«, wiederholte er leise, und der Kummer schnürte ihm die Kehle zu.

Seine Gedanken rissen ab, und er hörte das schwache Pulsieren seines Bluts. Mühsam riss er sich zusammen, atmete tief durch und lauschte seinem pochenden Herzen im Nachhall der seltsamen Stille, die sein Traum hinterlassen hatte. Seine Gedanken irrten umher, suchten hier und da nach Antworten und akzeptierten dann blind seine Einsamkeit.

Er zerrte am Kordelzug und spähte mit verständnislosem Blick in den Nachthimmel hinauf. Es hatte zu schneien aufgehört; um den Mond hingen düstere Wolken. Hoch oben in der Stratosphäre leuchteten vom Wind zerfetzte, mondbeschienene Wolkenstreifen wie ein lang gezogenes, bleiches Geisterfeuer. Der letzte Hauch des Sturms, eine schwache Brise in dessen Sog, streifte sein Gesicht. Wie achtlos verstreuter Diamantenstaub glitzerten die Sterne am schwarzen Himmel. Die Gipfel standen knochenweiß im Mondlicht, ihre Schneefelder erglänzten im Licht der Sterne. Die lautlose Unendlichkeit des Anblicks weckte dunkle Vorahnungen in ihm, so wie das Heulen des Windes ihm den Verstand geraubt hatte.

Der Mond sandte ein fahles Licht aus und ließ die Wolken gespenstisch leuchten. Wenn sie über den Himmel jagten, lösten sich die Berge in ihren Nebelschleiern auf und tauchten gleich darauf mit verblüffender Geschwindigkeit wieder auf, sobald der Wind sie freiblies. Die Wolken waren von seltsamer, wandelbarer Schönheit. Alles, was er vor sich sah, erschien ihm irgendwie ätherisch: zu kalt, zu unermesslich, um ganz real zu sein.

Die Stunden flossen unbemerkt dahin, während er dasaß und alles betrachtete. Das klare Licht, die Stille und das Zerren des Windes unter dem unendlichen Himmel verwirrten ihn. Ihm wurde schwindlig davon. Er spürte den Sog atmosphärischer Gezeiten im unendlichen Raum über ihm, ein unaufhörliches, vom Mond regiertes Ebben und Fluten. Entkräftet und mit fiebrig glänzenden Augen schaute er dabei zu.

Dann beschlich ihn die leise Ahnung, dass ihm die taube Gleichgültigkeit der Berge den Verstand raubte. Gefangen in seinem Adlerhorst, hatte er das dumpfe Gefühl, er sei schon einmal hier gewesen, er würde für immer hierbleiben, er sei seit Anbeginn der Zeit dazu bestimmt gewesen, hier zu sein. Aus Einsamkeit, erkannte er, wird Besessenheit. Er war dabei, alles zu verlieren.

Im Mondlicht, das den nächtlichen Himmel durchflutete, glaubte er den fernen Wind wie Schmelzwasser über die Felsen fließen zu hören. Als der Mond schließlich emporstieg und die Wolken die letzten, schon fast erstickten Sterne freigaben, tauchte er die Landschaft in sein hartes weißes Licht. Bleich, wie aus Knochen geschnitzt wirkten die Gipfel, und die Gletscher unter dem aschfarbenen Himmel glichen vertrockneten Salzseen.

Er blickte zum Horizont und hielt Ausschau nach den ersten Anzeichen der Morgendämmerung. Als er auf die Uhr sah, war er verblüfft, wie lange er geschlafen hatte.

»Du meine Güte!« Der Klang seiner Stimme überraschte ihn, und er fühlte sich verlassen und zugleich unbeschwert.

Während der Kocher neben ihm summte, kroch er aus dem Biwaksack und zog die Beine aus ihrem Schlafsack, blieb aber weiter in seinem eigenen. Er hielt sich den ihren vor das Gesicht und sog ihren schwachen Duft ein. Dann schob er ihn von sich. Er würde ihn nicht mehr brauchen.

Aus dem Biwaksack zog er den Proviantbeutel und seine Bergschuhe heraus, steckte dann den Kopf durch die Öffnung und suchte im Schein der Stirnlampe nach ihrem Rucksack. Als er ihn herauszog, fiel ihm auf, dass der Reißverschluss der Deckeltasche offen war. Im Lichtstrahl der Lampe glänzte das weiche braune Leder seines Tabakbeutels. Er erinnerte sich an ihr verschmitztes Lächeln. Sie musste ihn versteckt haben, während er schlief.

Nachdem er den Schlafsack in ihren Rucksack gestopft hatte, schnallte er ihre Liegematte an dessen Seite und leerte dann den Biwaksack auf dem Absatz aus. Socken zum Wechseln, ein Stoffbeutel mit Filmen und Sonnencreme, eine wollene Sturmhaube, Handschuhe und eine Gletscherbrille lagen neben ihm an der Felswand. Er steckte alles in seinen

Rucksack und nahm dann die Schlingen mit dem Sicherungsmaterial vom Geländerseil. Er wählte einige Felshaken und fünf Klemmkeile aus und verstaute den Rest in ihrem Rucksack. Für den Abstieg über das Eisfeld würde er keine Felsausrüstung brauchen.

Er schloss den Rucksack, zog die Riemen straff und warf einen Blick auf das Eisfeld hinunter, das im Mondlicht matt glänzte wie Zinn. Am Horizont zeigte sich das erste blasse Licht der Morgendämmerung. In einer Stunde würde es hell sein. Sobald er den Gletscher unten gut erkennen konnte, würde er ihren Rucksack hinunterwerfen und dabei genau verfolgen, wie er entlang ihrer Sturzbahn hinuntersauste. Er war das Einzige, was ihn zu ihr führen konnte. Er trank seinen Tee, rauchte und wartete auf das Tageslicht, wartete darauf, dass das Endspiel begann, und dachte darüber nach, wo sie sein mochte und ob er sie finden würde. Dann schnippte er den Zigarettenstummel in Richtung der heller werdenden Schneefelder hinaus. Für einen kurzen Moment flog er durch die Luft wie ein Glühwürmchen. Die Glut glimmte im letzten Dunkel der Nacht auf, und er folgte mit den Augen ihrem Weg in die Tiefe, bis sie verschwunden war und er den Gletscher im schwachen Morgenlicht klar sehen konnte.

Am Rand der Plattform stehend, starrte er entlang der Sturzbahn nach unten und hielt ihren Rucksack über den Abgrund. Er beugte sich vor, bis der Rucksack auf dem schneebedeckten Eis auflag, ließ ihn los und beobachtete, wie er rasch davonglitt und Fahrt aufnahm. Angestrengt verfolgte er den immer kleiner werdenden Fleck, der auf den Gletscher zuraste und schon wenige Sekunden später nicht mehr zu sehen war. Er prägte sich den Verschwindepunkt genau ein. Die Sturzbahn war kerzengerade gewesen. Langsam hob er den Blick zum Horizont und machte den fernen Gipfel aus, an dem er sich orientieren wollte. Mit etwas Glück würde der leichte Rucksack nicht allzu tief im Pulverschnee vergraben sein.

Nachdem er seinen Schlafsack und die Biwakhülle in seinem Rucksack verstaut hatte, setzte er sich hin und zerrte mühsam die Außenschalen über die vliesgefütterten Innenschuhe, straffte die Schnürsenkel und zog die Füße an, um die Blutzirkulation zu testen. Als er damit zufrieden war, griff er nach den Haken und Klemmkeilen und hängte sie in die hintere Materialschlaufe seines Klettergurts. Dann rollte er die Liegematte eng zusammen und schnallte sie seitlich an seinen Rucksack.

Eine plötzliche, schneidend kalte Windböe schlug ihm ins Gesicht, als er für eine letzte Tasse Tee noch einmal den Kocher anwarf. Der Schnee hatte den Gletscher in ein Leichentuch gehüllt; weiß wand er sich, den Konturen der Landschaft folgend, in das Tal hinunter, das immer noch im nächtlichen Schatten dalag. Die Eisfelder glänzten wie gewelltes Glas. Im immer kräftiger werdenden Morgenlicht schienen die Berge zu wachsen, sich auszubreiten, als wollten sie den ganzen Himmel füllen. Die sich ständig wandelnden Lichtverhältnisse verliehen ihnen und ihren scharf ausgeprägten Gratlinien eine herbe, unerbittliche Schönheit.

Er wusste, warum er seinen Aufbruch hinauszögerte: Er hatte Angst. Sein Plan, sich noch in der Dunkelheit des frühen Morgens abzuseilen, war längst an seiner Untätigkeit gescheitert. Er wollte nicht in das Eisfeld aufbrechen, den Ort verlassen, an dem sie zuletzt zusammen gewesen waren. Er hatte Angst davor, sie zu finden, und genauso viel Angst davor, sie nicht zu finden. Doch dann musste er an den Schnee denken, der um sie herum verharschte und sie zwischen den Welten gefangen hielt. Also drehte er den Kocher ab und stand auf. Es war Zeit zu gehen.

Eine seltsame Stimmung lag plötzlich in der Luft, eine atemlose Ahnung drohender Gefahr, die ihn innehalten ließ, als er nach dem Proviantbeutel griff. Mit ausgestrecktem Arm schielte er zur Seite und atmete vorsichtig aus, wobei sich sein Rücken verkrampfte. Es schien, als hätte sich der Luftdruck verändert. Fragend betrachtete er die stille Landschaft, die in erwartungsvoller Spannung erstarrt war. Doch nichts passierte, und er entspannte sich, wenn auch voller Argwohn.

Er hängte die Materialschlinge mit den Eisschrauben aus, bückte sich und rührte mit einer der Schrauben im Topf um. Da er zu heiß war, um ihn in die Hand zu nehmen, legte er die Schrauben ab und kramte in seinem Rucksack, bis er einen seiner gut isolierenden Kletterhandschuhe fand. Seit Anbruch der Morgendämmerung war die Temperatur stark gesunken – er spürte es an der frostigen Luft, in der sein Atem kleine Wölkchen bildete, und am Knirschen seiner Bergschuhe auf der Plattform. Das ist die Wetterberuhigung nach dem Sturm, dachte er, und dann nahm er wieder eine Druckwelle wahr, warf mit einem Ruck seine Zigarette weg und starrte angstvoll nach oben.

Die Gipfelwechten erbebten auf ihrer gesamten Länge, erstarrten einen Augenblick und schälten sich dann langsam vom Gipfelkamm. Blaues Eis schimmerte auf, wo die Wechten abbrachen und die blanke Eiswand darunter entblößten, die sich an den Kamm klammerte. Tonnen von Eis und Schnee wälzten sich nach unten und gewannen unaufhaltsam an Fahrt.

Auf einer Breite von siebzig Metern beiderseits des Gipfels stürzten die Wechten ab und rasten immer schneller über die oberen Hänge der Nordwand. Eine Staublawine aus Pulverschnee wogte der Eisflut voraus. Das ohrenbetäubende Krachen gegeneinanderprallender Eisblöcke verschmolz mit dem donnernden Widerhall. Frischer, trockener Neuschnee und tonnenschwere Firnbretter setzten sich bebend in Bewegung. Von den schwer beladenen Hängen lösten sich rechts und links wie Kielwasser weitere Schneemassen, die sich mit der Eislawine vereinten.

Zunächst war es nur ganz schwach zu hören, ein niederfrequentes Grollen. Dann dröhnte die Luft plötzlich, und Spindrift stob herab wie Gischt in einer sturmdurchpflügten See. Die zerbrochenen Eisbrocken hoben sich, die Lawine schien einen Satz nach vorn zu machen, wogte in immer rascheren Schüben und überholte sich selbst inmitten ihrer aufgewühlten Brandung, bis die ganze Wand von ihrem Donnern widerhallte und die Erschütterung der Luftmassen Druckwellen mit hoch aufstiebenden Pulverböen erzeugte. Die Luft wurde weiß.

6

Der Knall warf ihn fast um, alles geriet in Bewegung, die Luft zerriss, der ganze Berg bebte, und der Boden unter den Füßen wurde ihm weggezogen. Er duckte sich, und während er sich noch fragte, was das für eine seltsame Erschütterung sein mochte, brach die Lawine über ihn herein.

Wie eine Welle, die über Tausende von Kilometern über dem weiten Ozean Kraft gesammelt hat, ergossen sich riesige Schneefontänen über die Plattform und krachten mit erschreckender Gewalt an ihm vorbei. Die Druckwelle der weißen Explosion schleuderte ihn vom Absatz. Er fühlte sich hilflos und ausgeliefert – ein misshandeltes Nichts. Er wusste, dass das sein Tod war. Das war sein einziger Gedanke.

Als die Seilstücke und Schlingen sich mit einem Ruck strafften, wurde sein Kopf nach vorn gerissen, sodass sein Kinn ihm ein paarmal wie ein schwerer Hammer gegen die Brust schlug. Die Schneeströme schoben sich mit gewaltiger Wucht unter ihn, hoben ihn hoch, sodass er den Zug seiner Sicherung nicht mehr spürte, und für einen Moment setzte vor Schreck sein Herzschlag aus, bis er wieder mit großer Wucht aufs Eis hinuntergeschmettert wurde. Die Seile peitschten ihm ins Gesicht, und seine Knie krachten schmerzhaft auf den Absatz.

Schwere Schläge trommelten auf seinen Rücken herab, und Eissplitter, rau wie Kies, rissen ihm die Haut auf. Die donnernde Sturzflut brach immer heftiger über ihn herein und presste sein Gesicht gegen die messerscharfe Eiskante. Der Kopf dröhnte ihm von dem ratternden Getrommel, bis seine Sicht verschwamm. Er riss den Mund auf, um Luft zu holen, doch es drang nur Schnee hinein und verstopfte ihm die Kehle. Trotz seiner fast geschlossenen Augen nahm er die dunklen, klobigen Schatten wahr, die in dem weißen Strom mitzogen. Dann riss ihn ein heftiger Schlag vom Absatz weg, sodass er horizontal auf der Schneeströmung zu schweben schien. Trotz allem spürte er das Vibrieren der straff gespannten Sicherungsschlinge, die ihn mit dem Geländerseil verband. Die Schlinge wurde locker, dann wieder ruckartig straff, als ein Haken weggerissen wurde. Ein unerträglicher Druck lastete ihm auf der Brust: das scharfe Brennen der nach Luft gierenden Lungen. Dann wurde der Lärm zum fernen Rauschen, als er allmählich das Bewusstsein verlor.

Einen Augenblick lang trug ihn ein ekstatischer Rausch hinweg. Wie aus weiter Ferne sah er die Schneeströme an sich vorbeifluten, und die harten Stöße, die ihn in der wilden Strömung hin und her warfen, schienen nichts mit ihm zu tun zu haben. Seine Augenlider zitterten über den starr blickenden Augen, vor denen mit brachialer Gewalt weiße Schwaden vorbeipolterten. Er sah Kaskaden glitzernder Eispartikel herabströmen und in die Tiefe stürzen wie riesige, im Fließen erstarrte Wasserfälle. All dies sah er durch getrübte Augen. Sein kraftloser Mund öffnete und schloss sich zitternd, wie bei einem gestrandeten Fisch, der verzweifelt nach Luft schnappt und lautlos würgt.

Ein vernebelter Abgrund verschluckte ihn. Er wollte schreien, doch der Schnee erstickte ihn fast. Ein unheilvoller Schatten donnerte gegen seinen hilflosen Körper und warf ihn seitlich auf das Eisfeld. Der Aufprall löste den Schneepfropfen in seiner Kehle, und er sog gierig die dünne, pulverschneegesättigte Luft ein. Sofort bildete sich Wasser in den Lungen, und er hustete und versuchte gleichzeitig zu atmen. Dann krachte irgendetwas auf seinen Kopf, und es wurde ihm schwarz vor Augen.

Als er wieder zu sich kam, hing er mit dem Kopf nach unten im Hang. Er öffnete blinzelnd die Augen und sah, dass der Schnee vor ihm rot gesprenkelt und hier und da mit dicken roten Tropfen versetzt war. Unterhalb des Blutflecks fiel steil das Eisfeld ab; es sah aus wie eine in Falten geworfene graue Stoffbahn, die bis hinunter zum Gletscher reichte. Mühsam drehte er den Kopf, um über die Schulter nach oben zu blicken, und stellte fest, dass er drei Meter unter dem Absatz hing. Er sah die straffe Sicherungsschlinge an seinem Klettergurt und eine Seilschlinge, doch das Geländerseil war weg. *Was hielt ihn fest?*

Als er seine Beine nach unten schwang, fiel ihm auf, dass der Karabiner am Ende der Seilschlinge seitlich in der Selbstsicherungsschlinge in seinem Klettergurt verklemmt war. Er war nicht in die Schlaufe eingeklinkt. Panik stieg in ihm auf, als er nach der Seilschlinge griff und dabei spürte, wie seine Beine mit einem heftigen Ruck nach unten weg über das Eis schrammten. Verzweifelt zwängte er die Finger zwischen die stramm gespannten Stränge und umklammerte gleichzeitig mit der anderen Hand den Karabiner, damit er nicht durch die Schlaufe rutschte, konnte aber nichts ausrichten. Er ergriff die Seilschlinge weiter oben und zog, so fest er konnte, daran, während er gleichzeitig mit den Beinen strampelte, bis er sich ein paar Zentimeter hochgehievt hatte. Nun war die Sicherungsschlinge locker genug, dass er den Karabiner nach unten drücken und in die Schlaufe einklinken konnte. Schwer atmend ließ er sich in die Schlinge zurückfallen. Blut tropfte ihm fortwährend vom Gesicht.

Mit beiden Händen zog er sich an der Schlinge hoch und rammte seine Schuhspitzen gegen das glatte Eis, bis er sich wieder auf den Absatz gekämpft hatte. Hustend und keuchend kniete er da, aber immerhin war er in Sicherheit. Als sein Atem sich beruhigt hatte, sah er nach dem Geländerseil. Zwei Haken waren aus dem Fels gerissen worden, der verbliebene war an der Öse umgebogen. Rasch fegte er Eisbrocken und Pulverschnee von der Plattform, bis er auf seinen Eispickel stieß. Die beiden Haken hingen noch im Geländerseil. Er klinkte sie aus und hämmerte sie tief in Risse in der Felswand. Dann knotete er das Geländerseil in zwei Schlingen ab und fixierte jede an einem der Haken. Erst dann ließ seine Anspannung nach, und er sackte erschöpft zusammen.

Mit tauben Fingern fuhr er sich über das Gesicht, bis er das verschmierte Blut bemerkte. Er strich entlang der rauen Kanten einer Risswunde, die sich von der linken Braue bis zum Haaransatz zog. Er presste groben Schnee gegen die Wunde und konnte die Blutung nach einer Weile stillen, indem er die blutigen Schneekompressen immer wieder gegen frische austauschte. Als die Wunde endlich zu bluten aufgehört hatte, war seine Hand vollkommen gefühllos. Umständlich schob er sie durch die Reißverschlussöffnung seiner Jacke und klemmte sie sich unter die Achsel, um sie zu wärmen. Dabei fiel sein Blick auf den ledernen Tabakbeutel, der lose in der Jacke lag. Er starrte ihn benommen an. Das Letzte, woran er sich erinnern konnte, war, dass er eine Zigarette und einen Topf mit Tee in den Händen gehalten hatte – und dann nur noch an die Wucht der Schneemassen und Dunkelheit.

Er beugte sich über die Kante des Absatzes und sah unten das Trümmerfeld der Lawine, das sich wie gefrorene Brandung über den Gletscher ergoss. Blau glänzende Eisbrocken lagen auf einer weißen Schleppe aus Schneetrümmern verstreut. Er ließ sich wieder nach hinten fallen und fummelte mit blutigen Fingern eine Zigarette zusammen. Als er den dünnen Rauchstrom einsog, begann er zu kichern und dann zu weinen.

Es war still. Als sei nichts gewesen. Abgesehen von seinem Blut und dem Lawinenkegel zeugte nichts davon, dass etwas passiert war.

Er hatte um sein Leben gekämpft, hatte gemerkt, wie einfallsreich ein Mensch dabei werden konnte, und jetzt saß er wieder ganz klein und hilflos da. Krampfhaft zitternd rauchte er seine Zigarette zu Ende.

Ein kleiner dunkler Punkt drang von Norden her in sein Gesichtsfeld. Er schwebte in der Luft und dann das Eisfeld hinauf, schlug dann mit den Flügeln und kam näher, schwang zur Seite und beobachtete ihn aus sicherer Entfernung. Der Vogel schien erschöpft. Ob er auch in den Sturm geraten war?

Er kreiste langsam über seinem Kopf, um dann, wie einem plötzlichen Einfall folgend, auf das Seilgewirr am anderen Ende des Absatzes herunterzustoßen und dort zu landen. Noch nie hatte er eine Dohle beim Landen beobachten können. Sie galten als wahre Meister darin, Insekten im Flug zu fangen und aus purer Lust am Fliegen die waghalsigsten Manöver zu vollführen. Der Vogel beobachtete ihn aufmerksam dabei, wie er eine dünne Rauchwolke in die Luft stieß, neigte den Kopf zur Seite und fixierte ihn mit einem wachsamen Auge. Dann trippelte er seitwärts und krallte sich an einem Seilknoten fest, wo er es bequemer hatte. Dort blieb er sitzen, still und abwartend. Um den Vogel nicht zu verscheuchen, atmete er ganz leise und zwang sich, keine abrupten Bewegungen zu machen. Irgendwie mochte er den Vogel. Er gab ihm Mut.

Doch dann hob er unbedacht die Hand und tastete nach der Wunde an seiner Stirn. Der Vogel stieg in die Lüfte auf und war fort. Traurig suchte er den Himmel nach ihm ab und sah schließlich einen winzigen Punkt knapp über dem Felsgrat fliegen, der den östlichen Teil der Wand begrenzte. Er blieb still sitzen und starrte zu der Stelle am Grat, wo der Vogel verschwunden war. Irgendetwas daran kam ihm bekannt vor.

Als das Nikotin durch seine Adern rauschte, spürte er einen dumpfen Druck an seiner Stirn. Gegen ein plötzliches Schwindelgefühl ankämpfend, fuhr er mit tauben Fingern noch einmal vorsichtig an der klaffenden Wunde entlang und befühlte die Schwellung. Er presste die Finger hart gegen den Schädel, und sofort durchzuckte ihn der stechende Schmerz, den man spürt, wenn man sich einen Knochen gebrochen hat. Als er die Augen schloss, rann ihm Blut über die Lider, und der Druck in seinem Schädel nahm zu. Daher nahm er den Kopf in beide Hände und presste dagegen, vorsichtig zunächst, dann mit zunehmender Stärke, wobei er unter dem erwarteten Schmerz zusammenfuhr. Am stärksten war der Schmerz direkt um die Wunde herum. Er schüttelte den Kopf und spürte, wie der Schmerz dabei anschwoll, doch wenn er mit zusammengekniffenen Augen um sich blickte, konnte er feststellen, dass seine

Sehfähigkeit in Ordnung war. Dabei fiel sein Blick auf die Frontalzacken eines Steigeisens, die aus einer Schneeverwehung auf der Plattform hervorschauten.

Er schaute sich zum ersten Mal richtig um und stellte fest, dass ihm nur sehr wenig von seiner Ausrüstung geblieben war. Er griff nach dem Steigeisen und sah mit Erleichterung, dass auch das zweite an ihm hing. Gewissenhaft sicherte er beide am Geländerseil neben seinem Eishammer. Eine flüchtige Suche im körnigen Schnee förderte seinen Eispickel, einen Löffel und den Kocher zutage – aber kein Geschirr. Zunehmend besorgt dehnte er seine Suche aus, fegte Schnee und Eissplitter vom Absatz, bis er die eisige Oberfläche freigelegt hatte. Sein Rucksack war weg.

Da er sich ganz sicher war, dass er den Rucksack am Geländerseil fixiert hatte, inspizierte er es ganz genau, doch von der Schlinge, die er dazu verwendet hatte, war nichts mehr zu sehen: Sie war gerissen. Was auch immer es gewesen sein mochte, das die Schlinge so mühelos fortgerissen hatte, es hätte ihn auf der Stelle getötet. Er dachte an seinen Kopfschmerz, an den betäubenden Schlag und das Blut auf dem Schnee.

Dann fielen ihm die Eisschrauben ein. Er hatte sie in der Hand gehalten, mit einer davon den Tee umgerührt und dabei zugesehen, wie ein paar Teeblätter aus dem von den scharfen Zacken zerrissenen Beutel aufstiegen. Dann hatte er sie am Boden abgelegt und einen seiner dicken Handschuhe dazu benutzt, den heißen Kochtopf zu halten. Wieder suchte er, mit einem flauen Gefühl im Magen, die Plattform ab. Auch die Eisschrauben waren weg.

Kein Rucksack, kein Schlafsack, kein Biwaksack, keine Handschuhe und keine Eisschrauben. Ohne diese Ausrüstung würde er einen weiteren Wintersturm nicht überleben. Instinktiv suchte er den Horizont ab und forschte in den Wolken nach ersten Anzeichen einer heranrückenden Front. Eine dicht geballte Wolkenmasse in allen Schattierungen von Grau stand tief am Himmel. Er fluchte leise. Ohne eine Zuflucht würde er die Nacht nicht überstehen.

»Aber hier kannst du sowieso nicht sitzen bleiben«, sagte er laut zu sich selbst. Seine Worte erstaunten ihn. »Kein Mensch weiß, dass du hier bist. Es wird niemand kommen und dich holen.« Er starrte auf den Felsgrat. Eine geriffelte graue Eisdecke zog sich wellenförmig rund hundert Meter am unteren Rand des Felsbandes entlang, bis sie sich zu den Felswänden aufschwang, die zum Scheitel des Grates hinaufragten.

Ohne Eisschrauben konnte er sich nicht über das Eisfeld abseilen. Er konnte es höchstens abklettern, doch allein der Gedanke daran machte ihm klar, dass das reiner Selbstmord wäre. Schon beim Aufstieg war es unglaublich anstrengend gewesen, das stahlharte Wintereis zu überwinden. Sie hatten ihre Frontalzacken nur wenige Millimeter tief einschlagen und nur mühsam auf ihnen balancieren können, und das morsche, glasige Eis war unter den Schlägen ihrer Eispickel zersplittert. Er begutachtete noch einmal die heikle Route, die hinüber zum Grat führte.

Beide Rucksäcke waren weg und mit ihnen jede Chance auf ein Entkommen. Das Geländerseil mit seinem Nest aus Sicherungsschlingen war mit nur drei Haken befestigt, die er in die Felswand geschlagen hatte. Er schaute nach unten auf das Eisfeld und suchte nach Felsvorsprüngen, doch dort war nichts außer graue Glätte.

Wütend nahm er den Kocher, schleuderte ihn in die kalte Morgenluft hinaus und sah ihm nach, während er in der Tiefe verschwand. Niedergeschlagen setzte er sich auf den Absatz und drehte sich noch eine Zigarette. In seinem Kopf hämmerte der Schmerz mit einem dumpfen, pulsierenden Echo. Ihm war übel, und er atmete tief durch, um das Gefühl zu vertreiben. In seinem ausgetrockneten Mund hatte er den säuerlich-metallischen Geschmack von Blut. Er merkte, wie die Angst wieder in ihm hochstieg, und fragte sich einmal mehr, wie er die nächste Nacht überleben sollte.

Von der stillen Wand hallte ein schriller Schrei wider, und er riss den Kopf herum, um zu sehen, woher er kam. *War da jemand?* Er suchte die Felspfeiler ab und sah dann auf den Gletscher hinunter, in der Hoffnung, irgendwelche Spuren von winzigen Gestalten – seinen Rettern – zu entdecken. Wieder ertönte der Schrei. Dann sah er den Vogel, der im Aufwind über einer Scharte im Grat seine Kreise zog. Noch einmal ertönte sein hoher Schrei, und bald stimmte ein Gefährte ein.

Etwas an dieser Scharte im Grat kam ihm bekannt vor, als sei er schon einmal dort gewesen. Er wandte seinen Blick von den Vögeln ab, die auf derselben Höhe wie er in der Luft dahinglitten, und ließ ihn über das Eisfeld schweifen. Diesen Ausblick hatte er schon einmal gesehen. Sie waren in der Nachmittagssonne zusammen dort oben gesessen und hatten die Felswand nach einem Platz abgesucht, wo sie ihr erstes Biwak einrichten wollten. Er erinnerte sich daran, wie er sich über die Kante des Grates hinausgebeugt und unter sich eine steile, vereiste Felsrinne gesehen hatte, die von einer kurzen, aber erschreckend steilen Felswand abgeschlossen war. Damals war ihm durch den Kopf gegangen, dass diese Rinne ein guter Fluchtweg aus der Wand sein könnte.

Er lehnte sich auf dem Absatz zurück und starrte auf die Scharte im Grat, über der die Vögel flogen. Obwohl seine Lage fast aussichtslos war, spürte er eine Erregung in sich aufsteigen, als er seine Möglichkeiten durchging. Wenn er die wenigen übrig gebliebenen Haken und Keile einsetzte, könnte er am Rand des Eisfelds entlang zu der Rinne hinüberqueren. Von seinem derzeitigen Standort aus konnte er es zwar nicht sehen, aber er erinnerte sich daran, dass das Eis direkt unterhalb der Scharte einen steilen, sich verjüngenden Kegel bildete. Dieser endete in der überhängenden Felswand, die den Ausstieg zum Grat erschwerte. Beim Quergang hinüber zur Rinne könnte er als Sicherung seine beiden Seile in Haken und Klemmkeile einhängen, die er im Felsband platzieren müsste. Er wünschte sich, er hätte damals die letzten Kletterzüge bis zum Grat hinauf begutachtet.

Er löste die Seile und ließ sie in zwei Schlaufen über das Eisfeld hinuntergleiten, bis alle Knoten gelöst waren. Dann ließ er die losen Enden fallen, die sich rasch nach unten schlängelten, bis sie senkrecht von den Haken herunterhingen und sich unter ihrem eigenen Gewicht strafften.

Er prüfte die Haken, klopfte mit dem Hammer auf sie, um zu hören, wie der Stahl im Fels klang, und um zu sehen, ob sie Spiel hatten. Ein Messerhaken bewegte sich leicht, also hängte er das Geländerseil aus, hämmerte ihn heraus und klinkte ihn in seine Materialschlaufe ein. Er band das rote Seil in seinen Klettergurt ein und spürte, da es über das Eisfeld hinunterhing, dessen ganzes Gewicht. Als er nach dem blauen Seil greifen wollte, hielt er inne.

»Vorsicht!«, ermahnte er sich. »Überleg dir genau, wie du das machen willst.«

Er setzte sich und rauchte eine Zigarette, dabei starrte er auf die Seile, die Querung und die im Fels eingeschlagenen Standhaken. Ob die Seile bis hinüber zur Rinne reichen würden? Er könnte zwar am Seil wieder zurückklettern, aber das würde viel Zeit in Anspruch nehmen. Ein Blick in den Himmel bestätigte seine Vermutung: Er hatte keine Zeit. Die Vögel flogen krächzend hoch über dem Grat, eine gefleckte Wolke im hellen Morgenhimmel.

»Es könnte klappen«, sagte er und stieß den Rauch aus. Nun, da er in aller Ruhe die anstehenden Probleme überdenken konnte, erschien ihm die Querung im Eis schon nicht mehr ganz so schwierig. Er konnte den überlappenden Rand des Eisfelds sehen, das sich bis über das Felsband schob. Er musste die Pickel oberhalb dieses Eisrands im Fels platzieren und die Frontalzacken der Steigeisen ins Eis darunter schlagen – so würde es gehen. Unruhig blickte er auf das Geländerseil. Die Steigeisen hingen daran und kratzten über den Fels. Sie waren noch da. »Wenigstens das hast du richtig gemacht«, murmelte er.

Rasch verknotete er die beiden Seilenden und warf die schweren Schlingen mit geübter Routine aus. Sie peitschten in einer Unzahl sich entwirrender Windungen hinaus, bis die Seile in einer einzigen hundert Meter langen Schlaufe glatt über das Eisfeld hingen, ein Ende an seinem Gurt, das andere an den Haken befestigt.

Er kniete sich auf die Plattform, um die Steigeisen anzulegen. Als er die ledernen Riemen über seinen Bergschuhen festzog, bemerkte er an seiner linken Hand die schwarzblauen Flecken von Frostbeulen. Die Rechte fühlte sich hölzern und taub an, und die Finger hatten sich grauweiß verfärbt. Er ballte die Hände zur Faust und öffnete sie wieder. Es war nichts Rosarotes zu sehen, kein Anzeichen dafür, dass das Blut in die Finger zurückfloss. Er untersuchte den verschmierten Film aus Plasma und dünnem Blut auf seinen Fingern. In seinen Schläfen pochte es. Er verzog das Gesicht und rieb sich das Kinn, das inzwischen von einem mit Raureif überzogenen Stoppelbart bedeckt war; die Haut darunter hatte sich entzündet. Seine Lippen waren trocken und aufgesprungen, und er wischte sich mit Fingern, die nach Urin, Nikotin und Blut rochen, Reste von Lippenpomade und Essen aus den Mundwinkeln.

»Mir ging's auch schon mal besser«, murmelte er mit bitterem Humor vor sich hin.

Als er gerade aufstehen und nach seinen Eisgeräten greifen wollte, fiel ihm ein dunkler Fleck am anderen Ende der Plattform auf. Er fegte den Schnee weg und entdeckte einen dicken, gut isolierenden Handschuh. Es war der rechte. Vergeblich suchte er nach dem für seine linke Hand, die in einem ziemlich erbärmlichen Zustand war. Er zog sich den Handschuh über die taube Hand und bewegte die Finger, wobei er den Druck der isolierenden Innenhandschuhe in der robusten Oberhaut aus Leder und Nylon spürte.

Ein Blick entlang der Querung machte ihm bewusst, dass seine Hände an den Pickelschäften hart gegen das Eis gedrückt würden. Die Handschlaufen würden außerdem die Blutzufuhr beeinträchtigen. Das würde er im Auge behalten müssen, aber verhindern konnte er es nicht.

Schließlich schob er den Tabakbeutel in seine Hemdtasche und zog den Reißverschluss seiner Daunenjacke mit der linken Hand, die keinen Handschuh trug, hoch. Den eiskalten Metallreißverschluss konnte er nicht einmal spüren. Unter seinem Handschuh an der rechten Hand bildete sich langsam etwas

Wärme; er bewegte die Finger und war heilfroh, dass sie wieder durchblutet wurden. Den weichen Innenhandschuh konnte er jetzt auf der Haut spüren. Er zog den Handschuh aus, nahm den Innenhandschuh aus der äußeren Hülle und schob seine Linke hinein. Dann zog er den Außenhandschuh wieder über seine Rechte, ballte beide Hände zu Fäusten und pumpte Leben zurück in die Finger, bis er einigermaßen zufrieden war. Mehr konnte er nicht tun.

Irgendetwas vermisste er im Vergleich zum üblichen Vorbereitungsritual, wenn er klettern ging. Er sah sich um. Da war die große Schlaufe seines Seils, die über die Eiswand hinunterhing. Er maß fünfzehn Meter des blauen Seils ab, knüpfte einen Sackstich hinein und hängte diesen ebenfalls in die Einbindeschlaufe seines Klettergurts. Sonst gab es nichts zu tun. Er hatte keinen Rucksack, den er aufsetzen musste, kein Sortiment von Haken und Eisschrauben, das am Gurt untergebracht werden musste, und niemanden, der ihm das Seil ausgeben würde. Das vertraute Klirren von Metall gegen Metall und das beruhigende Klicken von zuschnappenden Karabinern fehlten ihm. Sein jämmerlich kleines Sortiment an Klemmkeilen und Haken hing bereits in seiner Materialschlaufe. Er konnte nur noch losklettern.

Sein Magen verkrampfte sich bei dem Gedanken an das, was vor ihm lag. Mittlerweile hatte er sich an die Wohnlichkeit seiner Plattform gewöhnt, und der Aufbruch fiel ihm schwer.

Es herrschte noch frühmorgendliche Kälte, die Luft war klar und eisig, und das Morgenlicht verlieh allem einen hellen Glanz. Das Kratzen seiner Steigeisen und das Knarren seiner Schuhe waren die einzigen Geräusche. Nervös, hellwach und still stand er auf dem Absatz über dem Eisfeld und fühlte sich allein und wie gelähmt. Die Luft kam ihm dünn vor und schien alles zu verzerren, als blicke er durch einen Kristallsplitter. Der kalte Wind blies ihm ins Gesicht, und seine Augen fingen an zu tränen. Er wischte sich darüber und atmete tief durch.

Er hob die Eisgeräte, prüfte den Sitz der Handschlaufen und wog die beiden Geräte in der Hand. Dann lockerte er die

Schultern, sah sich noch einmal die Haken und dann die Querung an. Schließlich schlug er mit dem Eispickel zu und spürte, wie sicher und stabil dieser sich ins Eis biss. Unter sich nahm er den Abgrund wahr, und es kostete ihn viel Überwindung, auf seine Steigeisen hinunterzusehen und die Frontalzacken ins Eis zu hacken. Die Splitter klirrten unter ihm wie Glas, als sie in die Tiefe stürzten. Behutsam verlagerte er sein Gewicht; er spürte, wie die Wadenmuskeln sich anspannten. Der zweite Pickel knirschte ins Eis und hielt. Während er sich vorsichtig von seinem sicheren Standort wegbewegte, hörte er seine heftigen, kurzen Atemzüge.

Übervorsichtig und voller Angst balancierte er systematisch auf Zehenspitzen seitwärts und bemühte sich, langsam und gleichmäßig zu atmen. Das Seil hing in leichtem Bogen durch. Seine Muskeln waren von den langen Stunden auf dem Absatz verkrampft und steif. Mit der Zeit kam sein Kreislauf in Schwung, und er entspannte sich und fand an dem gefährlichen Tanz allmählich sogar Gefallen. Seine anfangs noch ängstlichen Züge wurden zunehmend von fließenden Bewegungen abgelöst. Er nahm sich Zeit, kletterte äußerst aufmerksam und präzise. Gelegentlich warf er einen Blick zurück zum Absatz und schaute sich nach seiner Seilpartnerin um, die ihn sicherte. Aber sie war nicht mehr da, und irgendwann hörte er auf, nach ihr zu sehen.

Er stand ganz allein über einer unermesslichen Leere. Das faszinierte ihn. Die Farben leuchteten intensiver, die Formen waren scharf gezeichnet und perfekt ausgeführt. Er hielt nach Luftblasen im Eis Ausschau, nach weißen Adern, die weiche Stellen verrieten, und ließ sie dann mit dem Pickel zerbersten: ein dumpfer Schlag genau auf den richtigen Punkt. Vorsichtig querte er unterhalb des Felsstreifens, die morsche Eisoberfläche unter seinen Füßen zersplitternd. Gelegentliche Funken und Schwefelgeruch ließen auf darunterliegende Felsen schließen. Das Seil, das hinüber zur Sicherung führte, wurde allmählich straff und holte ihn aus seiner tiefen Konzentration zurück. Er suchte nach Spalten und Rissen für einen Haken oder Klemmkeil. Der Fels über ihm war vollkommen glatt und glich einer ebenmäßig gerundeten Säule, einem gegen das Eisfeld abgestützten Strebepfeiler.

Er beugte sich hinunter und hackte so lange auf das Eis ein, bis er sich einen fußbreiten Stand geschaffen hatte, auf dem er seinen angespannten Wadenmuskeln eine Pause gönnen konnte. Dann löste er den Knoten im blauen Seil, gab weitere fünfzehn Meter aus und hängte es wieder in seinen Klettergurt ein. Das Seil glitt in einem eleganten Schwung über das Eis. Wenn er jetzt stürzte, würde er in einem dreißig Meter weiten Bogen pendeln. Aber er würde nicht abstürzen. Eine Stunde später war er das blaue Seil von der Plattform her in seiner ganzen Länge ausgegangen. Über dem Eis sah er einen etwa zwei Zentimeter breiten Riss im Gestein, aber sich so weit zum Fels hinzubewegen erschien ihm bedenklich unsicher und exponiert.

Flach atmend schleuderte er den Eishammer nach oben, damit er den Schaft zu fassen bekam, und tastete nach dem Haken. Er brachte sein ganzes Gewicht auf die Frontalzacken seiner Steigeisen; ohne Haltepunkte für die Hände fühlte er sich unwohl, nicht im Lot, aber er brauchte beide Hände. Dann steckte er den Haken so tief in den Riss, bis er Fels gegen Metall knirschen hörte. Zwei scharfe Hammerschläge belohnten ihn mit dem hellen Klang eines gut gesetzten Hakens. Sie hallten laut und scharf durch die Stille. Ein stabiler Haken, dachte er, als er sein Seil mit einem Karabiner in ihn einhängte. Er ruhte sich an dem Fixpunkt aus und überlegte sich den Weiterweg.

Seine plötzliche Sicherheit machte ihm die alarmierende Ausgesetztheit seiner Position bewusst. Der weite, leere Raum rief in ihm ein Gefühl der Beklemmung hervor. Beim Klettern vergaß er den sicheren Erdboden, die Falllinie, sogar das Atmen, eigentlich die ganze Welt. Aber an dieser Stelle, wo er bewegungslos und ohne den schützenden Kokon der Konzentration verharrte, musste er sich zwingen, nicht an einen Absturz zu denken. Der Himmel schien so kalt und weit und blau. Er löste eine Eisscholle und sah ihr nach, wie sie unter seinen Schuhen mit bestürzender Geschwindigkeit in die Tiefe trudelte. Ganz dort unten drängte sich der Gletscher zwischen die Bergwände über dem Tal. Ihm schien, als schwebe er über allem. Das Eis, das ihm soeben noch ein faszinierendes Puzzle von Entscheidungen abverlangt und ihn vollkommen gefangen genommen hatte, schien ihm in diesem Augenblick nur noch tückisch. Wie ein Vorhang aus feuchter, glatter Seide, blank poliert wie geöltes Glas, zog es sich in schwindelerregende Tiefen. Ängstlich sah er auf seine Steigeisen hinunter. Sie machten scharrende Geräusche.

Er fühlte sich erschöpft, ihm war schwindlig, und in seinem Kopf pulsierte ein stetiger Schmerz. Von seinem Haaransatz rann eine klebrige Flüssigkeit. Es stand nicht gut um ihn. Er wollte sich ausruhen, aber wenn er jetzt anhielte, würde er vielleicht nie wieder loskommen. Also weiter, sagte er sich, löste den Eispickel vom Haken und ließ sich aufs Eis hinunter. Um die in ihm aufsteigende Panik zu bannen, zwang er sich, die gleichförmigen, beruhigenden Bewegungsabläufe des Kletterns zu wiederholen.

Wie ein Krebs schob er sich seitlich über das Eis, und das rhythmische Hacken seiner Eisgeräte beruhigte seine Nerven, sodass sich die Angst allmählich legte und er entspannter wurde. Mit einem zufriedenen Lächeln quittierte er, wie leicht er sich auf seinen Füßen bewegte und wie sicher er die Steigeisen mit dem jeweils exakt richtigen Druck ins morsche Eis trieb, damit die Spitzen Halt hatten. Dabei konzentrierte sich sein Gehör ganz auf das splitternde Geräusch, bevor er sein Gewicht verlagerte. Die Eisdecke wich vor einem Felsvorsprung zurück, also stieg auch er ab und folgte dem grau geriffelten Eis, bis er wieder einen dünnen Riss im Felspfeiler entdeckte.

Die flache Klinge des Messerhakens schob sich schon beim ersten Hammerschlag bis zur Hälfte hinein. Er bog den Oberkörper zurück, um für den zweiten Schlag Schwung zu holen, und hörte die wohlklingende Resonanz, als die Klinge in den Riss drang. Sobald der Haken bis zum Kopf im Fels steckte, ließ er den Hammer von der Handschlaufe herabhängen und holte das lose Seil ein, um eine Schlinge zu knüpfen. Es geschah völlig geräuschlos: Nur ein winziges Abgleiten, und alle Muskeln in seinem Körper verkrampften sich. Er sah sich ein paar Zentimeter rutschen, dann war das harte graue Eis verschwunden, und Fels raste an seinem Gesicht vorbei.

Von der Wand abgeworfen, hing er nun in der Luft. Die Eisdecke knirschte und bebte, dann hob sie sich im Wind wie ein großer, in der Luft angehaltener aschfarbener Flügel, der plötzlich zu einem Strahlenkranz zersplitterter Eispartikel explodierte. Kopfüber und mit ausgestreckten Armen stürzte er nach unten, seine Eisgeräte hüpften nutzlos über die rutschige, steinharte Oberfläche. Mit starrem Entsetzen blickte er in den Abgrund unter sich.

Sein Schrei wollte sich nicht aus dem verkrampften Brustkorb lösen. Etwas zerrte heftig an seiner Hüfte, er wurde seitwärts gerissen, und sein Helm traf dumpf auf dem Eis auf, sodass er unwillkürlich aufstöhnte. Die Beschleunigung verblüffte ihn, der Wind pfiff ihm um die Ohren, das Eis schoss vorbei, und der Felsgrat hob sich scharf vor dem Himmel ab. Für einen kurzen Augenblick nahm er den schrundigen Gletscher wahr. Gekrümmt wie ein Wurm am Haken hing er am Seil und vollführte eine Pendelbewegung. Sein Magen entleerte sich bei diesem schwindelerregenden Pirouettentanz. Das Seil war hart gespannt und dehnte sich immer stärker. *Nicht reißen, nicht reißen.* Dann fiel er schwerelos in den Himmel und entkam der Erdanziehung. Als er den höchsten Ausschlag erreichte, schloss er die Augen, hing einen Moment lang starr in der Luft und fiel dann im Bogen seines Pendelschwungs zurück, wobei er immer wieder gegen das zerklüftete Eis schlug.

Nachdem er endlich ausgependelt hatte, hing er wimmernd da und klammerte sich mit beiden Händen am Seil fest. Seine Stirn hielt er an die Hände gepresst, als würde er beten, und verharrte so lange in dieser Position, bis sich sein Atem wieder beruhigt hatte. Vereinzelte Eissplitter raschelten vorbei, dann war es still. Er hob den Kopf und starrte zu dem Haken hinauf, dessen Auge fünfundzwanzig Meter über ihm in den Himmel blinzelte.

»Danke, danke«, flüsterte er und lehnte die Stirn erleichtert ans Eis. Eine Flut von Hormonen wurde in seinem Körper ausgeschüttet, und er lauschte dem Adrenalin, das ihm durch den Schädel rauschte.

Als er sich wieder einigermaßen gefasst hatte, tappte er auf den Frontalzacken zitternd über das Eis hoch und hockte sich schließlich mit schlotternden Knien unterhalb der Stelle hin, an der sein Haken aus dem Fels ragte. Ein breites Stück blanker Fels war nun zu sehen. Die gesamte Eisplatte hatte sich in einem Stück gelöst und war mit ihm über das Eisfeld hinunter in die Tiefe geschlittert. Mit dem Zahn eines seiner Steigeisen erwischte er eine scharfkantige Ritze, sodass er einen sicheren Halt fand und sich sammeln konnte. Er klinkte eine Seilschlaufe in einen Karabiner und ließ sich in die wohltuende Sicherheit des tief verankerten Hakens zurücksinken.

Weit rechts von ihm verrieten gelbe Urinflecken die Position seines Biwakplatzes etwa achtzig Meter von der Stelle entfernt, wo er hing. Er begutachtete den Weg zu der Rinne, die sich zum Grat hin öffnete. Nach seiner Schätzung lagen noch etwa siebzig Meter vor ihm. Pulverschnee fegte unvermittelt in einem schwerelosen Strom an ihm vorüber, und die scharfen Kristalle ließen ihn zusammenzucken. Ängstlich blickte er zu den über ihm aufragenden Felspfeilern empor, als erwarte er, dass jeden Moment eine weitere Lawine über ihn hinwegdonnern würde. Er hielt inne, drückte sich Schutz suchend gegen die Felswand und wartete. Der Messerhaken sah nicht gerade stabil aus.

Es kam nichts. Über ihm zogen weiße Wolkenbänder über den Himmel. Von Weitem hörte er den heulenden Wind hoch oben gegen die Felsen anbranden. Die Wand bot ihm einen gewissen Schutz, doch inzwischen hatte sich der Wind gedreht und wurde stärker. Das schlechte Wetter würde aus der Richtung des Windes kommen, also von der Leeseite des Berges. Damit war es für ihn unsichtbar, bis es ihn mit voller Wucht traf. Die Zeit war schnell vergangen. Die Sonne, die nun hell am Himmel stand, vermittelte nur die Illusion von Wärme. Er musste sich beeilen, wenn er nicht in die Dunkelheit geraten wollte. Mit einem Blick erfasste er die zusammengeknoteten Seile, die in einem Bogen bis zur Plattform im Eis führten. Eines davon musste er opfern.

Er kletterte am Rand des Eises entlang zurück bis zum Knoten, löste ihn und ließ das blaue Seil fahren. Es schwang über das Eis, bis es von der Plattform senkrecht nach unten hing. Nun gab es kein Zurück mehr.

Nachdem er die beiden Enden des roten Seils an seinem Klettergurt befestigt hatte, stand ihm eine fünfundzwanzig Meter lange Schlaufe zur Verfügung, die er am Haken einklinkte. Er würde die Querung in Abschnitten von fünfundzwanzig Metern klettern und jeweils einen Haken am Ende befestigen. Dann würde er das Seil durchziehen und einen Haken und einen Karabiner zurücklassen.

Zwei Stunden später war er etwa fünfzig Meter weitergekommen. An seinem Klettergurt hingen nur noch vier Haken und zwei Klemmkeile, und die schwierigste Passage stand ihm noch bevor. Er prüfte das Terrain vor ihm. Die Rinne zog sich bis zu einem schmalen Eiskegel hoch. Sie war von steilen Felswänden eingefasst, düster und ohne Sonnenlicht. Oben verjüngte sich das Eis, und die Wände ragten senkrecht in die Höhe bis zu einer überhängenden Verschneidung. Ein Riss, nicht breiter als seine Faust, verlief durch den Überhang, doch die Felswand darunter sah beunruhigend glatt, hart, durchgängig steil und Angst einflößend aus.

Ihm blieb nur noch wenig Tageslicht, um die Sicherheit des Grates zu erreichen. Die Aussicht auf eine lange, eiskalte Nacht, die er ohne Schlafsack und Wetterschutz an Haken hängend würde verbringen müssen, belastete ihn allmählich. Falls er überhaupt eine solche Nacht überleben würde, dann wäre er am nächsten Morgen wohl kaum in der Lage, die Wand zu durchklettern. Die Finger seiner linken Hand fühlten sich immer noch taub an. In sie war keine Wärme zurückgekehrt. Er spuckte den Zigarettenstummel aus und griff nach seinen Eisgeräten.

7

Das Eis wurde immer dünner und morscher, je näher er dem Ausstieg aus der Rinne kam. Er ertappte sich dabei, dass er die Hauen seiner Pickel nur noch sanft einsteckte, gerade tief genug, um sie am Rand der geschaffenen Vertiefung zu verankern. Seine Steigeisen griffen, bogen sich durch und knirschten. Nervös erinnerte er sich an seine Rutschpartie von vorher. Eine kleine Felsschuppe ragte aus der linken Begrenzungswand der Rinne heraus; er legte eine Schlinge über sie und hängte das Seil in den Karabiner ein. Die Zwischensicherung verlieh ihm neue Zuversicht, und so kletterte er weiter, bis er schließlich die Felswand erreichte, die das Couloir abschloss, und dort auf den letzten kärglichen Überresten von Eis stand. Er legte einen bombenfest sitzenden Klemmkeil, indem er ihn tief in einen Felsriss hineinhämmerte, bis sich der Stahl unter den wuchtigen Hammerschlägen verbog. Er würde ihn nie wieder entfernen können, aber immerhin war er sein wichtigster Fixpunkt, wenn er über die abschließende Felswand ausstieg.

Innerhalb der nächsten Stunde seilte er sich zum Fuß der Rinne ab, sammelte alle Klemmkeile und Haken ein und stieg, am fixen Seil gesichert, wieder auf. Aufmerksam betrachtete er den Fels, der sich über ihm auftürmte. Silbrige Eisfäden durchzogen die Falten in seiner Oberfläche. Ein Netz feiner Risse spannte sich bis nach oben zu einem breiter werdenden Riss, der das sich darüberwölbende Dach spaltete. Tief im Riss glänzte schwarzblau eine Eisader.

Es gab keine Möglichkeit, das Dach zu umgehen. Er musste es direkt überklettern. Er konnte von Glück sagen, dass es den Riss gab, denn ohne ihn säße er nun fest. Die Wände zu beiden

Seiten des Dachs waren völlig glatte Felsplatten, die jeden Zugang zum Grat versperrten. Es gab nur eine Route hinauf. Die Erkenntnis hatte etwas Beruhigendes: Wenigstens musste er nun keine Entscheidungen treffen. Die Sache war ganz einfach. Entweder er kletterte durch den Riss und entkam aus der Wand, oder er starb in der Rinne.

Er zog fest am Seil und beobachtete, wie sich die Karabiner mit einem metallischen Klicken nach unten ausrichteten. Der eingeschlagene Klemmkeil steckte in seiner Felsspalte und bewegte sich keinen Millimeter. Der Messerhaken, den er in einen Riss daneben gehämmert hatte, verbog sich leicht, hielt aber. Er entfernte seine Sicherungsschlinge und hängte sie sich schräg über die Schulter. Dann ballte er seine nackten Hände und testete, ob seine Eisgeräte sicher an ihren Handschlaufen hingen. Mit der rechten Hand griff er probeweise nach oben und bekam eine kleine Leiste zu fassen. Er konnte zwar sehen, dass sich seine Finger um den Griff krümmten, doch er spürte nichts. Falls seine Hand abzurutschen begann, würde er es erst merken, wenn es schon zu spät war. Er ließ los und versuchte es erneut. Es war alarmierend. Alles, was er spüren konnte, war ein dumpfes Druckgefühl.

Dennoch rang er sich zu diesem ersten Kletterzug durch, ließ das Eis hinter sich und platzierte die Frontalzacken eines Steigeisens mit äußerster Sorgfalt in eine vereiste Rille. Die Spitzen drangen mit einem splitternden Geräusch ein, hielten aber, und er belastete den Tritt mit einer weichen, vorsichtigen Bewegung.

Langsam atmete er aus. Mit weit hochgestrecktem Arm schlug er den Eispickel kräftig in den Riss. Das plastische Eis bebte und splitterte, doch es hielt, und so zog er sich hoch und stand in einem labilen Gleichgewicht.

Dann schwand die Kraft aus seinem kontrahierten Bizeps, und er fing an zu zittern. Er lehnte sich zurück, um am gestreckten Arm zu hängen, bis sich der Muskel wieder gelockert hatte und das Zittern aufhörte. Die Kletterei war so steil und anspruchsvoll, dass sie seine ganze Aufmerksamkeit in Anspruch nahm und er sich immer nur auf den nächsten Meter Fels über sich konzentrieren konnte. Das gewaltige Eisfeld lag eingerahmt von den Wänden der Rinne tief unter ihm, außer Sichtweite, und beunruhigte ihn nicht länger.

Er zwang sich, ruhig zu atmen, und achtete auf jedes Geräusch um ihn herum – das Klicken der Karabiner, das Klirren der Haken an seinem Gurt, das Prasseln vorbeirieselnder Eissplitter, das Einschlagen der Eisgeräte. Die Zacken seiner Steigeisen kratzten schrill, wie stählerne Krallen, die über den Fels scharrten, und griffen dann. Er taumelte, balancierte auf einem Nichts, atmete vorsichtig.

Wieder stellte sich ein gleichmäßiger Rhythmus ein. Die Schwerkraft schien aufgehoben, und ein Gefühl von Leichtigkeit breitete sich in ihm aus. Er legte die Hauen auf kleinste Kerben auf, belastete sie mit seinem Gewicht und schob sich augenblicklich weiter, so als würde nur die Bewegung ihn am Leben halten. Während er an heiklen Haltepunkten hing, lauerte unter seinen Füßen der Abgrund, der in das von der Lawine gezeichnete Gletscherbecken abfiel. Er schenkte ihm keine Beachtung.

In den tiefen Rissen schimmerte das Eis wie ein Platinband. Funken stoben im Dunkel ihres Innern auf, wenn sein Eispickel auf Fels traf. Seinen letzten Klemmkeil, den größten, den er besaß, zwängte er fünfzehn Meter oberhalb der Rinne tief in den Fels. Über ihm lag eine beeindruckend glatte, mit Raureif überzogene Felsplatte.

Ihm war gar nicht aufgefallen, dass seine Fingergelenke aufgeschürft waren und bluteten. Die sich schleichend ausbreitende Muskelübersäuerung verkrampfte seine Unterarme und schwächte den Griff seiner Finger. Mit einem Mal wurde ihm die Tiefe des Abgrunds bewusst, der ihn nach unten ziehen wollte, ihn dazu einlud, rücklings ins Nichts zu segeln. Im Schatten der Rinne, in der er wie eine Fledermaus hing, war es düster.

An seiner Sicherungsschlinge im Klemmkeil ruhend, schüttelte er die gespreizten Finger, um die Milchsäure aus den verkrampften Muskeln zu zwingen. Ihm war klar, dass er die Passage bis zum Dach hinauf in einem einzigen, ungesicherten Zug durchklettern musste. Der Riss vor ihm verengte sich nach oben immer mehr und wurde dort, wo er auf das Dach traf, zu einem flachen Nichts. Unter dem weit aus der Wand ragenden Felswulst konnte er nur Dunkelheit erkennen. Wenn er sich nahe genug heranarbeiten und sich unter das Dach kauern konnte, wäre es vielleicht möglich, mit einem Arm über die Kante hinaufzugreifen. Was er vorfinden würde, wenn er blind mit dem Pickel oder mit seinen tauben Fingern dort herumtastete, stand jedoch in den Sternen.

Dann hörte er es: zunächst ein leises Pfeifen, das sich dann in ein gleichförmiges, tiefes Rauschen verwandelte. Plötzlich hüllte ihn Pulverschnee ein. Der dünne weiße Strom wirbelte tanzend die Rinne hinunter. Er blickte nach oben. Lange Schneefahnen, zerfetzt wie Segel im Sturm, ließen die dunkle Kante des Dachs scharf gegen den Himmel hervortreten. Der Wind hatte erneut eingesetzt und fegte über den Grat hinweg. Lockerer Pulverschnee wehte in den Abendhimmel hinauf. Er duckte sich, als ihn ein eisiger Luftwirbel erfasste, und starrte dann ängstlich hinauf, um zu beobachten, was über ihm geschah.

Die Gratlinie zerstob in vom Wind aufgepeitschte, sichelförmige Wolken aus Eiskristallen, die von der untergehenden Sonne beleuchtet wurden. Es bildete sich ein Strahlenkranz aus berstenden silbrigen Schichten, und einen Moment lang vergaß er seine Angst und gab sich, berauscht von seiner Schönheit, diesem Schauspiel hin. Der Schnee zog in glitzernden Wolken himmelwärts, und kristalline Banner schossen senkrecht hoch, bevor sie sich in gleißende Nebelschleier ausbreiteten. Alles schien so hell, so wild, so lebendig. Selbst das Singen des Windes mit seiner tödlichen Drohung erschien ihm wie Musik, die diesen berstenden Ring aus silbrig gefrorenem Dunst begleitete.

Er lächelte befreit und fühlte sich neu belebt. Die Gefahr und die Anspannung berauschten ihn. Er dachte an die Lawine, die er überlebt hatte, und an seinen Sturzflug über das Eisfeld, aber auch an ihren Körper, der eiskalt und unbeweglich tief dort unten lag, und all das, diese ganze Ungerechtigkeit, ließ in ihm eine blinde Wut aufsteigen. Eine grimmige Entschlossenheit breitete sich in ihm aus. Er würde es durchziehen, und er würde es schaffen. Erlöst von aller Schuld, Reue, Sorge und Hoffnung, blieb ihm nur noch ein gigantischer, zorniger Vorsatz. Doch als er die blauschwarzen Erfrierungen an seinen Fingern ansah und die bleierne Müdigkeit in seinen Armen spürte, war ihm ebenso klar, dass er kaum eine Chance hatte.

Er ergriff die Pickelschäfte, hängte seine Sicherungsschlinge aus und erklomm entschlossen die schwindelerregende, frostüberzogene Wand, die in den Schatten des Dachs hinaufführte. Seine Angst verschwand. Er würde hinaufkommen oder beim Versuch sterben, sagte er sich, als er seinen Pickel in den Raureif schlug.

Unter dem Dach war es so dunkel, dass er nicht mehr sehen konnte, was sich unter ihm befand. Es fühlte sich an, als sei er nur knapp über dem Boden. Dankbar für diese Sinnestäuschung behielt er sein Tempo bei, während er sich unermüdlich durch ein Netz aus fingerbreiten, mit Wassereis gefüllten Rissen hocharbeitete. Mit Bedacht schlug er die Hauen ein, zog sich nach oben und drückte dann die Zacken der Steigeisen in die Löcher, die er mit den Eisgeräten geschlagen hatte. Diese Illusion einer ständigen Bewegung gab ihm die Möglichkeit, sich ausschließlich auf den nächsten Schritt zu konzentrieren, und so reichten ihm weniger gute Haltepunkte aus, als notwendig gewesen wären, wenn er stehen geblieben wäre, um zu rasten. Fortwährend murmelte er sich Ermutigungen zu, und ab und an stieß er einen Schwall obszöner Flüche aus, während er wie ein Insekt zum Dach hinaufkroch.

Am Rande seines Bewusstseins nahm er wahr, dass er keuchte und seine Muskeln bebten, und ihm war klar, dass er bald aus der Wand stürzen würde. Seine Unterarme, der Magen und die Waden waren steinhart und verkrampft, vollgepumpt mit

Milchsäure. Die Schwerkraft zog ihn in die Tiefe, der Abgrund zerrte an seinem Rücken wie in einer Zentrifuge. Mit jedem Kletterzug schien sich sein Gewicht zu verdoppeln.

Wenn er abstürzte, wäre er vielleicht nicht gleich tot, aber ein gebrochenes Bein würde für ihn ein langes, qualvolles Sterben bedeuten, wie das eines sich am Strick windenden Schlachthausopfers. Die eisige Flut der Nacht würde den Tod mit sich bringen – eine Tatsache, nichts weiter. Sie beunruhigte ihn jedoch nicht: Entscheidend war nur der nächste Kletterzug. Noch einmal hob er den schwächer werdenden Arm und rammte den Pickel mit zitternder Hand und ohne etwas zu sehen, tief in den Riss, der das Dach spaltete. Würde er halten?

Ein Schauer von Eissplittern rieselte herab, direkt auf seine Augen. Er blinzelte die Tränen weg, presste sein Handgelenk tief in den Fels, schwang sich blind mit aller Kraft hinauf und hörte wie aus weiter Ferne sein eigenes Fluchen. Als er sich langsam nach unten sacken ließ, spürte er an dem elastischen Griff, dass er fest verankert war. Er ließ sich mit seinem Gewicht auf den Pickel sinken, rang röchelnd nach Luft und war zu erschöpft, um sich Sorgen zu machen, ob er wohl halten würde. Er hielt.

Da hing er, einer Spinne gleich, unter dem schwarzen Bauch des Dachs. Die schattenhaften Silhouetten seiner Eisgeräte krallten sich aus der Dunkelheit hinauf ins Abendlicht, in krampfartigen, verzweifelten Bewegungen. Kratzendes Metall, Stöhnen, Wimmern und Flüche, und immer noch suchte er mit den Pickeln an den ausgestreckten Armen nach etwas, an dem er sie einhaken konnte, einen Halt, um diesem endlosen Zug der Schwerkraft zu entkommen. Plötzlich blieb einer der Pickel hängen. Sofort verharrte er in der Bewegung, versuchte, den Sitz des Pickels einzuschätzen, rüttelte ein wenig an seinem Schaft. Er saß.

Ihm blieb keine Zeit, sich auszuruhen und die nächsten Schritte zu überlegen. Weit über den Abgrund hinausgelehnt, den linken Arm durchgestreckt, drückte er sich mit den Beinen ab, bis er horizontal unter dem Dach hing. Seine Bauchmuskeln zitterten und verkrampften sich vor Anstrengung, als er den Oberkörper parallel zum Dach hielt. Schmerzhaftes Stöhnen und Flüche hallten unter dem Überhang, während er mit dem anderen Pickel blind herumfuchtelte. Sein Rücken sackte durch. Er konnte die Stellung nicht länger halten. Mit einem krampfhaften Schwung nach oben streckte er sich über den Rand des Dachs, eine kaum zwanzig Zentimeter hohe Felsplatte. Die Haue kratzte über ihre flache Oberseite, und er schob sie hin und her in der Hoffnung, sie möge sich in einem Riss verklemmen oder in einer Eisstruktur festbeißen.

Noch zehn Sekunden. Zehn Sekunden, eher weniger, dann würde er fallen. Sein lautes Atmen verstärkte sich durch seine eingeengte Position. Fünf Sekunden vergingen mit vergeblichem Scharren. Noch war er nicht abgestürzt. Er presste das Gesicht gegen den Riss und sah den Glanz der untergehenden Sonne, einen Strahlenkranz schwebender Eiskristalle, und dann blitzte ganz tief im Spalt plötzlich Eis auf. Seine Waden zitterten, die Steigeisen begannen sich von ihren Felsleisten zu lösen, da griff er noch einmal mit angehaltenem Atem nach oben.

Seine Bauchmuskeln brannten, die Beine zitterten und verkrampften sich. Resignation durchflutete ihn, das unausweichliche Ende erschien ihm als Erlösung, sein Körper erschlaffte unmerklich in Erwartung des Sturzes. Er blickte über die Schulter auf die Rinne hinunter. Wie er wohl aufschlagen würde?

Er sank noch ein wenig weiter ab, fluchte wieder, und dann schoss ihm ein wütender Gedanke durch den Kopf. *Er würde es nicht zulassen.* Er spürte, wie seine Muskeln ihn im Stich ließen, und mit einer letzten Kraftanstrengung warf er sich nach oben, streckte die Knie durch und schleuderte seinen Arm weit über die Kante auf das Dach hinauf. Der Pickel krachte kraftlos irgendwo auf den Fels und blieb hängen. Die zehn Sekunden waren um.

Sein Körper wurde unter dem Dach nach außen gezogen, da sich bei seinem Sprung die Steigeisen von ihren Tritten gelöst hatten. Er strampelte wild mit den Füßen, um wieder Halt zu finden, und der Stahl ließ Funken ins Dunkel stieben, als er sich mit letzter Kraft nach oben drückte. Mit beiden Beinen über dem Abgrund schwang er aus dem Schatten des Dachs heraus. Durch die dynamische Bewegung seines Körpers hatte er den Absturz in einen Sprung verwandelt.

Der Schwung wurde jäh gebremst. Er hing senkrecht an seiner rechten Hand, die durch die Handschlaufe seines Pickels schmerzhaft abgeschnürt wurde. Der Druck auf sein verdrehtes Handgelenk, das über dem Dachwulst eingeklemmt war, ließ ihn vor Schmerz aufschreien. Die filigranen Handwurzelknochen drohten jeden Augenblick zu zersplittern.

Vergeblich trat er mit den Beinen in die Leere unter dem Felsdach, während er versuchte, seinen Körper am rechten Arm nach oben zu ziehen. Erschöpft sackte er zurück – er war nur ein paar Zentimeter höhergekommen. Noch einmal spannte er die Bauchmuskeln, zog die Beine an und rammte verzweifelt seine Steigeisen in die Unterseite des Dachs, in der Hoffnung, irgendwo einen Halt zu finden. Sein linker Fuß rutschte nutzlos vom Fels ab, die Zacken der Steigeisen kreischten schrill, dann blieben sie an etwas hängen – er hatte keine Ahnung, an was –, und er warf sich mit aller Kraft gestreckt nach oben, um über die Dachkante zu greifen, bis sein Kinn auf deren Höhe war und die tief stehende Sonne ihm direkt in die Augen schien. Unmittelbar vor ihm steckte sein rechter Pickel in einem Wulst aus Wassereis, der nicht dicker war als eine Streichholzschachtel.

Mit der linken Hand setzte er auch den Eishammer über den Rand des Dachs und konnte ihn gerade noch rechtzeitig über die Haue des Pickels platzieren, bevor sein linker Fuß abrutschte und er erneut frei in der Luft hing. Wie sicher der Pickel saß, darüber wollte er lieber nicht nachdenken. Er spannte die Muskeln beider Arme an und ruderte gleichzeitig mit den Beinen, um genügend Schwung zu bekommen, bis er sich endlich hoch genug gezogen hatte und Schultern und Brust auf den Vorsprung des Dachs hieven konnte. Dann lag er in einer gefährlich instabilen Position zappelnd über der Dachkante und versuchte krampfhaft, sich ganz auf die glatte, flache Oberseite des Dachs zu zerren, indem er sich, auf den Bauchmuskeln wippend, hin und her wand. Wimmernd vor Angst und Schmerzen robbte er vorwärts.

Sein Atem ging stoßweise, und Tränen standen ihm in den Augen, als er sich schließlich auf die Knie hochgearbeitet hatte. Die plötzliche Helligkeit ließ ihn blinzeln, und der Wind blies mit solcher Wucht, dass er ihn fast wieder rückwärts hinuntergeworfen hätte. Ohne den fest verankerten Pickel hätte er das Gleichgewicht verloren. Vor ihm lag ein flaches Felsband, das linker Hand von dem steil abfallenden, messerscharfen Grat begrenzt war. Jenseits erstreckte sich der tief verschneite Abhang der Ostwand.

Die Öse eines Hakens ragte aus dem Gestein oberhalb des Felsbands heraus und zeichnete sich gegen die Sonne ab. Eine Abseilschlinge flatterte im Wind. Zu voller Länge ausgestreckt, fädelte er die Haue des Eishammers in die Schlinge ein und lockerte dann den Pickel, der ihn vor dem Absturz bewahrt hatte. Als er aufstand und seinen bebenden Körper aufrichtete, hörte er plötzlich ein splitterndes Geräusch und spürte, wie der Fels unter seinen Füßen wegbrach.

Es geschah unglaublich schnell. Mit dem knirschenden Geräusch von mahlendem Gestein neigte sich die Platte, die das Dach bildete, und begann vom Grat zu rutschen. Er hielt sich an der Abseilschlinge fest und rannte die kippende Platte hoch, sodass seine Steigeisen Funken schlugen. Schließlich machte er einen verzweifelten Satz. Seine Brust krachte schmerzhaft auf das Felsband, als das Dach unter seinen Oberschenkeln vollends wegbrach und seine Beine über dem Abgrund hingen. Dann spürte er einen heftigen Ruck an seinem Klettergurt und hörte gleichzeitig, wie die Felsplatte an der Begrenzungswand der Rinne unter ihm zerschellte. Er zog die Beine seitlich auf das Band und lag bäuchlings da, von Angst und Erschöpfung gelähmt; nur seine Muskeln krampften sich immer wieder zusammen. Mit zitternden Fingern hängte er sich in die Öse des Hakens ein und brach schließlich auf dem Felsabsatz zusammen. Nach Atem ringend wartete er, bis sich das Gedankenchaos in seinem Kopf wieder legte.

Als er schließlich den Kopf hob und die Augen öffnete, entdeckte er dort, wo sein Gesicht gelegen hatte, ein feines Muster im Fels: ein perfekt erhaltenes Fossil, ein zierliches und detailliertes Relief im Stein. Er starrte es ungläubig an. Mit tauben, schwarz verfärbten Fingerspitzen fuhr er vorsichtig über die Konturen des urzeitlichen Meerestiers.

Nachdem er sich zitternd eine Zigarette gedreht hatte, sog er den Rauch tief ein und spürte ein beißendes, unangenehmes Brennen, als er ihn durch die Nase ausstieß. Er fuhr sich mit bebender Hand über das Gesicht, während er die schneebeladene Ostwand absuchte und die Türme des Felsgrats betrachtete, der sie von der Nordwand trennte.

Mit der Sonne, die mittlerweile knapp über dem Horizont stand, sank die Temperatur. Für den Abstieg im Dunkeln hatte er keine Stirnlampe, doch er wusste, dass er hier oben, auf dem windgepeitschten Grat, nicht bleiben konnte. Sie hatten damals, als sie nach ihrer Erkundungstour zur Hütte zurückgekehrt waren, die Abseilstände in der Wand gelassen, aber sie hatten beide Fünfzigmeterseile benutzt, während ihm nur das rote Seil geblieben war. Über weite Strecken am Grat konnte man zwar abklettern, statt sich abzuseilen, doch nach einem Sturm und bei Nacht wäre das riskant. Er rappelte sich auf die Knie hoch und traf müde die nötigen Vorkehrungen, um sich in die Rinne hinunter abzuseilen, das rote Seil zu lösen und alle Klemmkeile und Haken mitzunehmen, die er herausholen konnte.

Er zog das lose Seil hoch, in der Erwartung, dass es sich am untersten Fixpunkt straffen würde. Es kam aber immer mehr Seil. Schließlich beugte er sich über die Abbruchkante vor. Tief unter sich sah er das Seilende im Dunkel der Rinne pendeln. Kurz drauf hielt er das zerfranste Ende in der Hand und erinnerte sich an den Ruck an seinem Klettergurt, als das Dach nach unten gestürzt war. Die Felsplatte musste die Sicherungen abgeschert und das durch seinen Körper straff gespannte

Seil glatt durchtrennt haben. Schlagartig wurde ihm klar, dass sein Selbstsicherungssystem, wäre er mit dem Dach abgestürzt, versagt hätte.

Er fädelte das verbliebene Seil durch die Abseilschlinge, warf die Seilschlingen weit hinaus und sah zu, wie sie sich entwirrten und dann gegen den Fels klatschten. Eine Ladung Schnee fiel von oben auf seinen Anorak; sein ungeschütztes Gesicht und die Hände schmerzten vor Kälte. Mit tauben Fingern zog er die Kapuze über seinem Helm fest. Dann griff er in seine Jacke und stellte mit Erleichterung fest, dass der Innenhandschuh und der Handschuh noch da waren.

So schnell es die Sicherheit erlaubte, seilte er sich zwanzig Meter tief auf einen Felsvorsprung über einer senkrechten Wand ab. Als er nach unten sah, konnte er am Fuß der Wand die rote Abseilschlinge aufleuchten sehen, die sie zurückgelassen hatten. Ein in einen schmalen Riss gehämmerter Haken ermöglichte es ihm, dorthin zu gelangen. Rasch fädelte er das Seil ein, denn das Tageslicht schwand schnell. Ihrer früheren Abstiegsroute entlang des Grates zu folgen wäre der kürzeste Weg gewesen, aber er hatte nicht genug Haken. Er schaute in die Ostwand, die in einer Reihe von ineinander übergehenden Absätzen und Abbrüchen abfiel; auch sie versank bereits in der Dämmerung. Mit einer schrägen Abwärtsquerung hinaus in die Wand könnte er die steilen Felsen des Grates umgehen. Vielleicht war es möglich, ohne Seilsicherung nach unten zu klettern, wenn er sich durch das Labyrinth von Abbrüchen und schneebedeckten Bändern schlängelte.

Er seilte sich auf die weite Fläche der Wand ab, prüfte die Tiefe und Beschaffenheit des Schnees und studierte, schräg im Seil hängend, das unter ihm abfallende Terrain. Die unteren Bereiche der Wand lagen bereits im Dunkeln. Er erhaschte einen Blick auf die Scharte im Grat dreihundert Meter weiter unten, wo die Hütte stand, und meinte sogar, in einem der Fenster ein Licht aufblitzen zu sehen. Schlagartig hob sich seine Stimmung. Er zog das Seil ab und nahm es sorgfältig um Hals und Schulter auf.

Er querte weiter in die Wand hinein und achtete darauf, seine Eispickel so tief in den Triebschnee zu stecken, dass sie auf festes Eis trafen. Sein Gesicht dem Berg zugewandt, kniete er da und fegte den Schnee von den Felsen, bis er genügend Haltepunkte fand, um vorsichtig über die kurzen Wandstufen, auf die er traf, abzuklettern. Dann querte er wieder seitlich, immer auf der Suche nach dem leichtesten Weg. Bald kam er nicht mehr weiter, weil es zu dunkel geworden war und er nicht mehr erkennen konnte, wohin er stieg. In eine Schneeverwehung, die sich vor einer überhängenden Felswand angesammelt hatte, grub er eine Höhle, die groß genug war, um sich darin niederzukauern. So war er auf drei Seiten vom Wind geschützt.

Er wischte so viel Pulverschnee von seiner Kleidung, wie er konnte, nahm dann seinen Helm ab und ließ sich auf dessen glatter, abgerundeter Oberfläche nieder, damit er nicht direkt im Schnee sitzen musste. Ohne sie zu sehen, drehte er sich eine Zigarette und rauchte sie still, während er sich leicht vor und zurück wiegte und bei jedem Zug das rote Aufglimmen der Glut beobachtete. Eine lange, kalte Nacht lag vor ihm, und er hoffte inständig, dass der Mond bald aufgehen und nicht von den Wolken verdeckt würde. Als er die Zigarette ausdrückte, zitterte er bereits vor Kälte.

8

Verbissen kämpfte er gegen den übermächtigen Drang einzuschlafen an, in dem Wissen, dass dieser Gedanke der letzte sein könnte, dessen er sich bewusst war. Der Wind trieb Schneewehen um seinen Lagerplatz, und die Müdigkeit kroch ihm in alle Knochen. Wie lange er schon am Berg unterwegs war und warum er sich nun an diesem Platz befand, war längst vergessen. Hunger und Durst hielten den Schlaf noch für einen Moment fern, doch während er noch mit der Zunge über seine trockenen Lippen fuhr, fielen ihm die Augenlider zu, und sein Kinn sank auf die angezogenen Knie.

Ein scharfer Wind blies, während er schlief. Schnee lagerte sich in dicken Schichten auf seinem Unterschlupf ab und häufte sich an der offenen Seite so hoch auf, bis nur noch eine Öffnung in Kopfhöhe, kaum größer als sein Gesicht, frei war. Wie Federn setzten sich die Schneeflocken auf die Bartstoppeln um seine Lippen und wurden unter seinem Atem zu tropfenden Eiszapfen. Um die fest zugezogene Kapuze seiner Daunenjacke bildete sich eine Eisschicht.

Ein Traum erschien ihm immer wieder und blieb am Rand seines Bewusstseins hängen. Ein plötzlicher Windstoß, und das Schneerascheln an seiner Kapuze verwandelte sich in das Singen des Windes in gefiederten Schwingen, als ein Vogel über seine Schulter hinwegsegelte. Er regte sich murrend. Der Vogel trieb einsam im Aufwind über einer ihm vertrauten Kammlinie, um plötzlich mit ausgestreckten Krallen und einem Angriffsschrei direkt auf ihn niederzusausen. Der Aasgeruch ließ ihn angewidert zurückschrecken. Grauen ergriff ihn. Er wollte aufwachen, aufstehen und diesen Traum hinter sich lassen. Er wollte sie zurückhaben, er brauchte sie an diesem schrecklichen Ort.

Die Krallen gruben sich ihm ins Fleisch, als der Vogel sich auf seinen Schultern niederließ. Als er sich ihm zuwandte, sah er ihr Gesicht neben seinem. Es kam ihm vor, als beobachte er alles aus einer gewissen Distanz. Er sah sie beide nebeneinanderliegen, zugedeckt von einer erstickenden Stille, in der Beständigkeit eines ewigen Schlafs. Als er wieder hinsah, merkte er, dass sie gar nicht schliefen. Sie waren leichenblass. Er betrachtete ihr Gesicht genauer. Ihre Augen standen weit offen und sahen in ihn hinein. Ihr bekümmerter Blick kam von weit her, tief aus ihrem Innern heraus, sie hatte offensichtlich Angst vor dem Ort, an dem sie sich befand, und wollte ihm etwas sagen. Ihre Lippen formten lautlose Worte, inartikulierte Regungen ihrer Liebe, die er vergeblich zu hören versuchte, unausgesprochene, zerrissene Laute im Wind. Sie zeugten von großer Einsamkeit.

Er fühlte sich in einem Sog der Verzweiflung, rings um ihn wogten ihre Worte in einem gepeinigten Flüstern. Er hörte die Tränen in ihrer Stimme und sah den weiten, namenlosen Ozean, der sie trennte. Ihre Traurigkeit umspülte ihn, schroff, wie eine lähmende Leere.

Sie sah mitgenommen aus. Er lächelte, versuchte sie zu trösten, blickte ihr mit verzweifelter Eindringlichkeit tief in die Augen. Er fühlte sich alt und kalt wie Stein. Flehentlich sah er in ihr Gesicht, und schließlich besänftigte sich ihr Ausdruck. Er nickte zustimmend, aufmunternd, las ihre Gedanken, obwohl sie ihm nichts sagten. Sie brauchten keine Worte mehr.

Eigentlich hätte er glücklich sein müssen, dass sie wieder bei ihm war, und doch sah er sie sehnsüchtig und bang an. Dann veränderte sich plötzlich ihr Blick. Sie sah jetzt durch ihn hindurch in die kahle nordische Leere hinaus auf etwas, was nur sie erkennen konnte und was ihn erzittern ließ. Es war ein seltsamer Augenblick, düster, fast furchterregend, obwohl er doch von Freude erfüllt sein sollte. Das Grauen der vergangenen Tage wurde ihnen nun vollkommen bewusst. *Wir sollten nicht hier sein, an diesem entsetzlichen Ort; wir beide wissen, was wir verloren haben.* Er drehte sich zu ihr um, um zu sehen, was sie so anstarrte, da hörte er das leise Schwirren von Federn in der Luft. Als er sich schnell wieder ihr zuwandte, war sie verschwunden.

Die Erscheinung überschattet seinen Traum wie eine kalte, angsterfüllte Erkenntnis. Ein Schattenvogel sucht seine verwirrten Gedanken heim, das lebendige Böse. Es ist eine Nebelkrähe, die unheilvoll an ihm vorbeifliegt und ihn bösartig mit ihren lidlosen Augen fixiert. Als sie an seinem einsamen Standort vorbeischießt, entreißt sie ihm etwas, was er jedoch nicht genauer erkennt.

Das muss ein Hinweis sein, ein Omen, ein Todesbote? Auf dem Flug durch die schimmernde Luft des Winterhimmels hält ihn dieses unmenschliche Geschöpf in seinem Bann. Die unergründlichen Augen, die sich auf ihn heften, sagen ihm den sicheren Tod voraus. So etwas gibt es nicht, schilt er sich selbst. Vielleicht ist es eine durch das Zwielicht hervorgerufene Sinnestäuschung, eine Art Luftspiegelung? Er rührt sich unruhig im Schlaf. Und doch glaubt er daran, an diesen schrecklichen Richter. Eine rastlose Unruhe überfällt ihn, und er versucht aufzuwachen – aber vergebens. Etwas hält ihn fest, eine schwere Last, er kauert hilflos in der Düsternis, als ihm der schwarze Nordhimmel erneut einen Schneesturm herunterschickt, und dann ist er wieder da, sein Todesbote, der quer über den Himmel schwebt und ihn mit seinem gleichgültigen Blick durchbohrt.

Du wirst hier sterben. Ihre Worte hallen ihm wie von weit her durch den Kopf, als schwebten sie im Wind. Aufgeschreckt wie ein Vogel lauscht er dem Klang ihrer sanft drängenden Stimme. Er regt sich, versucht zu antworten. Was will sie von ihm, was soll er tun? Die Stimme, eine wohltuende Erinnerung, wiederholt die Warnung, und er antwortet lautlos, dass er kommt, doch er kann sich nicht rühren. Er scheint unbeweglich, gefangen an diesem geträumten Ort, festgefroren. Er muss etwas tun.

Hoch über der Stelle, an der er in der schneebedeckten Bergflanke kauerte, gefangen in seinen düsteren Träumen, war das Himmelsgewölbe zum Leben erwacht. Während die Stunden vorüberzogen, schossen blasse Farben durch den Winterhimmel, zuerst kaum wahrnehmbar, dann stärker werdend und immer intensiver, bis ganze Schleier über dem mondhellen Himmel hingen. Weit oben in der Atmosphäre, Hunderte von Kilometern über der Erde und über seiner zusammengesunkenen, schneebedeckten Gestalt, zog eine lange, geisterhafte Wolke durch das Firmament.

Die schmale, mondbeschienene Wolke bedeckte die fernen Gipfel. Sie entrollte sich langsam und überzog die Nacht mit einem sanften, feinen Licht, wie es in diesen Breiten selten zu sehen war. Es bewegte sich in weit gespannten Bahnen aus blass leuchtendem Dunst seitwärts über den Himmel. Es entrollte sich in anmutigen Schwüngen über die Stratosphäre, zog sich wieder in sich zusammen, pulsierte und waberte in der Nachtluft wie ein vom Wind aufgebauschtes Seidentuch. Der Lichtwall wuchs, bis er in der Stille der Bergnacht den gesamten Himmel ausfüllte und doch nie die Erde berührte – es war reine Energie, die sich als Licht manifestierte.

Weit draußen, jenseits des Strahlenkranzes der Sonne, streicht der Sonnenwind über die Magnetosphäre, einen Plasmaschirm, der sich schützend um unseren zerbrechlichen Blauen Planeten wölbt. Plasma, Elektronen, Atome und Moleküle zerschellen aneinander, verwandeln Energie in Licht, das je nach der Art der Elemente eine andere Farbe hat – Sauerstoff glüht rot bis hin zu gelb und grün, Stickstoff schimmert blau. Die sich im ständigen Strom geladener Partikel bildenden Polarlichtovale stellen die beeindruckendste Lichterscheinung auf der Erde dar. Experten können dieses Phänomen klug aus der nüchternen Perspektive der Wissenschaft erklären, während ein Laie, der stumm vor Ehrfurcht nach oben schaut, vermutlich eine eher spirituelle Erklärung dafür findet. Den erschöpften, gepeinigten Mann in der sturmumtosten Bergwand erinnerte es daran, dass er drei Tage zuvor – gerade als dieser

Sonnensturm über die Sonnenoberfläche raste und Richtung Erde jagte – sein Liebstes hatte fallen lassen: Der Pfeil der Zeit war schneller gewesen als die Sonne.

Unvermittelt schreckte er aus dem Schlaf auf. Ihm schien, als habe er einer ungeheuren Kraft widerstanden, die ihn niederdrücken wollte und dann plötzlich losgelassen hatte. Orientierungslos blinzelte er ins Dunkel seines Unterschlupfs, die geträumte Angst noch halb im Sinn, und als die Kälte ihm mit scharfen Messern in die Glieder fuhr, erinnerte er sich wieder des Todesboten, ihrer Stimme und ihres bekümmerten Blicks und wie froh er gewesen war, ihr Gesicht zu sehen. Langsam nahm er den gleißenden Lichtstrahl wahr, der durch die Öffnung im angewehten Schnee blinkte. Während er sich mühsam in die Gegenwart zurückkämpfte, schien es ihm, als erwache er aus einem Betäubungsschlaf. Sein Kopf war schwer und wie benebelt. Er schaute zu den Lichtmustern hinauf und spürte die Kälte bis ins Mark. Eine Weile lang hatte er keine Ahnung, wo er war und was er da sah.

Es geschah alles völlig sanft und lautlos. Als er den Kopf hob, brachen die hauchdünnen Bindungen der Kristalle, und Schnee fiel ihm in Wellen über die Brust, um dann vom Wind weggetragen zu werden. Vor ihm zeichnete sich die Berglandschaft ab. Der unvertraute Anblick der Ostwand irritierte ihn. Gezackte Spitzen stießen scharf in den Nachthimmel. Ihre Silhouetten zeichneten sich schwarz gegen das Licht der Sterne und des Mondes ab. Der Wind hatte die Schneegrate zu Klingen aus poliertem Stahl geschärft.

Der Mond stand hell am Himmel, die Sterne funkelten wie Diamanten, und die Berge schienen wie versilbert, ins nächtliche Blau geätzt. Er dachte zurück an die Eisplattform und die Kletterei aus der Nordwand und die Dunkelheit und wurde schlagartig hellwach. Die Erinnerung an den Traum und seine Deutung ließ ihn erschaudern. Er musste das Mondlicht nutzen, solange er konnte. Wie viele Stunden er wohl in dumpfem Schlaf verbracht hatte? Er schüttelte den Kopf und drehte das Gesicht zum Himmel. Was er sah, verschlug ihm den Atem.

Es war so seltsam und so schön, dass es ihm Angst einflößte. Etwas von solcher Perfektion zu sehen konnte nichts anderes bedeuten, als dass sein Ende nah war. Es würde das Letzte sein, was er zu Gesicht bekam, und halb verzagte er, während er es anstarrte. Das Firmament war von pulsierendem Licht überzogen, wie er es noch nie gesehen hatte. Es leuchtete fremdartig auf, unvergleichlich schön. Die staubfeinen Schneekristalle auf seiner Jacke glitzerten phosphoreszierend, als er mit eisigen Füßen über den Felsabsatz schlurfte. Als er abermals in den Himmel blickte, fiel ihm die Stille auf – eine Stille, die so unendlich tief war, dass er meinte, den Puls der Erde zu hören. Vor ihm entfalteten sich durchsichtige Schleier von Licht, die in pastellfarbenen Wogen durch den Himmel mäanderten, ein wellenförmiges, sich kräuselndes Farbenspiel. Leuchtende Bänder aus blassem Blau und ausgewaschenem glasigem Grün flatterten wie nasse Seide im windstillen Himmel. Sie bildeten ein Meer aus pulsierenden, zitternden Farbwellen im schwarzblauen Raum. Hinter dieser Brillanz glitzerten die Sterne wie Diamanten auf schwarzem Samt. Das Eis unter seinen Schuhen schien zu bersten und zu beben, als woge die Erde auf und stieße ihren gewaltigen Odem aus.

Er hatte gehört, dass diese durchsichtigen Banner der Aurora – lange, blasse Geisterfeuer, die sich über den Himmel wölbten – auch gasförmige Blitze genannt wurden. Die hauchdünnen, vielschichtigen Schwaden aus Farbe verschmolzen ineinander in zarter und zerbrechlicher Perfektion. Er sah darin das Vorübergehen einer Seele, einen himmlischen Pinselstrich, einen Ausdruck des Göttlichen. Vor dieser überraschenden, unerwarteten Schönheit fühlte er sich klein und unbedeutend, als gehörte er nicht hierher, als wäre er ein Eindringling, ein Voyeur. Er spürte, wie die Schönheit ihn emporhob, aus sich heraus und zu einer entfernten Dimension im Himmel. Er fürchtete sich.

Die Inuit glauben, dass Nordlichter von Geistern getragene Fackeln sind, wenn diese in ihren Himmel aufsteigen. Verstörte Polarforscher haben die Lichter gehört und sie als sanftes Sausen beschrieben, weiche, musikalische Flötentöne, gelegentlich auch als das Flattern einer schweren Flagge bei starkem Wind. Andere sagen, dass die Lichter näher kommen, wenn man leise pfeift. Sie verleihen dem Himmel eine dritte Dimension in so gigantischem Umfang und in solch tiefer Schönheit, dass ein sehnsüchtiges Gefühl zärtlicher Ehrfurcht zurückbleibt.

Er schüttelte langsam den Kopf und versuchte, die sanft schwingenden Lichter über ihm einzuordnen. Es waren seltsame Tage, voller Stille und Dunkelheit, voller Licht und Lärm und Angst. Dieser winterliche Berg mit seiner unnachgiebigen Gleichgültigkeit hatte ihn fast zerstört. Irgendwie war er zum Mittler zwischen Dunkelheit und Licht geworden. Er wusste, es war noch eine letzte Aufgabe zu erledigen, doch er war schon unendlich erschöpft, bevor er auch nur damit begonnen hatte. Er betrachtete das strömende Leuchten und merkte, wie das schwächliche Aufflackern seines Grolls erlosch wie eine mit Wasser erstickte Glut. Er fühlte sich elend und verwirrt und von einer tiefen Traurigkeit erfüllt. Widerwillig löste er den Blick von den Lichtern und fürchtete fast, im nächsten Moment wieder den düsteren Schatten der Nebelkrähe über den Himmel schweben zu sehen. Er dachte an die letzten Tage zurück, die Dunkelheit des Winters, an den Sturz und den Sturm und die Angst, die ihn verfolgte; all das hatte ihn seiner Sprache beraubt. Er würde nie vergessen, was er gesehen und gefühlt hatte. Die Hölle würde dunkel, endlos, leer und schwarz und eisig kalt sein – kalt wie Dantes Hölle –, wie der Anblick ihres Sturzes, wie die letzten Tage. Er sank langsam auf die Knie und betrachtete die Himmelslichter, die den vom Mond beleuchteten Schnee mit Farbe überzogen, und er verstand nicht, was mit ihm geschah. Es war mehr, als er ertragen konnte. Er glaubte nicht an Gott, und doch kniete er hier am Berg und hatte keine andere Erklärung für das, was er sah. Er glaubte nicht an das Schicksal oder an Omen, an Vorboten, Teufel oder Lichtengel. An sie aber hatte er voller Verehrung geglaubt. Sie war ihm eine Art Trost gewesen, der nun verloren war.

Der Sturm auf der Eisplattform war schlimmer gewesen als alles, was er dachte aushalten zu können. Er war in eine Kälte hinausgeworfen worden, die so brutal war, dass er seine Stimme verloren hatte und selbst jetzt noch unter Schock stand. Die Dunkelheit hatte alles noch schlimmer gemacht. Sie war ohne Warnung eingefallen, in einem Moment trauernder Stille, in einer Lautlosigkeit, die den Tod voraussagte, als hielte die Welt den Atem an. Das Chaos des Sturms hatte ihm fast den Verstand geraubt. Dann, als er vorübergezogen war, aber noch bevor sich seine Sinne erholt hatten, gab es plötzlich dieses ohrenbetäubende Geräusch, wie berstender Stahl, als die Lawine ihn unter sich begrub und der Schnee in schwarzen Wellen auf ihn niederstürzte, ihn in die Knie zwang und bis zur Bewusstlosigkeit auf ihn einschlug. Und nun dieser Himmel mit seinen sonderbaren Farben und den geflüsterten Resonanzen.

Er war nun von schwindelerregendem Wahnsinn umgeben, von einem ungewohnten Gefühl von Raum und Bewegung, als zögen sich die Horizonte rasend schnell in alle Richtungen vor ihm zurück, als spaziere er durch eine ausgedehnte, baumlose Ebene mit einem unendlich weiten Himmel darüber, den nichts niederdrückte, als seien seine Gedanken grenzenlos. *Ich bin so gut wie tot. Ich sterbe, hier und jetzt.*

Seine geballten Hände fühlten sich hölzern an, leblos. Ohne hinzusehen, stocherte er mit ihnen im Schnee herum, bis sein Handgelenk an die scharfe Kante seines Eispickels schlug. Er schlüpfte in die Handschlaufe, erhob sich und stand schwankend auf tauben Füßen. Solange das Licht diesen Geistertanz aufführte und der Mond schien, konnte er absteigen. Wenn er hierbliebe, würde er nicht mehr lange durchhalten. Er war sich nicht sicher, ob das, was er geträumt hatte, und das, was er jetzt über sich sah, nicht ein und dasselbe waren. Bittere Kälte, Einsamkeit, Hunger und Durst hatten seine Widerstandskraft gebrochen. Und dann war da ihr Flüstern gewesen, das ihn im Traum gedrängt hatte, aufzubrechen.

Steifbeinig folgte er einer Schneeverwehung, die sich an der oberen Kante einer steilen Wandstufe entlangzog. Als sie sich verlor, war auch die Wand darunter weniger hoch, und so stieg er im Licht des zu drei Vierteln vollen Monds in Serpentinen die Flanke des Bergs hinab.

Das Licht, abwechselnd vom hellen Mond und von den Pastelltönen kommend, täuschte seine Augen, und er musste stehen bleiben und geduldig warten, bis der Mond wieder klar schien und ihm die Richtung wies. Als er sich einmal vorsichtig einer Triebschneeansammlung näherte, stolperte er, weil eines seiner Steigeisen an einem Vorsprung unter dem knöcheltiefen Weiß hängen geblieben war, und stürzte, ohne in irgendeiner Weise zu reagieren. Er schlug dreimal auf, weil er über Wandstufen fiel, rollte mit ausgestreckten Armen durch den Schnee und raste schließlich in einer Wolke aus Pulverschnee immer schneller bergab. Er versuchte erst gar nicht, seinen Sturz aufzuhalten, sondern ließ alles gleichgültig mit sich geschehen. Irgendwann kam er zum Stillstand, richtete sich auf und sah neugierig hinauf, um zu sehen, wie weit er gefallen war. Über sich sah er nur nackte, bleiche Hänge schimmern. Ein Blick nach unten zeigte ihm, dass er fast am Fuß der Flanke angelangt war, jedoch viel zu weit in der Mitte der Wand. Er folgte dem Labyrinth ineinander übergehender Felsbänder, stolperte immer weiter, sah der Bugwelle aus Pulverschnee um seine Knöchel zu, blindwütig und wie berauscht.

Stunden später stand er, benommen schwankend, auf offensichtlich ebenem Boden. Etwas Seltsames geschah um ihn herum. Ein eisiger Wind jagte ihm übers Gesicht, und in der Nähe schien Wasser zu fließen. Es war zu kalt für Wasser, das wusste er, und doch spürte er es, roch es im Schnee um ihn herum. Das Licht wurde immer schwächer. Als er zum Himmel aufschaute, sah er, dass die Lichterscheinung verblasst war. Teils war er erleichtert darüber, teils traurig. Jetzt war sie endgültig fort. Die Sterne und der untergehende Mond spendeten gerade genug Licht, um ihm den Weg zu weisen. Die kantige Form dort drüben konnte nur die Hütte sein. Er sah zum Himmel hinauf und flüsterte einen Dank, dann setzte er schwankend seinen Gang durch den tiefen Schnee fort.

Als er gegen die Stufen vor der Veranda stolperte und auf die Knie sank, war der Mond verschwunden. Mit tauben Händen tastete er durch die Dunkelheit, um sicherzugehen, dass es wirklich die Hütte war. Eine Weile kniete er auf allen vieren, atmete schwer und ließ den Kopf zwischen die Arme hängen. Der Gletscher war nah. Er glaubte, die kalte Luft, die seinem Innern entströmte, das donnernde Krachen, das tiefe Grummeln seiner Gedärme zu vernehmen. Stöhnend stemmte er sich hoch, torkelte ein paar Schritte und schlug voll gegen die Tür. Sie sprang auf, sodass er der Länge nach zu Boden fiel. Er kroch zum Schatten des Stockbetts hinüber, das sich im schwachen Sternenlicht gegen das schneebestäubte Fenster abzeichnete. Die Erschöpfung übermannte ihn endgültig, und er erinnerte sich an die Nebelkrähe, an ihre sanft drängende Stimme, die geisterhaften Lichter. Im Einschlafen murmelte er ein paar unverständliche Worte. Die Wolldecken über sich ziehend, ließ er sich auf dem Bett nieder und sank in den Schlaf.

9

Das erste Licht schimmerte schwach durch die schneebestäubten Fenster. Er öffnete die Augen und blinzelte ins Halbdunkel der Hütte. Stöhnend wälzte er sich auf den Rücken und spürte dabei die Prellungen von seinem Sturz in der Ostwand. Sein trüber Blick fiel auf die Holzbalken und die Bretterverkleidung an der Decke; an dieses fremde Gefühl, in Sicherheit zu sein, musste er sich erst noch gewöhnen. Schließlich drehte er sich wieder auf die Seite, zog die klammen Decken hoch und sah durch seine Atemwolken hinüber zur Tür. Draußen vor der Hütte war kein Wind zu hören. Vielleicht schneite es. Der Weg ins sichere Tal hinunter lag noch vor ihm, aber das war ihm jetzt gleichgültig.

Der Schlaf umfing ihn wieder mit unruhigen Träumen. Er sah einen weiten See im Morgennebel vor sich, rostrote Schilfgürtel hoben sich gegen den dichten Wald dahinter ab. Er kniete nieder, um Wasser zu trinken, und beobachtete dabei wachsam das andere Ufer. Dunstschleier standen träge über der ölglatten Wasseroberfläche. Als er den Kopf hob und das Wasser aus seinen hohlen Händen hinunterschluckte, rissen die Nebel auf, und ein schwarzer Schatten glitt über der Oberfläche heran. Glühende Augen hefteten ihren Blick auf ihn. Er stöhnte im Schlaf.

Einige Stunden später erwachte er erneut, diesmal abrupt, und war völlig verwirrt. Er setzte sich auf und schob die Decken zurück. Warum war er so plötzlich aufgeschreckt? Es war doch ganz still. Niemand hatte ihn gerufen. Er stellte sich mühsam auf seine schwachen Beine und bemerkte dabei, dass seine linke Hand vollkommen gefühllos war. Mit den Zähnen riss er den dünnen, durchnässten Innenhandschuh von den Fingern und betrachtete die geschwollenen Fingerspitzen, auf deren beunruhigend blauschwarzer Haut sich Blasen gebildet hatten. Als er auf dieselbe Weise den Handschuh von seiner rechten Hand zog, stellte er erleichtert fest, dass sie frei von Blasen war, doch die ersten Fingerglieder sahen weißlich und abgestorben aus.

Mühsam schleppte er sich zur Tür, stolperte aber, da die Decken in seinen Steigeisen hängen blieben. Er schüttelte die Decken ab, riss die Tür auf und blinzelte in das weiße Licht hinaus, das in die Hütte fiel. Die Hand schützend vor die Augen gelegt, blickte er in einen bedeckten Himmel, durch den gedämpft Sonnenlicht strahlte. Im Osten zeichnete sich unter den niedrig stehenden Wolken das zerklüftete Profil einer Reihe von Gipfeln ab. Mit trüben Augen musterte er die Umgebung und überlegte, was er tun sollte. Dann drehte er sich um und stierte ins Dunkel der Hütte. Auf einem schiefen Holzregal neben dem Fenster standen die Lebensmittelvorräte, die sie sorgfältig sortiert und ordentlich aufgereiht hatte. Wie sie gelacht hatte angesichts des Durcheinanders von Dosen und Packungen, die er in seiner Bequemlichkeit einfach in der Ecke eines Stockbetts deponiert hatte!

Beim Anblick dieser Köstlichkeiten regte sich in ihm ein nagender Hunger, und er spürte den schalen Geschmack in seinem Mund. Er wankte zum Regal hinüber. Neben dem Herd stand ein großer Gaszylinder. Wasser. Er brauchte unbedingt Wasser. Sie hatte bereits zwei volle Töpfe auf den Herd gestellt, und daneben eine Blechkiste mit Teelöffeln, Teebeuteln, löslichem Kaffee, Milchpulver und Zucker.

Seine Steigeisen kratzten schwer über die Dielen und bohrten sich knirschend ins Holz. Er setzte sich auf die Koje neben dem Regal, beugte sich vor und versuchte, die Schnallen der festgezurrten Steigeisenriemen zu lösen, doch seine gefühllosen Finger fanden an dem rutschigen Material keinen Halt. Er musste den Fuß auf das Knie legen, den Riemen mit den Zähnen packen und dann mit dem Kopf nach hinten zerren, bis der Metallstift langsam aus dem Loch glitt und er die um seinen Knöchel verkreuzten Riemen lösen konnte. Den Riemen an der Schuhspitze wollte er auf dieselbe Weise öffnen. Er zog und zerrte, bis ihm die Zähne wehtaten, und rang zwischen jedem Versuch heftig nach Atem, doch die Schnalle wollte einfach nicht aufgehen. Selbst als er die Haue des Eispickels einhakte und den Riemen damit wegzuhebeln versuchte, konnte er ihn nicht genug dehnen, um ihn vom Schuh zu lösen. Frustriert ließ er sich rückwärts aufs Bett fallen und fluchte.

Dann fing er an, die Hütte zu durchsuchen, riss Schränke und Schubladen auf und verstreute den Inhalt auf dem Boden. Das kleine, scharfe Gemüsemesser fand sich dort, wo er zuletzt nachschaute, in einer Schachtel mit angebrochenen Packungen und Dauerwürsten – genau dort, wo sie so etwas aufbewahren würde. Er hätte nur ein wenig nachdenken müssen. Die Klinge durchschnitt mühelos die Riemen, und er stieß die nutzlosen Steigeisen gereizt von den Füßen.

Nach einiger Anstrengung hatte er es geschafft, mit seinen tauben Fingern den Herd an den Schlauch des Gaszylinders anzuschließen und mit seinem völlig gefühllosen Daumen dem Gasfeuerzeug ein paar Funken zu entlocken. Das Wasser im Aluminiumtopf war zu einem Eisblock gefroren und wölbte sich oben über den Rand hinaus. Alles war so vorbereitet, dass nach der Rückkehr der erste süße, belebende Tee so schnell und mühelos wie möglich zubereitet werden konnte. Sie verabscheute Ineffizienz und Unordnung. Mit schlechtem Gewissen blickte er auf das Chaos, das er bei seiner Suche nach dem Messer angerichtet hatte.

Er legte vorsichtig den Deckel auf den Wassertopf und ließ sich dann schwer auf das Bett fallen. Mit einem flüchtigen Blick stellte er fest, was sie an Proviant in der Hütte zurückgelassen hatten. Die Fischdosen waren sicher hart gefroren und ungenießbar. Die Salami konnte er auf dem Topfdeckel auftauen. Päckchensuppe und Trockennudeln wären am schnellsten zubereitet und würden außerdem seinem ausgetrockneten Körper die lebensnotwendige Flüssigkeit zuführen. Sobald das

Wasser kochte und er sich in einer Müslischale aus Plastik Tee gemacht hatte, warf er Schnee, den er vom Fensterbrett gekratzt hatte, in das Wasser im Topf und streute Tomatensuppenpulver darauf. Der Anblick erinnerte ihn an sein versprühtes Blut auf dem Schnee – es war das Erste gewesen, was er gesehen hatte, als er nach der Lawine wieder zu sich gekommen war.

Als die Suppe zu sieden und dann zu köcheln begann, hatte er in dem Kanonenofen bereits ein Feuer aus Rinde, Zweigen und Holzscheiten angefacht, die bei der Tür aufgestapelt waren. Die herausgerissenen Seiten eines Buches, das sie beide gern gelesen hatten, taten ihren letzten nützlichen Dienst, als die Flammen an den sorgfältig über dem Kleinholz aufgeschichteten Scheiten emporleckten. Er kauerte am offenen Feuerrost und spürte die Hitze des Feuers auf seinem Gesicht, als er sich den Umschlag des Buchs noch einmal ansah. Sie hatte es ausgesucht, und als er über ihre Wahl gemurrt hatte, hatte sie nur gelächelt. Heute, kaum eine Woche später, konnte er sich kaum noch an den Inhalt erinnern, aber damals hatte er es – auf der Treppe im Sonnenschein sitzend – gierig verschlungen und ihre amüsierten Blicke ignoriert. Er schob den Einband ins Feuer und sah zu, wie sich auf dem Umschlagbild Blasen bildeten und das Papier sich im Feuer kräuselte. Dann schloss er die Ofentür und öffnete die Lüftungsklappe ganz weit. Die einströmende Luft ließ das Feuer auflodern, die Scheite glommen auf, und es flackerte rot hinter der Glasscheibe der Ofentür.

Er schlürfte laut seine Suppe und zerkaute die nicht aufgelösten Klumpen. Dann kramte er in dem Haufen von Dosen und Packungen herum, die er auf dem Bett verstreut hatte, und nagte dabei an einer noch halb gefrorenen Salami. Mit tauben Fingern zu suchen war schrecklich umständlich, und er wurde immer gereizter, da ihm ständig etwas aus den Händen fiel. Erst als er sich den Bauch richtig vollgeschlagen hatte, lehnte er sich im Bett zurück und ließ den Blick über das von ihm angerichtete Durcheinander schweifen. Mit schlechtem Gewissen räumte er die Sachen hastig wieder an ihren Platz zurück.

In der Hütte war es inzwischen recht warm geworden. Er prüfte, ob die Scheite gut durchgeglüht waren, und schloss dann die Lüftungsklappe. Sein Blick fiel auf die Zigarettenschachtel mit der fehlenden Zigarette, die sie vor ein paar Tagen in der Hütte vorgefunden hatten. Sie hatte die Packung offen ins Regal gelegt und ihn so dazu verführen wollen, diese Zigaretten zu rauchen, aber er war nach draußen geschlichen und hatte sich dort still und leise seine eigenen gedreht. Ein Blick auf seine schwarzen Fingerspitzen machte ihm klar, dass er sich wohl nie wieder eine Zigarette drehen würde, also schüttelte er eine aus der Packung und zündete sie mit der glühenden Spitze eines Zweigs an, den er in die Flammen gehalten hatte. Er nahm die Flasche mit billigem Weinbrand vom Regal, zog den Korken heraus und trank aus der Flasche. Er musste husten, als ihm das scharfe Gesöff in der Kehle brannte.

Er schloss die Augen, zog an seiner Zigarette und spürte die Wärme des Alkohols, die seine ganze Brust erfüllte. Was er nun tun musste, war klar – er hatte es versprochen. Doch die Müdigkeit in seinen Gliedern und die Versuchung, warm und gemütlich hier in der Hütte liegen zu bleiben, waren einfach zu stark. *Ich werde dich finden.* Sobald er diese Worte ausgesprochen hatte, kehrte das quälende Schuldgefühl zurück. Wieder spürte er ihren Griff an seinem Handgelenk und sah den eindringlichen, entschlossenen Ausdruck in ihren Augen, als sie ihm entglitten war. Es hatte eine Entschiedenheit in diesem Blick gelegen, die ihn nachdenklich stimmte. Er machte die Augen wieder auf und starrte die brennende Zigarette an, die zwischen den mit Blasen bedeckten Fingern seiner linken Hand steckte. War es diese Hand gewesen, die sie losgelassen hatte? Vielleicht waren die Erfrierungen ja die Strafe dafür. Er hatte sie im Stich gelassen. War er gerade im Begriff, dasselbe wieder zu tun?

Er setzte sich auf, warf den Stummel auf den Boden und trat ihn mit seinem Bergschuh aus. Er sollte jetzt die Schuhe ausziehen und sich erst einmal seine Zehen ansehen, die ebenfalls ganz taub waren. Er versuchte, sie zu bewegen, und meinte auch zu spüren, dass sie sich in den feuchten Socken rührten, aber dann fiel ihm ein, wie schwer es gewesen war, die Steigeisen abzunehmen, und er entschied sich dagegen, die Schnürsenkel aufzubinden.

Als er die Tür öffnete, schnitt ihm die eisige Winterkälte wie ein Messer ins Gesicht. Die Gipfel waren in den Wolken verschwunden, nur die dunklen Schemen der untersten Felspfeiler waren noch auszumachen. Der Himmel war blaugrau verfärbt, als stünde ein weiterer Sturm bevor. Er sah auf die Uhr: Mittag. Das ließ ihm fünf Stunden, wenn es hoch kam, sechs, um zum Wandfuß zu gehen, sie zu suchen und zur Hütte zurückzukehren. Es wäre unmöglich, sie heute hierherzubringen, aber vielleicht konnte er wenigstens die Stelle markieren, wo sie lag, und dann nach dem Sturm zu ihr zurückkehren.

Fest entschlossen hob er den Eispickel vom Boden auf, nahm seinen Handschuh und den Innenhandschuh und trat auf die Veranda hinaus. Das grelle Licht blendete ihn. Er richtete den Blick auf das dunkle Holz der Hütte und ließ den Augen Zeit, sich an das Gleißen der Schneehänge zu gewöhnen. Wie lange er wohl auf dem Gletscher bleiben konnte, bevor er schneeblind würde? Er stieg von der kleinen Veranda herunter und kniete sich in den Schnee, um unter den Bodenbrettern nach dem Bündel Stöcke zu suchen, die der Hüttenwart dort aufbewahrte. Zwei der rot-weiß bemalten Stangen zog er heraus. Aufrecht hingestellt waren sie mannshoch. Er hängte den Eispickel in die Materialschlaufe seines Klettergurts, nahm die beiden Stangen wie Skistöcke in die Hand und ging in Richtung der Scharte im Grat.

Dort angekommen, hatte er einen freien Blick auf den hundert Meter unter ihm liegenden Gletscher, zu dem ein steiler, schneebedeckter Hang aus Felsblöcken und Geröll führte. Alle Spuren, die sie Tage zuvor bei ihrem Aufstieg hinterlassen hatten, waren verweht. Er empfand Erleichterung. Als ihm plötzlich klar wurde, was er vorhatte, wäre er am liebsten umgekehrt. Dann richtete er sich jedoch energisch auf und machte die ersten zaghaften Schritte den Hang hinunter. Der tiefe Schnee ließ ihn schnell, fast gleitend vorankommen, auch wenn er hin und wieder über verschneite Felsbrocken stolperte oder in Mulden voller Pulverschnee stürzte. Nach einer halben Stunde hatte er den Gletscher erreicht. Nun ging es langsamer voran, weil er sich durch hüfthohe Pulverschneewehen kämpfen musste, in denen sich seine Stöcke bewährten.

An der Stelle, wo der Gletscher zum Wandfuß hin anstieg, hielt er an und wandte sich dem gegenüberliegenden Horizont zu. Dort suchte er jenen Gipfel, den er mit seinem Kompass angepeilt hatte. Die Zahlen, die er sich damals gemerkt hatte, nützten ihm nun allerdings nichts mehr, da sein Kompass zusammen mit dem Rucksack unter der Lawine begraben lag. Er konnte den Gipfel ausmachen und blickte dann zur Wand zurück. Eine kaum wahrnehmbare Linie im Schnee zeigte den Bergschrund an, die Spalte im Eis, wo der Gletscher sich von der Flanke losgerissen hatte.

Er betrachtete das Eisfeld und folgte mit dem Blick ihrer Aufstiegsroute und dem Quergang nach links bis zu dem Felsgürtel hinüber, den sie gemeinsam unternommen hatten. Dann sah er sich die Gratlinie an und entdeckte seinen Fluchtweg die Rinne hinauf. Sein Blick fiel auf eine auskragende Felswand, die ihm bekannt vorkam. Es war die schützende Rückwand ihres Biwakplatzes auf der Eisplattform. Während er langsam nach rechts ging, orientierte er sich, indem er immer wieder das Eisfeld hinauf und dann über den Gletscher hinweg auf den Gipfel blickte, den er sich gemerkt hatte. Er steckte eine der Stangen als Markierung in den Schnee und begann aufzusteigen. Sein Atem ging schwer, als er am Bergschrund ankam, der über die gesamte Breite der Eisflanke weit aufklaffte. Nach oben endete er in einer überhängenden Eiswand mehr als zehn Meter über ihm. Bei ihrem Sturz musste sie über die Spalte hinweggeschossen und in dem steilen Hang darunter aufgekommen sein.

Er setzte sich mit Blick auf den Gletscher in den Schnee, beschattete mit der Hand die Augen und suchte die Schneefläche nach irgendwelchen Spuren ab. Es war nicht das Geringste zu sehen. Die immense Wucht ihres Falls hatte sie vermutlich tief in den Schnee gedrückt, und die Lawine hatte den Aufprallkrater zugedeckt. Weiter unten auf dem Gletscher, wo die Lawine zum Stillstand gekommen war, konnte er die weichen Konturen einiger schneebedeckter Eisblöcke ausmachen. Wie naiv er doch war. Es gab keinerlei Hoffnung, sie zu finden; es hatte nie eine gegeben. Er starrte auf seine tiefen Spuren, die zur Hütte hinaufführten, und es war ihm, als würden sie ihn verhöhnen. Entmutigt und müde bis auf die Knochen ließ er sich in den Schnee sinken und legte resigniert den Kopf in die Hände.

Er zerrte den Innenhandschuh von seiner Linken und krümmte die geschwollenen, mit Blasen bedeckten Finger. Ihr Zustand wurde immer schlimmer. Aus seiner Jackentasche zog er die Zigaretten hervor und versuchte, die Packung mit seinen steifen Händen zu halten. Dann setzte er sich mühsam auf und blickte den Hang hinunter zu der Stelle, an der er die Markierungsstange eingerammt hatte. Er würde sich in Serpentinen dorthin zurückarbeiten, mit den Füßen im weiten Bogen den Boden abtasten und dabei mit der Stange im tiefen Schnee stochern.

Nach zwei Stunden ergebnislosen Suchens kam er bei der Stange an. Hinter ihm lag das weite Feld mit aufgewühltem Schnee, das er mit seinen Füßen durchpflügt und mit der Stange durchsucht hatte. Ein einziges Mal war er auf etwas Hartes gestoßen und hatte mit rasendem Herzklopfen wild im weißen Pulverschnee gewühlt. Doch er hatte nur einen Eisbrocken gefunden.

Nun starrte er das Eisfeld hinauf zum Biwakplatz, und Zweifel beschlichen ihn. Er hatte nicht gesehen, wie sie am Gletscher unten aufgeschlagen war. Von der Rampe des Bergschrunds konnte sie in alle Richtungen katapultiert worden sein. Er sackte neben der Markierungsstange zusammen und spürte die federleichte Berührung von Schneeflocken auf seinem Gesicht. Die Wolken hingen tief über seinem gespurten Pfad zurück zur Hütte, und es war schon deutlich dunkler geworden. Bald würde die Nacht hereinbrechen und mit ihr der Sturm. Ein stetiger Wind blies Schneeschleier quer über den Gletscher. Er hatte keine Lampe dabei, und seine Fußspuren würden sich rasch mit Schnee füllen. Wieder legte er sein Gesicht in die Hände, schloss erschöpft die Augen und gab sich geschlagen. Wenn er die Hütte vor der Dunkelheit erreichen wollte, musste er sich sofort auf den Rückweg machen. Mit trostlosem Blick musterte er die schneebedeckte Weite, die sich in Wellen dahinzog, und fragte sich, wo sie wohl liegen mochte. Er wollte sie doch um Verzeihung bitten, musste sich unbedingt von ihr verabschieden.

Schließlich stand er auf, nahm eine Stange in jede Hand und stieg bergab, immer den Spuren folgend, die er beim Aufstieg hinterlassen hatte. Die Stangen dienten ihm jetzt nur noch dazu, seinen ausgelaugten Körper aufrecht zu halten. Als er an der Stelle angelangt war, wo seine Spuren nach rechts abbogen, traf der rechte Stock auf etwas Weiches unter dem Schnee und verfing sich daran. Fast hätte er sich gleichgültig weitergeschleppt, aber dann fiel sein Blick auf das gelbe Stück Stoff, das er mit der Stange an die Oberfläche befördert hatte, als er sie aus dem Boden gezerrt hatte.

Er blieb stehen und starrte stumm den gelben Fleck an, dann sank er langsam auf die Knie und befühlte vorsichtig den glänzenden Nylonstoff. Sachte strich er den lose angewehten Schnee zur Seite, bis Schulter und Oberarm frei lagen. Dabei achtete er darauf, sie so sanft wie möglich zu berühren, denn er hatte Angst vor dem, was er vorfinden würde. Eigentlich wäre er am liebsten davongerannt, doch stattdessen hörte er sich leise ihren Namen rufen. Er hatte sie gefunden. Er schob seine Finger unter den freigelegten Ellbogen und hob den Arm an, um sie auf den Rücken zu drehen. Seine Hand schoss in einer Wolke von Pulverschnee nach oben, und der Ärmel ihrer Jacke schlug ihm ins Gesicht. Verwirrt duckte er sich und sah, wie der leere Ärmel auf den Schnee zurückfiel.

Er drückte gegen den Rücken der Daunenjacke und spürte, wie das Material weich in den darunterliegenden Schnee sank.

Am Ärmel zog er die Jacke hoch und schüttelte den lockeren Pulverschnee von dem glatten Nylon ab. Mit der Jacke auf dem Schoß saß er da und dachte an den Augenblick, als sie hinuntergestürzt war. Er erinnerte sich an die schnell immer kleiner werdende Gestalt, den wilden Schrei, der vom Wind zu ihm hochgetragen wurde, und an die plötzlich aufgebauschte Jacke mit ihren ausgestreckten Ärmeln. Der Wind hatte sie ihr vom Leib gerissen. Er hatte sie doch nicht gefunden.

Auf den gelben Bündchen an den Ärmeln entdeckte er zu seinem Entsetzen Blutflecken. Er presste sein Gesicht in das Jackeninnere und atmete tief ein, aber die Kälte hatte ihren Duft längst ausgelöscht. Ein kleiner, harter Gegenstand in der Jacke drückte gegen seine Wange. Er befühlte das schwarze Futter und sah die Innentasche mit Reißverschluss, den er mit den Zähnen aufzog. Dann drehte er die Jacke um und schüttelte sie vorsichtig aus. Etwas Goldenes blitzte auf, als die kleine Muschel aus der Tasche fiel und im Schnee versank. Er wusste sofort, was es war, und blickte bestürzt auf die kleine Vertiefung im Pulverschnee, wo sie verschwunden war. Dann zog er mit den Zähnen den Handschuh von seiner Rechten und stieß vorsichtig mit bloßen Fingern in den Schnee. Wenn er nicht aufpasste, würde die Muschel immer tiefer sinken und wäre schließlich für immer verloren. Etwa dreißig Zentimeter unter der Oberfläche formte er mit seiner Hand eine Schale und hob sie direkt unter der Vertiefung vorsichtig hoch. Sobald er den harten Gegenstand in der Hand fühlte, umschloss er ihn fest mit den Fingern.

Dann hielt er die Hand zur Sicherheit über ihre Jacke, bevor er die Finger wieder öffnete; auf einem Häufchen Pulverschnee lag eine zart gemusterte Meeresschnecke – ein Ohrring mit verbogenem Stecker, eingefasst mit einem feinen Goldrand. Blasses Rosa mischte sich in das cremefarbene Innere. Ein unerwarteter vertrauter Anblick.

Er erinnerte sich an jenen Moment, als sie sich draußen vor der Hütte lachend ihr Hemd über den Kopf gezogen und plötzlich einen kleinen Schmerzensschrei ausgestoßen hatte, als sich der Stecker in dem dünnen Stoff verfing und ihr vom Ohr gerissen wurde. Der Ohrring war auf den Boden gefallen und ihm vor die Füße gerollt. Er hatte auf der Treppe gesessen und ihrem Stegreif-Striptease zugesehen. Während sie ihr blutendes Ohr zwischen Daumen und Zeigefinger gerieben und vor Schmerz und Ärger geschimpft hatte, hatte er den Ohrring aufgehoben und ihn in ihrer Jackentasche verstaut. Beim Zuziehen des Reißverschlusses hatte er sie beruhigt, dass man den Stecker leicht wieder reparieren könne. Nun saß er da, drehte die Muschel zwischen den Fingern und überließ sich ganz seiner Erinnerung. Schnee fegte über seine bloßen Hände, und als er aufsah, bemerkte er, dass die Scharte im Grat hinter bleifarbenen Wolken verschwunden war. Er verstaute den Ohrring in seiner Jackentasche, zog den Reißverschluss zu und schlüpfte mit den Armen in ihre Jackenärmel. Dann zerrte er die Jacke über die zusammengepressten Daunen seiner eigenen Jacke. Den Reißverschluss ließ er offen. Schließlich stand er auf.

Er griff nach den Stangen, machte zwei Schritte vorwärts und fiel. Sein Fuß war auf ein Stück unberührten Schnee getreten und darin eingesunken. Er verlagerte sein Gewicht darauf, in Erwartung eines Gegendrucks durch den darunterliegenden festgebackenen Schnee, doch nichts passierte. Sein Fuß trat ins Leere, und er stürzte senkrecht in die Tiefe, umweht von Schneeklümpchen und Eiskristallen, die ihm ins Gesicht schlugen. Er empfand weder Angst noch Wut, höchstens eine leichte Überraschung, vermischt mit Enttäuschung, aber er wehrte sich nicht, breitete seine Arme nicht aus, um mit den Stöcken den Sturz vielleicht noch abzubremsen. Die blauen Wände der Gletscherspalte sausten verschwommen an ihm vorbei. Gleich würde er unten aufprallen, doch stattdessen kam er im weichen Schnee auf, versank darin bis zu den Knien und sackte in sich zusammen.

In seinen Ohren dröhnte das Blut, und neben sich hörte er die herabstürzende Schneebrücke der Gletscherspalte dumpf aufschlagen. Benommen, aber unverletzt fand er sich zu seinem Erstaunen etwa zwanzig Meter unter der Oberfläche des

Gletschers wieder. Er fing an zu lachen, und das Echo hallte durch den dämmrigen Raum. Über ihm türmten sich glatte Wände aus glasigem Eis, die nach oben hin näher zusammenrückten. Fahles, unheimliches Licht drang herunter, und ein Hauch Schnee legte sich auf alles. Erleichtert sah er, dass vor ihm der Boden der Spalte zwischen den sich verengenden Wänden anstieg. Als er auf die Rampe zuging, spürte er einen Widerstand an seinem Schuh, der ihn stolpern und bäuchlings hinfallen ließ. Er wälzte sich zur Seite und spuckte hustend und keuchend den Pulverschnee aus. Unter seiner Hüfte und den Oberschenkeln drückte ihn etwas Hartes. Er setzte sich auf und begann, den Schnee darüber wegzuwischen.

Schweigsam machte er sich an die Arbeit. Das rhythmische Geräusch seiner Bewegungen wurde nur durch sein erschrecktes Aufkeuchen unterbrochen, als plötzlich das schartige Ende eines Knochens auftauchte, das sich durch den Stoff ihrer Hose gebohrt hatte. Er arbeitete sich systematisch bis zu ihren Füßen vor. Das gebrochene Bein war grausam nach hinten verdreht, sodass ihr Fuß unter ihrem Gesäß lag und die Fußspitze nach oben auf ihren Rücken zeigte. Das andere Bein war angezogen, und sie lag in Embryohaltung da. Nachdem er ihre Ferse ausgegraben hatte, hielt er inne, setzte sich zurück in den Schnee und sah wortlos ihre freigelegten Glieder an.

Der Anblick des Knochens hatte ihn schmerzhaft zusammenzucken lassen. Er hatte den Schnee mit äußerster Behutsamkeit weggewischt und verzweifelt darauf geachtet, ihr nicht wehzutun. Als er den Anblick des verstümmelten Beins nicht länger ertragen konnte, schaute er hoch zu ihrem Kopf. Sie sah aus, als ob sie schliefe, als hätte sie all die Tage hindurch auf ihn gewartet. Das tröstete ihn, und so begann er, mit ihr zu sprechen, sie zu beruhigen, sich selbst zu beruhigen. Sie lag auf der Seite, einen Arm unter dem Körper, den anderen am Ellbogen angewinkelt, sodass ihre Hand wie bei einem Kind mit dem Daumen neben ihrem Kinn zu liegen gekommen war. Als er ihre schrecklich zugerichteten Hände sah, konnte er die Tränen nicht länger zurückhalten. Ihre Fingernägel waren verschwunden, die Fingerspitzen aufgerissen und blutig geschrammt, vom Eis zerfetzt. Behutsam versteckte er sie unter einem Häufchen Schnee.

Er blies leicht über ihr Gesicht, sodass der feine Schleier aus Pulverschnee zerstob und ihre totenbleiche Haut freigab. Unwillkürlich wischte er ihr mit einem Finger ein paar Schneeflocken von der Braue – eine zärtliche, unbewusste Geste der Liebkosung. Über ihre Wange zog sich eine matt schimmernde Linie, gefrorene Tränenspuren, darüber saßen die stumpfen Augen mit dem leerem Blick, die er erschüttert anstarrte, als er sich im Schnee zurücksetzte. Nun, wo er ihr frostiges Leichentuch entfernt hatte, legte er sich neben sie. Nichts Weiches war mehr zu spüren. Er legte seinen Arm über ihre Schulter und schob sich nah an sie heran, zu einer Umarmung voller Traurigkeit. Dann schloss er die Augen, rief sich ihre Stimme in Erinnerung und weinte salzige Tränen. So lag er und ließ die Zeit verstreichen. Zuerst bat er sie flüsternd um Vergebung. Er versuchte, in der zunehmenden Dunkelheit ihr Gesicht zu sehen. Er bog seinen Kopf zurück, um das letzte Tageslicht ihr zu überlassen, und sah zu, wie es allmählich schwächer wurde. Feiner Schnee fiel auf sie herab, den er vorsichtig wegblies.

Seine Gedanken verloren sich in den Schatten. Das Leben bestand nur noch aus verworrenen Empfindungen, und beim Anblick ihrer verblassten Schönheit wurde ihm klar, dass es ihm nichts mehr wert war. Die Dämmerung dieses eisigen Sargs würde ihm das Sterben leicht machen. Er hatte so lange gekämpft, um sie zu finden – warum sie also verlassen? Jetzt, wo er sie endlich in seinen Armen hielt, war alles ruhig. Er würde in einen endlosen Schlaf sinken, und sein Körper würde steif werden wie ihrer, bis sie in ihrer Umarmung eingefroren wären und gemeinsam ihre Reise durch den namenlosen Ozean antreten könnten. Die Nacht brach über ihnen herein wie ein Traum, und der Schnee fiel ungehört auf sie herab.

»Ich liebe dich«, murmelte er und suchte in ihrem von Schatten verdeckten Gesicht nach irgendeinem Zeichen von

Zustimmung. Seine Worte versanken in der kalten Dunkelheit, hallten an den eisigen Glaswänden wider, und ihm wurde kälter. »Es tut mir so leid.«

Erst viel später kam er langsam wieder zu sich, zu müde und erschöpft und geschlagen, um sich zu rühren. Ein Geräusch holte ihn zurück, ein leises, drängendes Rauschen von oben, wie Wind in den Ästen hoher Bäume. Er horchte genauer und sah in den heller gewordenen Spalt hinauf. Als er ihr den Blick wieder zuwandte, hatte er seine Nachtsicht verloren und konnte sie nicht mehr sehen. Verzweifelt starrte er ins Dunkel, spürte die kalte Haut unter seinen Händen und suchte nach ihrem Gesicht. Er fand ihre Hand und drückte sie fest, erinnerte sich dabei an das letzte Mal. Das Geräusch ertönte wieder und lenkte ihn ab. *Du musst jetzt gehen.* Es war eine drängende Stimme, die Stimme einer Frau.

»Ich muss jetzt gehen.« Er sagte es laut, um sich Mut zu machen, und merkte, wie seine Hände von ihr glitten.

Seine linke Hand, die er um ihre Schulter gelegt hatte, spürte er schon seit einiger Zeit nicht mehr. Er brachte es nicht fertig, seine Arme oder Beine zu bewegen. Sobald er die Augen schloss, überwältigte ihn der Schlaf, daher riss er sie wieder auf, in panischer Angst, sie könnte verschwunden sein. Inzwischen blies heftig wirbelnder Schnee in die Spalte herein, und über dem offenen Schlund des Gletschers heulte der Wind. Der Sirenengesang des Sturms erinnerte ihn an seinen Traum in seinem Unterschlupf in der Ostwand, als ihre Stimme ihn wachgerufen und nach unten in die Sicherheit geschickt hatte. Er hielt ihn zurück von dem unwiderstehlichen Impuls, sie zu umarmen, und drängte ihn, ja befahl ihm, sie loszulassen und zu gehen. Er musste sie verlassen. Wenn er die Nacht überleben wollte, dann musste er sofort aufbrechen. Er nahm ihr Gesicht in seine erfrorenen Hände, küsste es und versprach wiederzukommen, schwor ihr, am nächsten Morgen zurückzukehren und sie mit nach Hause zu nehmen.

Doch als er versuchte, sich hochzustemmen, spürte er seine Beine nicht mehr; sie waren in der beißenden Kälte taub geworden. Er taumelte, fiel fast hin, als er sich aufrichten wollte, und musste sich an den glatten Eiswänden abstützen.

Stunden in tiefer Dunkelheit schienen vergangen, als er erneut in den tiefen Schnee der Gletscheroberfläche sackte. Er markierte die Spalte mit einer der rot-weißen Stangen und ergriff mit beiden Händen die andere. Wie ein Betrunkener stolperte er über den Gletscher. Ihm fiel ein, dass er jeden Moment in eine andere Spalte fallen konnte, aber die Vorstellung beunruhigte ihn nicht. Auf seiner rechten Seite nahm er die massige Gestalt des Berges wahr. Er drehte das Gesicht in den Wind und schleppte sich weiter vorwärts, in der Hoffnung, den Hang unter seinen Füßen bald ansteigen zu spüren. Dann stand er lange da, schwankte unsicher im Wind und fragte sich, ob er im Kreis gegangen war oder der Wind sich gedreht hatte. Er sank auf die Knie, verwirrt und orientierungslos.

Ein silberner Schein blitzte im schwarzen Samt des Himmels auf, und für einen Augenblick riss der Wind die Wolken auseinander. Das Mondlicht schien durch die zerklüftete Scharte im Grat, direkt oberhalb der Stelle, an der er im Schnee kauerte. Das Leuchten hielt so lange an, bis er sich den Hang zur Hälfte hinaufgekämpft hatte, dann schoben sich die Wolken wieder übereinander, und die Dunkelheit schien noch undurchdringlicher als zuvor. Die nächsten fünfzig Meter erkämpfte er sich mit blinden Stürzen und insektengleichem Kriechen durch schwarzen Schnee, der ihm schneidend ins Gesicht blies. Zuletzt lag er bäuchlings am Boden und war der Raserei des Blizzards schutzlos ausgesetzt. Der Sturm, der sich durch die Scharte zwängte, blies mit voller Wucht, sodass er kaum durch die messerscharfen Eiskristalle hindurchsehen konnte. Er taumelte, überschlug sich und rutschte den kurzen Abhang hinunter, bis er schließlich zusammengestaucht im Schutz der Veranda vor der Hütte liegen blieb. Ihm kam es vor wie eine plötzliche Windstille zwischen zwei Stürmen.

Als er mit lautem Krachen die Tür aufstieß, in die Hütte taumelte und auf dem Bett zusammenbrach, überwältigte ihn in der Dunkelheit die plötzliche Ruhe. Mit seinen immer weiter anschwellenden Fingern zog er die Wolldecken um sich und wurde von unkontrollierbaren Krämpfen geschüttelt, die ihn durchzuckten. Jenseits der Schmerzen war sein Körper nur mehr eine träge, schwere Last, die im Sog seines Willens hierhergeschwemmt worden war. Mit weit aufgerissenen Augen lag er da, starrte blicklos in den leeren Raum und begriff nicht recht, wo er sich befand.

Die Dorfstraße war glatt wie poliertes Eis. Sie wand sich in Kurven bergab und durchschnitt die weiß glänzenden, schneebedeckten Felder, bevor sie vom dunklen Waldrand verschluckt wurde. Hier und da sah man über die Felder verstreut gedrungene Holzschuppen, deren Dächer hoch mit Schnee bedeckt waren. Das Wirtshaus, ein lang gestrecktes, verwittertes Gebäude mit tief herabreichenden Dachgiebeln, lag am Rand des Dorfes. Die Blumenkästen vor den dunklen Fensternischen trugen Schneehauben, und gelbes Licht drang aus den Ritzen der geschnitzten Fensterläden. Sechs Männer kamen schweren Schrittes die Straße herunter und hackten ihre Nagelschuhe in das Eis der Straße. Es waren Holzfäller. Am Eingang des Wirtshauses angekommen, führten sie lachend ihr Gespräch fort und klopften sich an den schweren Türpfosten den Schnee von den Schuhen. Als sie die Tür aufstießen, drangen aus dem Innern der Wirtsstube der warme Schein von Kaminfeuer und fröhlicher Gesang. Die Männer zogen die Schultern hoch, um sich vor dem schneidenden Wind zu schützen, und beeilten sich hineinzukommen.

Drinnen war es trotz des hellen Feuers rauchig finster. Die niedrige Balkendecke war von Kamin- und Tabakrauch geschwärzt, und um den langen, mit Weinflecken übersäten Tisch standen Bänke mit hohen Rückenlehnen. Am breiten Ofen saßen zwei Alte, die zufrieden ihre Pfeifen rauchten und ins Feuer starrten. Gläser mit frisch gezapftem Bier schäumten neben ihnen auf dem Tisch. Sie blickten auf, um zu sehen, wer hereingekommen war, und nickten grüßend. Die Ankömmlinge stampften mit den Füßen, zogen sich die dicken Handschuhe von den Fingern und schälten sich aus ihren dampfenden Jacken. Sie erwiderten brummelnd die Begrüßung und nahmen um den langen Tisch herum Platz, so nahe wie möglich am warmen Feuer. Dankbar griffen sie nach den Biergläsern, die ihnen gereicht wurden.

Einer der Männer rief laut etwas ins Hinterzimmer hinüber. Er schien der Anführer der Gruppe zu sein. Das Singen verstummte, und ein Mädchen mit Schürze trat durch die Tür in die Wirtsstube.

»Ja, Peter?«, fragte sie, und der Mann bestellte Wein. Tabakbeutel wurden hervorgeholt, und am Tisch entspann sich ein lebhaftes Gespräch.

»Habt ihr den Fremden gestern gesehen?«, fragte der Mann, der Wein bestellt hatte.

»Ja, ich hab gehört, dass er gekommen ist«, antwortete der Jüngste unter ihnen.

»Hergebracht wurde«, knurrte ein anderer kurz.

»Es heißt, er lag im Sterben«, fuhr der junge Bursche fort.

»Als sie ihn gefunden haben, ja«, stimmte Peter zu. »Aber er hat es noch mal gepackt. Jetzt haben sie ihn ins Spital gebracht.«

»Er wird alle seine Finger verlieren, haben sie gesagt«, fügte der Junge aufgeregt hinzu.

»Bloß an einer Hand«, sagte das Mädchen und stellte die beiden Weinflaschen, die sie in einer Hand hielt, auf den Tisch. »Ich hab ihn gesehen.« Sie stellte sechs Gläser neben die Flaschen.

»Du brauchst wohl auch nur eine Hand, was?«, lachte der Junge. Das Mädchen runzelte die Stirn und wandte sich ab. Die älteren Männer grinsten. »War er denn wirklich so schlimm dran?«, fragte der Junge und griff nach einem Glas.

»Ja. Der war mehr tot als lebendig.« Das Mädchen wischte sich die Hände an der Schürze ab. »Man hat ihn kaum verstanden. Stand wirklich nicht gut um ihn.«

»Er wollte auf den Gipfel«, sagte der Anführer.

»Seine Frau ist tot.« Das Mädchen ging zur Tür hinaus, die hinter ihr zufiel, während die Männer ihre Worte verdauten.

»Sie ist abgestürzt«, erklärte der Anführer. »Er wollte, dass wir sie bergen. Als wir Nein gesagt haben, wurde er fuchsteufelswild und fing an rumzuschreien. Da haben sie ihn weggebracht.«

»Die wird dann im Frühjahr gefunden«, sagte einer der Alten am Feuer leise und klopfte seine Pfeife am Kaminsims aus.

»Nein. Sie ist in den Gletscher gestürzt. Die wird niemand mehr finden.«

»Das muss schlimm sein.« Das Mädchen schob die Tür auf und stellte eine große Platte mit Strudel auf den Tisch. Sie legte eine Handvoll Gabeln mit metallischem Klappern daneben, und die Männer griffen danach. »Wenn man seine Frau so verliert.«

»Seine Frau hatte da oben nichts verloren«, brummte der Alte. »Im Winter hat da oben niemand was verloren.«

»Heutzutage ist das halt anders.« Peter zuckte mit den Schultern, und die Männer nickten bedächtig und missbilligend.

Als die Weinflaschen ausgetrunken waren und die Platte leer war, standen sie in ihren schweren Schuhen abrupt auf, zogen sich die Jacken über und gingen wieder nach draußen. Es herrschte schneidende Kälte. Sie folgten der Straße bergauf bis zum Hochwald. Unter ihren Schuhen knirschte der Schnee, und die Wolken ihres schweren Atems stiegen in die dünne Luft auf.

Der Junge blieb noch eine Weile an der Tür stehen, und die Alten beäugten ihn neugierig. Als das Mädchen aus der Küche kam, grinsten sie verschmitzt.

»Meinst du, sie wird gefunden?«, fragte sie.

»Nein, bestimmt nicht«, erwiderte der Junge. »Er hat gesagt, sie liegt tief drunten. Jetzt gehört sie dem Gletscher.« Er wies mit dem Kinn auf den Anführer, der zügig der Gruppe voraus die Straße hochging. »Er ist Bergführer, er kennt sich aus«, fügte er hinzu.

»Magst einen Schnaps?«, fragte sie leise, und die beiden Alten nickten.

»Nein. Sonst bin ich betrunken. Ich muss ja noch arbeiten.«

»Dann komm nach der Arbeit auf einen Schnaps vorbei.«

»Mach ich.« Der Junge zog die Tür zu, ohne auf die Mienen der beiden Alten zu achten, und folgte den Holzfällern zum Wald hinauf.

TEIL ZWEI

10

Patrick war früh aufgestanden. Er zündete die Sturmlampe an und sah zu, wie sie allmählich einen schwachen Lichtschein durch das Fenster warf und draußen das hölzerne Geländer der Veranda beleuchtete; jenseits davon lag alles im Dunkeln. Er setzte sich an den Tisch und schaute zum Herd hinüber, um zu sehen, ob das Wasser im Kessel schon kochte. Sonst war nur das Knistern der brennenden Holzscheite zu hören. Die Windstille draußen konnte ihn nicht täuschen. Er hatte am Vorabend die Wetterlage am Himmel abgelesen: Vom Wind in lange, marmorierte Streifen gerissene Wolken jagten hoch oben in der Stratosphäre dahin, und die Vögel ließen sich kreisend von den Gipfelhöhen heruntertragen. Die Wetterfront, angekündigt durch das Verhalten der Vögel und nun auch durch die beklemmende Stille, rückte rasch näher. Der Sturm zog auf.

Während er seine Schale mit bitterem Kaffee austrank, sah er draußen vor der Veranda ein Licht aufflackern, das für einen Augenblick die Dunkelheit erhellte. Er stand auf, ging zur Tür und nahm beim Öffnen seine Jacke vom Haken. Der Mann drehte sich um, als er den plötzlichen Lichtschein bemerkte, der aus der Hütte drang. Er sah die hagere Gestalt, die sich eine Jacke überwarf, und hob grüßend die Hand, blieb aber nicht stehen, sondern marschierte im tanzenden Strahl seiner Stirnlampe weiter in Richtung Grat. Als Antwort auf die Frage, die ihm der Hüttenwart hinterherrief, deutete er zur dunklen Silhouette des Gratscheitels hinauf.

Patrick schnippte seinen Zigarettenstummel hinaus auf die Felsen und beobachtete das auf und ab wippende Licht der

Stirnlampe, das mit zunehmender Entfernung immer kleiner wurde und schließlich nur noch gelegentlich aufblinkte. Am Himmel deutete sich schon das Herannahen der Morgendämmerung an. Der Mann war allein unterwegs und kam rasch voran. Bei diesem Tempo könnte er in zwei Stunden den Gipfel erreichen, dachte Patrick bewundernd, als er in die Hütte zurückging. Er nahm das Hüttenbuch zur Hand, trug es zum Tisch und schlug es auf der Seite des letzten Eintrags auf. Dort notierte er oben auf der Seite ordentlich das Datum und ließ darunter Platz für eventuelle weitere Einträge an diesem Tag, dann schrieb er unten auf die Seite: »Einzelner Mann, Alleinbegehung, Ostgrat, Aufbruch 5 Uhr früh.« Als er das Buch zuklappte, hörte er draußen Stimmen und das Trampeln von Bergschuhen auf den Holzstufen. Dann wurde die Tür aufgerissen, und Patrick sah einen keuchenden Mann mit hochrotem Gesicht vor sich stehen. Der Ankömmling rang sich ein Lächeln ab, aber für Patrick sah es eher aus wie eine Grimasse.

»Doktor Johannes Stern«, stellte sich der Mann kurz angebunden vor. Er sah Patrick mit wichtigtuerischer Miene an. »Ich führe eine Gruppe aus vier Leuten – zwei Männer, ein Arzt und ein Rechtsanwalt, und eine Frau.« Das Letzte sagte er in abschätzigem Ton. »Wir wollen hoch zum Grat.« Er wies mit dem Kopf hinter sich zur Tür, wo ein korpulenter Mann mit schütterem Haar neugierig in die Hütte spähte. »Das Buch, bitte«, fügte der Arzt kurz angebunden hinzu. Patrick schlug es beim aktuellen Datum auf und schob es ihm seelenruhig über den Tisch hinüber. Der Mann beugte sich über die Seite und schrieb mit übertriebener Sorgfalt etwas hinein. Als er sich wieder aufrichtete, tippte er unten auf der Seite mit dem Zeigefinger auf die Notiz, die Patrick gerade erst eingetragen hatte. »Er hat uns auf dem Weg überholt. Geht sehr schnell, zu schnell. Und er ist allein unterwegs.« Der Arzt schlug das Hüttenbuch zu und sagte mit einem wissenden Blick zu Patrick: »Das wird Probleme geben, das kann ich Ihnen jetzt schon sagen.« Noch bevor Patrick etwas erwidern konnte, hatte der Mann auf dem Absatz kehrtgemacht und stapfte zur Tür hinaus, wobei er seinen Gefährten unnötig laute Anweisungen gab. Als sich die Gruppe endlich angeseilt hatte und zum Beginn des Grates losmarschiert war, bemerkte Patrick, dass der Mann, der zu schnell ging, schon fast zwei Drittel des Grates bewältigt hatte. »Kann ja sein, dass es Probleme gibt«, sagte er mit Blick auf die amateurhafte Gruppe. »Fragt sich nur, mit wem.« Eine halbe Stunde später nahm er den Alleingänger noch einmal ins Visier. Er schlug das Hüttenbuch auf und notierte neben seinen ersten Eintrag: »Gipfel erreicht 6.30 Uhr (ca.).«

Karl saß auf dem felsigen Gipfel und beobachtete, wie über der Kammlinie der Bergkette im Osten die nächtliche Dunkelheit vom ersten Licht der Morgendämmerung verdrängt wurde. Gelegentlich wurde sein Blick nach unten auf die gezackten Silhouetten abgelenkt, wo sich unter lautem Rufen die Seilschaft über die Felsen hinaufkämpfte. Bei der Erinnerung an ihr ärgerliches Murren, als er auf dem Weg vom Dorf herauf an ihnen vorbeigezogen war, musste er lächeln. »Ärzte«, dachte er. »Die sind doch alle gleich.«

Er atmete tief ein, dann spürte er reglos dem hohlen Gefühl nach, das sich in seiner Brust ausbreitete. In seinen Schläfen pochte es heftig, und er presste die Finger dagegen, um den hämmernden Schmerz zu unterdrücken. Es schien alles genau so einzutreten, wie man es ihm vor vielen Monaten vorausgesagt hatte. Er stand auf, schwang sich den kleinen Tagesrucksack über die Schultern und stieg dann rasch über das Gipfelschneefeld hinunter zum Beginn des Grates.

»Scheiß Ärzte«, murmelte er. »Dass die aber auch immer so verdammt recht haben müssen.«

Karl war nur seiner Frau zuliebe zu den Untersuchungen gegangen. Sie hatte sich solche Sorgen um seine Gesundheit gemacht, obwohl ihr eigener Körper sie ans Bett fesselte. Sie war dem Tod geweiht. In den vergangenen Monaten hatte sich ihr Zustand so rasant verschlechtert, dass er fast jeden Morgen beim Aufwachen die Veränderung sehen konnte. Sie schien in ihren Kissen immer weniger zu werden.

»Geh zum Arzt, Karl. Lass dich durchchecken«, hatte sie gesagt und ihm schwach die Hand gedrückt. Er hatte sie lächelnd angesehen. Wo war plötzlich all ihre jugendliche Unbekümmertheit geblieben? »Bitte.«

Sie hielt ihm ihre Wange hin, und er beugte sich hinunter und küsste sie. »Natürlich gehe ich. Kann ja nicht schaden, oder?«

»Eben«, erwiderte sie. »Und deine Firma übernimmt alle Kosten. Das steht so im Arbeitsvertrag.«

»Wir sind auf das Geld nicht angewiesen«, entgegnete er ein wenig barsch.

»Nein, das nicht«, erwiderte sie lächelnd, »aber du zerbrichst dir ständig den Kopf darüber.« Nach diesen Worten ließ sie sich in die Kissen zurücksinken und sah so erschöpft aus wie nach einem kräftezehrenden Kampf.

Und dann hatte er dagesessen und die Ärzte dabei beobachtet, wie sie sich berieten, einander etwas erklärten, auf die Computertomografie-Aufnahmen deuteten und verstohlen zu ihm herüberblickten. An ihrer Körpersprache hatte er sofort ablesen können, dass sie keine guten Nachrichten für ihn hatten. Der erste hatte seinem künftigen Patienten die Untersuchungsergebnisse im Eiltempo erläutert. Dabei hatte er sich lobend über dessen guten gesundheitlichen Allgemeinzustand ausgelassen: kräftig, gut in Form, ausgezeichnete Blutdruckwerte, niedriger Cholesterinspiegel, Blutwerte gut, Leber- und Nierenfunktion normal. Dann aber geriet er ins Stocken, suchte Zuflucht in seinen Unterlagen und blätterte hastig die Ausdrucke der Computertomografie durch.

»Gibt es ein Problem?«, fragte Karl ruhig.

Der Arzt blickte von seinen Unterlagen auf und sah Karl direkt in die Augen. »Es gibt ein Problem, ja …« Die zur Schau getragene Professionalität des Mannes geriet durch sein offensichtliches Unbehagen ins Wanken. »Diese Aufnahmen.« Er hielt den Stapel Ausdrucke in die Höhe, nickte und setzte seine Lesebrille ab. »Sie haben etwas völlig Unerwartetes zutage gebracht.«

Mit regungsloser Miene hob Karl die Hand und versuchte, seinem Gegenüber die Anspannung zu nehmen. »Vielleicht sagen Sie mir am besten einfach, worin das Problem besteht.«

»Ja, vermutlich haben Sie recht.« Er sah zur Tür, und Karl folgte langsam seinem Blick. Der Arzt bemerkte sein nüchternes, fragendes Lächeln und nickte. »Ich warte noch auf meinen Kollegen. Wissen Sie, das ist sein Spezialgebiet. Ich würde lieber erst seine Meinung dazu hören.«

Er meint wohl, es wäre ihm lieber, wenn sein Kollege mir die schlechte Nachricht überbringt. In diesem Augenblick ging abrupt die Tür auf, der Kollege des Arztes trat herein und lächelte Karl verlegen an.

Die beiden mussten sich nicht lange beraten und waren sich rasch einig. Nachdem sie sich einige Minuten lang über die Aufnahmen gebeugt, ein ernstes Gesicht gemacht und ein paarmal abgeklärt mit dem Kopf genickt hatten, richteten sie sich vom Tisch auf. Der zweite Arzt nahm Haltung an und wandte sich an Karl, den Blick fest auf dessen linke Schulter gerichtet.

»Wie es aussieht, leiden Sie an einer Durchblutungsstörung im Gehirn.«

»Nun, ich habe nicht das Gefühl, an irgendetwas zu leiden«, erwiderte Karl.

»Ja, da mögen Sie recht haben«, pflichtete der Arzt ihm bei. »Das ist bei diesen Störungen leider häufig der Fall. Auf dem CT, das ja eigentlich als reine Routinemaßnahme gedacht war, zeigt sich allerdings eine ernste Komplikation. Hier.« Er hielt Karl einen Ausdruck hin, damit er es sich selbst ansehen konnte. Karl erkannte eine schemenhafte, schädelähnliche Form, darin die Hirnlappen mit ihren Windungen, aber er blickte nur oberflächlich darauf. Der Arzt fuhr mit seinem langen Pianistenzeigefinger zu einer Stelle auf dem Papier. »Sie haben ein zerebrales Aneurysma, hier.« Er tippte mit dem Finger auf den Ausdruck.

»Ist das etwas Ernstes?«, fragte Karl, obwohl er die Antwort bereits kannte.

»Ich fürchte, ja, etwas sehr Ernstes. Wissen Sie, aufgrund der Lage des Aneurysmas und seiner Größe können wir im Grunde gar nichts tun.« Er blickte zu Karl auf, dann rasch wieder zu seinem aufmerksam schweigenden Kollegen hinüber.

»Sie können nichts tun, sagen Sie?«, fragte Karl, amüsiert über ihre würdevolle Ernsthaftigkeit. Die Ärzte tauschten einen betretenen Blick aus und sahen ihn dann wieder mit starrem Gesichtsausdruck an. Jeder wartete darauf, dass der andere antworten würde.

»Es befindet sich an einer sehr heiklen Stelle«, sagte der zweite Arzt schließlich ruhig und hob mit entschuldigender Geste die Hände. »Hinzu kommt, dass es sich um ein besonders ausgedehntes, kompliziertes Aneurysma handelt, im Grunde um ein ganzes Cluster, wie bei einer Traube. Wie so oft bei diesem Aneurysmentyp befindet es sich an der vorderen Hirnschlagader.« Sein Finger tippte wieder auf den Ausdruck und machte dabei ein seltsam hohles Klopfgeräusch. »Unglücklicherweise liegen diese Arterien an der Basis des Gehirns.«

Karl versuchte interessiert auszusehen, aber die Worte »Da können wir im Grunde gar nichts tun« gingen ihm unaufhörlich durch den Kopf. Und seine Frau würden all diese Details auch nicht wieder gesund machen. Die Ärzte besprachen miteinander eine Fülle komplizierter medizinischer Details. Je mehr es ins Detail ging, desto entspannter wurden sie. Er hörte ihre Worte wie ein weißes Rauschen im Hintergrund, sah dabei aber immer nur das ausgemergelte, aschfahle Gesicht seiner Frau vor sich. Was sollte er ihr sagen?

»Normalerweise könnten wir eine supraorbitale Minikraniotomie durchführen, aber nicht in diesem Fall, fürchte ich. Vielleicht können wir ja die Arterie verstärken, um das Risiko einer Ruptur zu verringern …«

»Nein, ich fürchte, dazu ist es zu ausgedehnt … Die Größe ist das Problem.«

»Mit dem Durchmesser nimmt auch der Druck auf die Arterienwand zu, was wiederum zu einem größeren Durchmesser führt. Ein Teufelskreis.«

»Stimmt.« Sein Kollege nickte eifrig und deutete auf die Aufnahmen, dann auf Karl, aber auf einmal wurde ihm bewusst, dass sie ihn gar nicht mehr in ihr Gespräch mit einbezogen. Er ließ die Hand sinken.

»Sie sehen also, warum uns die Hände gebunden sind«, sagte der eine Arzt und schaute fragend zu seinem Kollegen hinüber, der ernst nickte. Karl sah beide ausdruckslos an. »Wir erkennen zwar das Problem, aber ganz gleich, was wir tun, es bringt keine Besserung.«

»Aneurysmen können ganz schön kompliziert sein«, fuhr der andere Arzt fort und vermied dabei ganz bewusst Karls Blick. »Bei anhaltendem systemischem Hochdruck …« Karl blendete die weiteren Erklärungen aus, bis er hörte, wie einer der beiden sagte: »So ein fortgeschrittenes Aneurysma wird zweifellos einmal reißen, aber unbehandelt reißen alle Aneurysmen irgendwann …«

»Und was passiert dann?«, fragte Karl ruhig. Sie verstummten, waren plötzlich aus dem Konzept gebracht.

»Bei einer Ruptur kann das austretende Blut im Gehirn schwere neurologische Komplikationen auslösen.«

»Schwere neurologische Komplikationen?«, fragte Karl mit leisem Lächeln. »Damit wollen Sie wohl sagen, dass … ich sterbe. Ist das so?«

»Ich fürchte, ja.«

»Werde ich irgendwelche Anzeichen spüren – im Vorfeld, meine ich?«

»Möglicherweise, aber ich vermute, in Ihrem Fall geht alles sehr schnell. Manche Patienten berichten von einer seltsamen Intensivierung der Sinne, einer erhöhten Wahrnehmung, einem Gefühl von Leere im Kopf, die zu einer Bewusstseinsschärfung führt. Wir wissen nicht genau, warum das so ist, aber es könnte daran liegen, dass das Aneurysma auf das Gehirn drückt. Es kann aber auch vom bloßen Wissen eines Patienten um die Existenz seines Aneurysmas herrühren – ehrlich gesagt wissen wir das nicht …« Der Arzt verstummte, dann fügte er hinzu: »Es hängt im Grunde alles vom Zustand und der Größe des konkreten Aneurysmas ab.«

»Bei einem Aneurysma, das so groß ist wie Ihres, würde eine solche Ruptur zu einer massiven, tödlichen Blutung führen«, warf sein Kollege ein. »Ich vermute, es würde alles sehr schnell, fast schmerzlos abgehen. Bis dahin aber gibt es absolut keinen Grund, warum sie nicht ein vollkommen normales Leben führen sollten. Fast so, als hätten wir Ihnen diese Diagnose nie gestellt«, fügte er betreten hinzu, als ihm bewusst wurde, was er da soeben gesagt hatte.

»Aber das haben Sie«, entgegnete Karl unverblümt und stand auf. »Dann kann ich mich ja schon mal auf Ihre prognostizierte ›Bewusstseinsschärfung‹ freuen. Nun, ich danke Ihnen für Ihre klaren Worte. Das ist für Sie sicher auch nicht so leicht.« Karl griff nach seinem Mantel, der an der Tür des Sprechzimmers hing.

»Möchten Sie eine psychologische Beratung in Anspruch nehmen? Wir könnten Sie an jemanden überweisen.«

»Das hat eigentlich nicht viel Sinn. Ich muss jetzt gehen. Jemand, der auch Angst hat, wartet zu Hause auf mich, und sie braucht mich.« Karl öffnete schwungvoll die Tür und ging langsam den lichterfüllten weißen Krankenhauskorridor entlang.

Als Karl das Felsband erreichte, war es heller Morgen. Er war zufrieden über das Tempo seines Abstiegs vom Gipfel, wo er den dünnen Streifen der Morgendämmerung hinter der gezackten Silhouette der Gipfel im Osten betrachtet hatte. Dort oben war ihm auch wieder das Felsband eingefallen, an dem er bei seinem Aufstieg vorbeigekommen war. Aus einem Riss in der Wand darüber ragte ein alter, rostiger Haken. Karl schwang sich um die Wand herum, die an das offene, zerklüftete Gelände der Ostwand anschloss, und stand auf dem Felsabsatz. Er war so etwas wie ein abgeschiedener Adlerhorst, der, zum Teil durch die Ostflanke geschützt, auf dem zerrissenen Grat schwebte, der die Nordwand begrenzte.

Er trat bis zu der Stelle vor, wo es anscheinend einen Felssturz gegeben hatte und eine gut erkennbare Bruchlinie offen lag, die in ausgeprägtem Gegensatz zu dem glatten, vom Wasser ausgewaschenen Felsband stand. Er beugte sich vorsichtig über die Abbruchkante hinaus, wobei ihm deutlich bewusst wurde, wie hypnotisch der Abgrund wirkte, aber er empfand auf einmal Neugier, wie diese Bruchlinie wohl entstanden sein mochte. Er blickte hinter sich zu dem Haken, der aus der Wand über dem Absatz herausragte und sich vor dem Licht der Sonne deutlich abzeichnete. Dann drehte er sich wieder um und beugte sich über den Rand.

Er blickte hinunter in eine furchterregend tiefe Rinne, die – eingeschnitten in die steil aufragenden Felswände – abfiel, bis sie im Eisfeld der Nordwand auslief. Er wartete, bis sich seine Augen an die düsteren Lichtverhältnisse gewöhnt hatten. Ein mit Eis gefüllter Riss zog sich bis zu ihm herauf und verengte sich zu einer glänzenden, feuchten Eislinie. Zu beiden Seiten des Eises zeichneten sich im Fels wie Narben weiße Kratzer ab: Spuren von Steigeisen. Das verblüffte ihn. Er hatte noch nie gehört, dass jemand in diesem Teil der Nordwand geklettert war. Am Fuß der Rinne sah er eine Felsnadel vom Rand des Eisfeldes herausragen. Eine uralte, von der Sonne ausgebleichte Schlinge, die um den abgesplitterten Fels geschlungen war, flatterte verloren im Wind, der kalt vom Eisfeld heraufwehte – ein stummes Zeugnis der verzweifelten Situation eines Bergsteigers in ferner Vergangenheit. Jemand war einst hier hochgeklettert, um sein Leben geklettert. In den verwitterten Rissen glänzte Eis, feuchte Felswände erstreckten sich zu beiden Seiten, und schwindelerregend hohe, bedrohlich steile und glatte Felsplatten ließen einen Aufstieg zum Grat nahezu unmöglich erscheinen. Es war eine wenig einladende Vorstellung.

Er sah ockerfarbene Flecken am Fels, die auf rostendes Sicherungsmaterial hindeuteten, das hier zurückgelassen worden war, und noch weiter oben blitzte die dünne Drahtkabelschlinge eines Klemmkeils aus einem Riss hervor. *Warum war hier jemand heraufgeklettert?* Er ließ seinen Blick über den oberen Teil des Eisfelds schweifen, dann spähte er wieder in die Rinne hinunter. Ein Fluchtweg. Jemand hatte über die Rinne aussteigen müssen, um zum sicheren Grat zu gelangen. Es musste ein verzweifelter Kampf gewesen sein.

Er trat zurück und ließ sich auf dem Felsband nieder, den Rücken an die Wand gelehnt, und war beeindruckt von der Schwierigkeit dieser Kletterei. Beim Blick auf den Haken in der Wand über sich fragte er sich, ob es die Kletterer wohl bis zur rettenden Zuflucht dieses Felsabsatzes geschafft hatten. Wenn ja, waren sie sicher unendlich erleichtert gewesen, dieser Rinne zu entkommen.

Von seinem Platz aus hatte er einen weiten Blick über die gesamte Nordwand. Das geriffelte, stahlglänzende Eisfeld brandete wie Wellen gegen die steilen Felsaufschwünge im oberen Teil der Wand. Weit unterhalb sah er die geschwungene Linie des Bergschrunds, wo der Gletscher vom Eisfeld abbrach, und das Schlangenhautmuster der Gletscherspalten, die sich auf seinem Rücken bis hinunter ins ferne Tal zogen. Jetzt, im Sommer, war nur das obere Gletscherbecken mit Schnee bedeckt. Weiter unten verliehen dem Gletscher die dunklen Linien des auf seiner Oberfläche mitgetragenen Geschiebes und Moränenschutts ein reptilienartiges Aussehen, so als fülle ein Drachenleib mit seinen schuppigen Hautfalten den Talgrund aus.

An die Felswand gelehnt, spürte er durch sein Hemd ihre Kälte und Härte und wartete darauf, dass die Sonne die Gipfelkette klar sichtbar werden ließ. Allmählich breitete sich am Himmel ein Strahlenkranz aus, der durch die gezackte Kammlinie blitzte. Gleichzeitig verwandelten sich die düsteren Farbtöne der Morgendämmerung am Grat über ihm in das rote Glühen des neuen Tages, und augenblicklich spürte er die Wärme auf seinem Gesicht, als ein Adlerhorst von einem Moment auf den anderen in Sonnenlicht getaucht war.

Wieder breitete sich unvermittelt das vertraute hohle Gefühl in seiner Brust aus. Mit geschlossenen Augen spürte er dieser sich von außen einschleichenden Empfindung nach. Er wusste, was es war, seit vielen Monaten kannte er das jetzt schon. Die Ärzte hatten ihre endlosen Untersuchungen abgeschlossen, unendlich viel geredet und Theorien aufgestellt, die ihm vorgeblich Hoffnung machen, im Grunde aber nur ihr schlechtes Gewissen angesichts ihrer Hilflosigkeit beruhigen sollten. Letztendlich, meinten sie, könne man nichts tun. Zu tief im Gehirn. Unmöglich, die stetig wachsende Ausstülpung der Arterie zu stoppen. Ihr Bedauern nützte ihm nichts. Gleichgültig hatte er ihre Verlegenheit, die sich in ihrer Körperhaltung ausdrückte, und ihre übertrieben höflichen Worte zur Kenntnis genommen. Das war ihr Problem, nicht seines. Er war nach Hause gegangen und hatte mit ansehen müssen, wie seine Frau starb.

Die Leere breitete sich in ihm aus, und seine Brust fühlte sich kalt an. Er presste die Handflächen an die Stirn, wie immer, wenn diese Kälte kam. Warum trat dieses Gefühl in seiner Brust auf und nicht in seinem Kopf? Wie viele Jahre war es nun her, seit sie es ihm gesagt hatten? Fast drei. Und zwei Jahre, seit seine Frau von ihm gegangen war. Verzweifelt war er aus den verwelkten Schatten ihres Zimmers getreten. Vielleicht war das der Moment gewesen, in dem dieses Gefühl der Leere eingesetzt hatte. Seine Stellung in der Firma war bald aufgegeben, das Haus verkauft, die Altersvorsorge, Lebensversicherung, Aktien und Ersparnisse in Bargeld umgewandelt. So war er aus seinem früheren Leben fortgegangen, zurück in die Berge, wo alles begonnen hatte, wo sie sich getroffen, geliebt und geheiratet hatten. Und dann hatten sie sich ausgerechnet von jenen Orten forttreiben lassen, die ihrem Leben einen Sinn gegeben hatten.

Seitdem kletterte er allein. Befreit vom Gewicht und den Einschränkungen durch Seile, Ausrüstung und Gefährten, war er in jene Landschaft zurückgekehrt, die ihm seit jeher als Mensch eine Bestimmung gegeben hatte. Er kletterte vorsichtig, aber furchtlos; die Hoffnung auf ein langes Leben hemmte ihn nicht mehr. Nicht, dass ihn der Wunsch erfüllt hätte, seinem Leben ein Ende zu setzen, oder die Sehnsucht nach einem raschen Sturz in den Abgrund. Er hatte eine nie gekannte Freiheit entdeckt, genoss diese äußerste Konzentration auf den Augenblick, dieses losgelöste, fast tranceähnliche Gefühl einfacher Bewegungen – den sanften Druck einer schmalen Felsleiste unter den Fingern, die unmerkliche Verlagerung des Gleichgewichts, all die kleinen, aber entscheidenden Faktoren, die ihn am Leben hielten. Wenn ein Gipfel die Vorstellung von seinem stetigen, rauschhaften Höherkommen abrupt unterbrach oder der Anblick einer Hütte das Ende eines Anstiegs anzeigte, löste das bei ihm ein bittersüßes Bedauern aus, eine Sehnsucht, wieder in die Freiheit jener Landschaft zurückzukehren, die er eben erst hinter sich gelassen hatte.

Nach einem langen, bewussten Atemzug spürte er, wie sich das Vakuum in seiner Brust entspannte, und beim Ausatmen fiel sein Blick auf den felsigen Untergrund, auf dem er saß. Obwohl teilweise durch seinen Oberschenkel verdeckt, sah er die zarte Form eines urzeitlichen Meerestiers, die sich im glatten Fels abzeichnete. Ein Fossil. Er betrachtete es fasziniert, verblüfft darüber, dass er auf einstigen Meeresgrund blickte. Die deutlich erkennbaren Windungen in dem blanken Gestein bildeten die lebende Gestalt einer Kreatur ab, die vor Millionen von Jahren gestorben war. Voller Bewunderung strich er mit den Fingerspitzen über die zarten Umrisse, streichelte das zu Stein erstarrte Leben unter seiner Hand. Ihm kam ein Bild von ihr in den Sinn, wie sie krank in ihren Kissen gelegen hatte, und dann die Erinnerung an jene Tage vor so vielen Jahren, als sie sich lachend in dieser Bergwelt bewegt hatten. Er liebkoste das Fossil und dachte an ihr Lächeln. In diesem Augenblick wurde durch den Aufwind eine Wolke Glimmerkörnchen vom Eisfeld emporgewirbelt, die im Sonnenlicht glitzerten wie Schneekristalle.

Sein Vater hatte ihm gesagt, man müsse etwas schaffen, was bleibe, auch wenn man selbst nicht bleibe, nicht einmal er. Es war einer jener Vorträge gewesen, die er seinem lustlos zuhörenden Sohn häufig gehalten hatte, in der Hoffnung, dessen Faszination für die Berge würde irgendwann einmal nachlassen. So kam es dann auch, zu Karls großem Bedauern, denn er versuchte pflichtschuldig, den Wünschen seines Vaters Folge zu leisten.

»Das Wichtigste im Leben, Junge, ist es, von anderen zu lernen und etwas zu schaffen, was Bestand hat.« Mit diesem Satz seines Vaters endeten die hitzigen Debatten über Karls Zukunft meist. »Andere Menschen sind wie Vergrößerungsgläser, durch die wir unser eigenes Leben lesen können …« Und Karl hatte dann immer genickt, er hatte das alles schon so oft gehört. »Die Hauptsache im Leben – und das gilt für uns alle – besteht darin, dass wir unsere Geschichte erzählen, dass wir auf irgendeine Weise, und sei sie auch noch so bescheiden, Beachtung finden, damit wir uns ins große Ganze einfügen. Unser Vermächtnis ist unser Lebensweg, und mit deiner Kletterei in den Bergen kannst du keine Lebensgeschichte schreiben …« Er redete immer von der Herausforderung, die ein Leben in seiner Gesamtheit darstelle, von der beeindruckenden Symmetrie im Leben aller Menschen. Und dann starb er, und seine Geschichte starb mit ihm, und keiner würde sie jemals erzählen.

Also beerdigte ihn Karl und dachte dabei: »Und wo war die Herausforderung in diesem Leben oder gar die Symmetrie?« Er hatte mit seinem Vater nie über die Berge gesprochen. Sie waren nicht die Geschichte seines Vaters, sie waren seine Geschichte.

Er liebte die Berge. Sie existierten über alle Zeiten hinweg, was ihnen eine eindringliche Präsenz und eine rätselhafte Unermesslichkeit verlieh, die ebenso beglückend wie erschreckend war. Mit ihren Ehrfurcht erweckenden, kathedralengleichen Formen überwältigten sie ihn; er liebte ihre ausgesetzten Grate und Flanken, ihr atemberaubendes senkrechtes Emporwachsen, die Gipfel, die in dicht geschlossenen, endlosen Reihen zum geschwungenen Horizont marschierten. Sie waren wie Monolithe, gewaltig, unergründlich wild und von einer tödlichen Gefahr. Das Wetter erweckte sie zum Leben, es verhüllte, formte, bewegte sie durch die vorbeiziehenden Wolken, entkleidete sie durch den Wind, schnitzte bizarre Formen in ihr Eis, tauchte sie zu jeder Jahreszeit in ein anderes Licht.

Karl hatte immer gewusst, dass man die Berge nur verstehen konnte, wenn man sie bestieg. Sie waren so schön, dass sie ihn zum Weinen bringen konnten, so schön, dass sie ihm Angst einjagten. Sie suchten ihn, zogen ihn in ihren Bann, bis er in der Landschaft seiner eigenen Erinnerung versank.

In den Bergen durchschnitt er die Fesseln der Zeit. Ihm schien, als befände er sich dort an einem imaginären Ort, wo Zeit und Erinnerung und Phantasie die Landschaft seines Lebens formten. Die Berge waren die Landschaft, die er am meisten bewunderte, dort hatte er am ehesten das Gefühl, an seinem Platz zu sein. Mit etwas Glück würde er in der Welt der Berge etwas Reines in sich finden, selbst wenn es für ihn unbegreiflich bliebe. Dann könnte er sie loslassen und zutiefst lebendig sein.

Vielleicht war das alles, was das menschliche Bewusstsein überhaupt zuließ. Wünsche und Träume waren ebenso ein Teil der Landschaft, in der er sich aufhielt, wie sie ein Teil seiner Phantasie waren; am Ende kehrte er immer in dieselbe Landschaft zurück, in die, die zu ihm passte. Er lebte in beiden. Trotz der Versuche, seinen Platz in der Welt zu finden, schien ihm deren Landschaft nie so zu sein, wie er sie sich wünschte: einem ständigen Wandel unterworfen und faszinierend in ihrer Zartheit und Vielschichtigkeit. Sie sollte sich so rasch verändern können wie ein Gedanke und so geheimnisvoll sein wie dieses im Fels festgehaltene Fossil, über das er gerade strich.

Seinem Vater hatte er das so nie beschreiben können. Er hätte ihm nicht zugehört, und Karl war sich, bis jetzt, nie sicher gewesen, ob er die passenden Worte finden würde. Seit seine Frau gestorben war, hatte ihm plötzlich eine Flut von Worten – wahren Worten – zur Verfügung gestanden, und er hatte sich gefragt, woher sie auf einmal gekommen waren. Doch jetzt spielte das alles keine Rolle mehr, jetzt ging es nur noch um ihn. All dies kam ihm in den Sinn, als er seinem eigenen Tod entgegenging.

Während seine Hand weiter auf dem vor so langer Zeit gestorbenen Meerestier ruhte, sann Karl über die Geschichten nach, die unser Leben erzählt. Was für eine Geschichte mochte dieses Geschöpf wohl gehabt haben? Sicher keine besonders lange; das Leben wurde gelebt und bald verlassen, die Geschichte entstand, wurde einmal erzählt und dann vergessen. Karl wusste, dass auch er sein Leben lang nach etwas Unbekanntem gesucht hatte, nach irgendeiner Möglichkeit, sich einzufügen – es war wie ein tiefer, unstillbarer Hunger gewesen.

Er spürte wieder, wie der Schatten ihn durchzog, spürte die sich plötzlich in ihm ausbreitende Kälte. Er atmete tief ein und versuchte sie zu vertreiben. Sie kehrte immer wieder zurück, wie einlaufende Flutwellen, lauerte am Rand seines Bewusstseins, bereit, im nächsten Augenblick alles zu überschwemmen. Er blickte zum grellen Sonnenlicht am Horizont, und die Leere in ihm ließ ein wenig nach. Die Berge waren sein Trost, die einzige Landschaft, die ihn zu einem ganzen Menschen machte.

Im Moment seines Sterbens vernahm er ein Rauschen von Flügelschlägen. Ein Schwarm Dohlen ließ sich vom Aufwind durch die Lüfte tragen. Er sah einen altersgrauen Raben gemächlich, aber mit der ihm angeborenen Wachsamkeit auf dem nahe gelegenen Grat landen und ihn nicht mehr aus den Augen lassen. Er hüpfte von einem Bein aufs andere, und sein Kopf mit dem langen Schnabel nickte dabei. Unverwandt blieb der Blick des Vogels auf ihm ruhen. Es war, als wisse er Bescheid.

Das hohle Gefühl in seiner Brust kehrte wieder. Er wandte den Blick von dem Vogel ab und ließ ihn auf einem Berg ruhen, der allein in der Ferne stand, am Rand der Bergkette, eine stolze, alles beherrschende Pyramide. Seine Sicht wurde verschwommen, und er wischte sich mit der Hand über die Augen. Die Hand, das sah er, zitterte, doch den Gipfel konnte er jetzt wieder klar sehen. Er sank gegen die Felswand zurück und nahm die plötzliche Ruhe um ihn herum wahr, als hätte das Leben für einen Moment innegehalten. Endlich war es so weit.

Er hielt den Blick fest auf den fernen Gipfel gerichtet und empfand eine überraschende Gelassenheit.

Er dachte an das Fossil, das schon so lange tot hier oben lag, an diesem Ort seines eigenen Sterbens. Die Dinge ändern sich auch hier oben, dachte er, sogar die Zeit, die eigentlich reglos zu verharren, beinahe stillzustehen schien. Er konzentrierte sich auf das Fossil. Der Berg hatte es in diesen Winterhimmel hochgetragen, in eine Welt der gefrorenen, unbelebten Bewegung. Es war ein zeitloser Abdruck urzeitlichen Lebens, fixiert in der letzten Bewegung seines Todes, und lag nun als Flachrelief unter der Haut des Bergs. Er fuhr die Spiralwindungen des Fossils mit seiner Fingerspitze nach, als zeichne er seine Form in den Fels.

Die Leere in seiner Brust war immer von einem Gefühl der Beklemmung begleitet gewesen, als würde er von einer anderen Wesenheit in Besitz genommen. Die Ärzte hatten ihm gesagt, das sei normal. Nun jedoch geschah etwas anderes. Er versuchte zu atmen – tief, ruhig –, aber stattdessen keuchte er auf, als ein stechender Schmerz ihm wie ein Messer durch den Kopf fuhr. Zugleich explodierte mit einem Knistern und Zischen wie bei einem Kurzschluss ein grelles Licht in seinem Gehirn. Wie aus weiter Ferne hörte er jemanden stöhnen.

Sein Kopf schnellte zurück, als der Schmerz hineinfuhr. Ein blutroter Lichtblitz schoss hinter seinen zusammengepressten Lidern vorüber, und er wusste augenblicklich, dass es nun passierte. Quälender Schmerz durchflutete seinen Schädel, sodass es sich anfühlte, als würde er gleich platzen, dann ebbte er abrupt ab. Als sich der Schmerz dann auf eine Stelle konzentrierte, fühlte er sich seltsam abgeschnitten von allem. Er war noch immer bei Bewusstsein; alles war wie zuvor. Nichts schien sich verändert zu haben, außer dem Gefühl der Körperlosigkeit. Er empfand eine Leichtigkeit, als schwebe er über allem, als hätte er keinen Kontakt mehr mit dem Absatz, auf dem er saß, oder mit der Felswand hinter seinem Rücken. Auch die Sonne spürte er nicht mehr auf dem Gesicht, obgleich er ihr intensives helles Licht sehen konnte. Er versuchte zu atmen, doch ohne Erfolg. Es war, als hätte er vergessen, wie es ging. Er ließ seine Handfläche auf das Felsband sinken und blickte auf das Fossil herab.

Dann hatte er das Gefühl zu fallen, doch er sah keine Bewegung. Der Himmel, der felsige Grat und der Rabe verschwammen vor seinen Augen. Als er zur Seite kippte, war er froh, dass es genau hier, an diesem Ort, geschah.

Er hörte den Aufprall, als seine Schläfe gegen den harten Felsabsatz krachte. Sein Kopf prallte vom Stein ab und blieb dann liegen, sodass er den Raben direkt im Blick hatte. Er breitete seine Flügel aus und hüpfte aufgeschreckt in die Luft. Sobald er wieder auf dem Fels gelandet war, nun ein Stückchen näher bei ihm, neigte er den Kopf zur Seite und sah ihm in die Augen, dann hüpfte er noch ein paar Armlängen weiter heran.

Wie durch einen Nebel registrierte er, dass er nicht atmete, und er wusste, dass das nun keine Rolle mehr spielte. Gedanken und Empfindungen durchfuhren ihn in wirrer Bewusstheit. Das Sterben an sich dauerte nicht lange, Sekunden, höchstens Minuten, aber dennoch erschien es ihm endlos. Es hatte mit einem Moment großer Intensität begonnen, mit einem Lichtblitz und Schmerz, als das Aneurysma riss. Die bis zum Äußersten gespannte geschwächte Arterienwand in seinem Gehirn war geborsten wie ein brechender Damm. Dann hatte er Lichtblitze gesehen, einen heftigen Schmerz gespürt, und das Blut hatte ihm in den Ohren gedröhnt: die ersten Geräusche seiner beginnenden Auslöschung. Mit starrem Blick fixierte er den Raben, der von einem Fuß auf den anderen hüpfte, dann aufflog und neben seinem Bein landete, seine Augen immer fest im Blick.

Ein feuriger Schmerz steigerte sich zu einem quälenden, beengenden Druck um seinen Brustkorb. Er bewegte versuchsweise seine Finger – ein Beben und Zittern und dumpfes Vibrieren durchlief seinen Körper. Dieses Sterben vollzog sich nach eigenen Regeln; es waren Regeln, die er verstand und akzeptierte. Die Zeit war gekommen. Die Berge verblassten vor seinen Augen, das Sonnenlicht war nur noch ein schwacher

Schein, aber er war sich sicher, dass sie um ihn waren – und der Schmerz war vergangen. Er lag reglos da, befreit vom Atmen. Die Schichten seiner Erinnerung und eine Flut vergangener Emotionen kristallisierten sich zu dieser einen endlosen Erleichterung.

Er spürte einen plötzlichen Druck, als der Rabe auf seiner Schulter landete, roch sein muffiges Gefieder und fühlte, wie ihm seine flatternden Flügel über die Wange strichen. Der lange, grässliche, mit grauen Streifen durchzogene und nach Aas riechende Schnabel näherte sich ihm verstohlen. Langsam hüllte ihn die Dunkelheit ein, als würde die Sonne hinter den Bergen untergehen.

Auf seiner Schulter hüpfte der Rabe weiter vor, bis er ihm – geschickt und mit äußerster Präzision – ein Auge auspickte. Die über ihm kreisenden Dohlen krächzten auf und segelten davon, als seien sie von Abscheu ergriffen, dann tauchten sie in die Schatten der Gratlinie ab. Der alte Rabe warf den Kopf zurück, der Schnabel ging auf und zu, und endlich schluckte er. Dann stieß er ein triumphierendes Krächzen aus und hüpfte weiter vor, um das zweite Auge auszupicken.

11

Die beiden Seilschaften waren vom Grat abgestiegen, um ihm den Fund des Toten zu melden. Dann hatten sie sich rasch auf den Weg hinunter ins Tal gemacht, um den Bergführern seine Nachricht zu überbringen, dass sie am nächsten Tag heraufkommen sollten, um die Leiche zu bergen. Nun, vierundzwanzig Stunden später, machte sich Patrick ernsthafte Sorgen. Der Sturm rückte zu schnell heran. Bald würde er die Rettungsmannschaft einhüllen, die sich hoch droben am Berg abmühte. Beim Blick hinauf zum Zweiten Turm des Grates sah er, dass dieser bereits im Schatten lag. Er dachte an die Leiche, die in der Nacht zuvor allein dort oben auf dem Felsband gelegen hatte, und ihm fielen die Vögel ein. Schließlich entdeckte er auf der Abstiegslinie den Grat hinunter drei kleine Gestalten. Sie befanden sich dicht nebeneinander am oberen Ende einer steilen Felswand. Unter ihnen konnte er die Tragbahre mit dem an beiden Seitenstangen festgezurrten Leichnam ausmachen. Eine weitere winzige Gestalt schwang halsbrecherisch unterhalb der Bahre und dirigierte sie die Wand hinunter. Der Klang einer fernen Stimme wehte von oben zu ihm herunter: knappe, scharfe Anweisungen.

Er sah die Vögel, die von den Höhen herunterglitten. Ob es nur der Sturm war, der sie dazu bewegte, tiefere Lagen aufzusuchen? Schon oft hatte er über Gebirgsvögel erzählen gehört, sie seien die wiedergeborenen Seelen abgestürzter Bergsteiger, und er beobachtete erneut den Schwarm Dohlen, der über dem Grat kreiste. Ob sie ihr grausiges Werk bereits verrichtet hatten? Er verzog das Gesicht und schüttelte den Kopf über diese albernen Geschichten von wiedergeborenen Seelen. So etwas würden die Leute nicht mehr glauben, wenn sie sehen könnten, was mit den Augen toter Bergsteiger geschah. Es hieß, dass die Vögel sich so Zugang zu den menschlichen Seelen verschafften – durch die Augen. Er musste schmunzeln und suchte mit dem Blick den Grat ab. Die untergehende Sonne tauchte die Gipfelhänge in ein blassrosa Alpenglühen.

Er blickte zum Horizont und bemerkte dessen unheilverkündende Farbe. Die Windgeschwindigkeit erhöhte sich stetig. Über den felsigen Untergrund wirbelten Schneeflocken und wurden über das Holzgeländer der Veranda geweht. Ein filigranes weißes Muster legte sich auf das Geländer, ohne zu schmelzen. Der Sturm würde bald über sie hereinbrechen. Patrick hatte sein Herannahen den ganzen Nachmittag über verfolgt.

Eine bedrohliche, linsenförmige Wolke lastete wie eine große graue Scheibe über dem Gipfel. Sie hatte sich nach und nach über die gesamte Bergkette ausgebreitet, war stetig tiefer gesunken und verhüllte nun die umliegenden Gipfel. Der Himmel verdunkelte sich, bauchige, schneebeladene Wolken hingen immer schwerer und niedriger und drängten sich über die weite eisige Flanke der Nordwand. Um vier Uhr nachmittags waren nur noch das von grauen Bändern durchzogene Eisfeld und die dunklen Felsgürtel des kombinierten Geländes dreihundert Meter über dem Gletscher sichtbar. Bei Einbruch der Nacht zeigte das Barometer einen stetigen Abfall des Luftdrucks. Patrick wusste zu diesem Zeitpunkt längst, dass der Sturm unmittelbar bevorstand; er hatte es am Verhalten der Vögel abgelesen.

Am Abend zuvor war kurz ein dichter Schwarm Dohlen über dem Blechdach der kleinen Hütte am Fuß des Ostgrats aufgetaucht. Er hatte ihr wildes Gezanke und Gekreische gehört und war hinausgegangen, um ihre kunstvollen Kreise und Sturzflüge zu beobachten, als sie sich von den Aufwinden unter die Flügel greifen und von ihm durch die Lüfte tragen ließen. Sie waren von weiter oben heruntergekommen, und auch ohne Blick auf das Barometer wusste er, was das bedeutete. Keine

Wolke stand am Himmel, und der Tag war sonnig und warm gewesen. Es gab keinerlei Anzeichen für eine herannahende Sturmfront, aber die Vögel hatten sie dennoch gespürt.

Die Dohlen kreisten mit heiseren Schreien ungeduldig in der Luft, und er verfolgte ihre aufgeregten, tollkühnen Flugmanöver. Irgendwie schienen sie aber auch zögerlich bei ihrem Gleiten durch die Luftturbulenzen, die vom Gletscher unterhalb der Nordwand heraufströmten. Nur widerwillig ließen sie die Hütte im Stich und lieferten den Berg dem Sturm aus. Ein paar besonders mutige Vögel ließen sich hinunter ins Tal gleiten, kehrten aber, den schrillen Schreien des ungeduldigen Schwarms gehorchend, rasch wieder zurück. Patrick beobachtete ihren ekstatischen Flug. Sie bewegten die Flügel nicht. Ihre übermütigen Schwünge und Loopings waren nichts anderes als Ausdruck ihrer reinen Freude am Fliegen. Manche standen im kräftigen Aufwind, ihre Beine baumelten drollig herunter, die Flügel waren angewinkelt, um den Luftzug aufzuhalten, während sie taumelnd über der Hütte schwebten. Unter ohrenbetäubendem Krächzen und Kreischen beäugten sie Patrick argwöhnisch, der ihnen, an das Geländer der Veranda gelehnt, zusah. Dann plötzlich, wie auf ein lautloses Signal hin, das aber vom gesamten Schwarm vernommen wurde, stiegen sie hoch in den Himmel auf – ein dunkel getupfter Wirbel, der aussah wie vom Wind durcheinandergewehte Blätter –, kehrten dann um und schossen gemeinsam in die Tiefen des Talgrunds. Mit diesem Sturm wollten sie es offenbar nicht aufnehmen.

Als er mit den Augen den Berg nach der Rettungsmannschaft absuchte, war nur noch der Fuß des Grates sichtbar: ein gigantischer zerklüfteter Pfeiler aus brüchigem Kalk, zum Teil durch dunkle Wolken verhüllt. Eigentlich war es ja gar keine Rettung, rief er sich ins Gedächtnis, es war die Bergung einer Leiche. Ein heftiger Schwall Spindrift fegte über die tiefer gelegenen Felsen hinweg, und er sah nun, dass seine Befürchtungen sich bewahrheiteten. Die Männer würden in den Sturm geraten, bevor sie das sichere Tal erreicht hätten.

»Herzanfall«, hatte der Leiter der Bergführer gesagt, als sie am Morgen an der Hütte vorbeigekommen waren. »Oben beim Zweiten Turm, sagst du?«, fügte er hinzu und verzog das Gesicht, als er den letzten Schluck von Patricks starkem Kaffee aus der Emailleschale trank. Er schüttete den Kaffeesatz auf die Erde, spuckte aus und starrte den Schleim auf dem Stein mit finsterer Miene an. Es würde kein leichter Tag für sie werden, ein hartes Stück Arbeit am Seil.

»Das war ein großer Kerl«, setzte er mürrisch hinzu. »Ein großer deutscher Kerl«, brummte er, als spiele das eine Rolle für die bevorstehende Aufgabe. »Rot im Gesicht und so fett.« Zur Veranschaulichung hielt er die gebogenen Arme vor seinen Bauch und blies die Backen auf. Mit einer abschätzigen Handbewegung schickte er hinterher: »Was hat so ein Fettsack in den Bergen verloren?«

Patrick erinnerte sich an den Mann, der am Morgen zuvor noch vor Tagesanbruch Richtung Grat aufgestiegen war: Groß war er durchaus gewesen, aber keineswegs dick. Er hatte sich mit überraschender Geschmeidigkeit bewegt. Patrick hatte ihn beobachtet, wie er zielsicher den Grat angesteuert und die ersten heiklen Felsstufen mit ruhiger, erfahrener Klettertechnik gemeistert hatte. Allerdings war ihm aufgefallen, dass der Mann kein Seil auf seinem kleinen Tagesrucksack hatte. Doch die Art und Weise, wie er sich in der frühmorgendlichen Dämmerung über die Felsen bewegt hatte, hatte Patrick nicht an seinen Fertigkeiten zweifeln lassen. Er hatte einen erfahrenen und selbstsicheren Eindruck gemacht, war bald außer Sichtweite gewesen und hatte die beiden Seilschaften, die gleich nach ihm aufgebrochen waren, rasch weit hinter sich gelassen.

Als dieselben beiden Seilschaften am späten Nachmittag mit düsteren Mienen zurückgekehrt waren und Patrick von ihrer Entdeckung berichtet hatten, wirkten sie sehr bedrückt. Laut ihren Aussagen hatten sie ihn auf der ebenen Fläche oben am Zweiten Turm gefunden, auf der Seite liegend, mit dem Rücken zur Felswand. Auf dem Felsabsatz hatten sie auch Fossilien und einen alten Haken entdeckt. Die Stelle befand sich auf der Seite des Grates, die zur Nordwand hinschaute.

»Ja, ich kenne die Stelle«, hatte Patrick ruhig erwidert und ihnen beim Zuhören ermutigend zugenickt. Zuerst hatten sie gedacht, der Mann ruhe sich aus oder – als er ihren Gruß nicht erwiderte – schlafe. Sie hatten zwar den verschütteten Kaffee auf seiner Hose bemerkt und den Becher, der umgekippt auf dem Fels lag, aber seine leeren Augenhöhlen hatten sie nicht gesehen. Dann hatte sich in ihnen langsam der Verdacht geregt, dass er tot sei. Sie hatten den Körper des Mannes schweigend angestarrt und gespürt, dass kein Leben mehr in ihm war. Sie hatten ihn nicht angerührt. Aber selbst jetzt, als sie ihren Bericht mit nervösen, fieberhaften Erläuterungen, ja Rechtfertigungen untermauerten, merkte Patrick, dass sie noch immer nicht ganz überzeugt waren. Es machte ihnen zu schaffen, dass sie auf ihrer Bergtour mit einem Todesfall konfrontiert worden waren.

Der Mann hatte den Gipfel viele Stunden vor ihnen erreicht und war ihnen bei seinem zügigen Abstieg vom Kamm des Ostgrats wieder begegnet. Er kam mühelos voran, schien topfit und selbstbewusst, und im Vergleich zu ihm waren sie sich unsicher und ängstlich vorgekommen. Dass er allein ging, gefiel ihnen gar nicht. Auch ein Seil hätte er zumindest dabeihaben müssen. Er gab ihnen das Gefühl, bergsteigerisch weniger versiert zu sein, und sie stimmten darin überein – im Flüsterton, damit er es nicht hörte –, dass es unverantwortlich sei, im Hochgebirge so unterwegs zu sein. Und dann hatten sie ihn gefunden, allein, auf dem Felsabsatz, tot, und konnten es noch immer nicht ganz glauben.

»Er hätte die Hütte noch vor Mittag erreichen müssen«, sagte einer der Männer.

»Vielleicht sogar noch eher«, fügte seine Frau hinzu und sah Patrick mit großen, fragenden Augen an, als könne nur er diesen Vorfall, der einen Schatten auf ihren Tag in den Bergen geworfen hatte, wieder ungeschehen machen. Die Art und Weise, wie sie sich aufgeregt durcheinanderredend um ihn scharten, erinnerte ihn an den Schwarm kreischender Dohlen. Sie wollten ihm alles genau erzählen, aber gleichzeitig wären sie am liebsten schon weit weg gewesen.

»War er wirklich tot? Sind Sie sich da absolut sicher?«, fragte Patrick ernst, worauf ein korpulenter, behäbiger Mann aufstand und ein wenig steif erklärte, er sei Arzt. Daraufhin warf er Patrick einen brüskierten Blick zu, bevor er sich wortlos wieder auf die hölzerne Veranda der Hütte setzte. Die Frage schien ihn gekränkt zu haben. Die Gruppe wollte so schnell wie möglich weiter ins Dorf absteigen, wollte nichts lieber, als eine möglichst große Distanz zwischen sich und dem verdorbenen Tag zu schaffen. Patrick gab dem Arzt eine Notiz für die Bergführer mit und wollte ihm erklären, wohin er sich damit wenden und mit wem er sprechen sollte. Der Mann entfernte sich mit wichtigtuerischer Miene ein paar Schritte von der schwatzenden Gruppe.

»Gehen Sie zu dem Wirtshaus in der Dorfmitte. Es hat grüne Läden und Blumenkästen auf den Fensterbänken. Fragen Sie nach Maurice. Er ist alt und sieht nicht gut. Geben Sie ihm die Nachricht, dann werden sie morgen hier hochkommen und die Leiche bergen.«

»Haben Sie denn kein Funkgerät?«, fragte die Frau Patrick in vorwurfsvollem Ton. Sie war müde von dem langen Tag auf dem Berg und verärgert darüber, dass der Tod ihr die Tour verdorben und ihr einen solchen Schrecken eingejagt hatte.

»Nein«, erwiderte Patrick. »Das hier ist nur eine kleine Schutzhütte für den Sommer. Sie hat keinen Hüttenwart. Ich bin freiwillig hier oben und werde nicht bezahlt.« Die Frau verzog nur das Gesicht. Letztendlich interessierte sie das alles nicht. »Das Geld ist knapp, und für so eine kleine Hütte reichen die Mittel nicht«, erklärte Patrick. »Normalerweise wäre hier oben gar keiner.«

»Aber was wird aus dem Mann auf dem Berg da oben?« Ihr Gatte, ein untersetzter Mann mit schütterem Haar, trat neben sie und deutete auf den Grat, der von der späten Nachmittagssonne beschienen wurde. »Sie können ihn doch nicht einfach allein dort oben liegen lassen.« Er blickte dem Arzt, der bereits am Gehen war, nervös hinterher.

»Aber Sie sagten doch, er ist tot.« Patrick sah dem Mann geradewegs in die Augen. »Er ist doch tot, oder nicht?«

»Nun, ja, natürlich. Der Arzt hat es Ihnen doch gesagt. Wir haben ihn alle gesehen. Er war tot.« Er sah Hilfe suchend seine Gefährten an. Seine Frau blickte finster drein. »Er ist tot«, wiederholte der Mann mit einer wegwerfenden Handbewegung. Auf einmal sah er sehr erschöpft aus; er setzte sich auf die Stufen zur Veranda und lehnte sich mit dem Rücken gegen die Holzwand der Hütte.

»Natürlich war er tot!«, bestätigte die Frau in scharfem Ton. »Wir sind doch keine Idioten.«

»Nein, natürlich nicht«, erwiderte Patrick lächelnd. »Also wird ihm eine Nacht auf dem Berg auch nichts ausmachen. Für ihn dürfte das ja kein Problem mehr sein, oder?« Die Gruppe sah ihn bestürzt an, weil er ihre Meldung über den Toten gar so ungerührt aufnahm. Sie wandten den Blick ab, während er vergeblich auf eine Antwort wartete. »Hat ihn eigentlich jemand von Ihnen zugedeckt?«

»Ihn zugedeckt? Warum sollten wir ihn zudecken?«, fauchte der Arzt gereizt.

»Die Vögel«, murmelte er, dann verkniff er es sich jedoch weiterzusprechen.

»Was für Vögel?«, wollte die Frau wissen. »Was wollen Sie damit sagen?«

»Schon gut. Kein Grund zur Sorge.« Mit einer Geste von entwaffnender Freundlichkeit streckte er die Hände aus. Es hatte keinen Sinn, die Leute unnötig zu beunruhigen. »Er ist in Sicherheit, dort, wo er jetzt ist.« Doch gleich darauf fielen ihm wieder die Dohlen ein, die von den höheren Lagen hinunter ins Tal geflüchtet waren, und er hoffte inständig, dass sie die Leiche noch nicht entdeckt hatten.

»Die Wetterlage ist stabil«, fügte er hinzu, »und wenn Sie den Bergführern heute Abend noch diese Nachricht überbringen, werden sie gleich morgen früh aufbrechen und ihn dann vom Berg herunterholen. Ihm kann jetzt nichts mehr passieren. Und Sie gehen jetzt besser los, bevor es dunkel wird.«

Er hatte ihnen nachgesehen, wie sie eilig den Weg hinuntergingen, der sich auf den Ausläufern des Grates unterhalb der Hütte bergab schlängelte. Im Gänsemarsch stiegen sie ins eindunkelnde Tal hinab, und ihm fiel auf, wie dicht hintereinander sie gingen. Sie schienen sich beinahe aneinanderzuklammern, als würde die Nähe sie schützen, und bewegten sich mit zackigen, nervösen Trippelschritten. Sie hatten aufgehört zu schwatzen, schweigend hing jeder seinen eigenen Gedanken nach. Einer aus der Gruppe blieb stehen und blickte zurück, nicht zur Hütte hoch, sondern weiter hinauf, zum Zweiten Turm, der immer noch von der untergehenden Sonne beschienen wurde. Mit den Augen suchte er kurz nach dem Toten, dann wandte er sich um, sah, dass ihm die Gruppe schon weit voraus war, und beeilte sich, um sie einzuholen.

Patrick dachte über den Toten nach. Mitte fünfzig, ein groß gewachsener, robuster Bergsteiger, athletisch gebaut, mit breiten Schultern und starken, muskulösen Beinen. Er hatte einen beherrschten, gelassenen Eindruck gemacht, als müsste er das volle Ausmaß seiner Kräfte nur selten einsetzen. Neben den Stufen der Hütte war er nur kurz stehen geblieben, hatte aus seiner Wasserflasche getrunken und war dann gleich weitergegangen. Im Gehen hatte er Patrick zugelächelt; gesagt hatte er nichts. Es bestand letztendlich auch keine Notwendigkeit dazu, und Patrick hatte Verständnis dafür. Der Leiter der Bergführer hatte zwar vorhin gemurrt, der Mann sei fett, aber er war im Grunde nur sauer gewesen wegen der vor ihnen liegenden schweren Arbeit, die ihnen nichts einbrachte – lediglich eine langwierige und anstrengende Schlepperei.

Es gab niemanden zu retten, nur eine Leiche zu bergen, eine große, schwere und wegen der Totenstarre sperrige Leiche, die sie verfluchen und grob behandeln würden, eine Leiche, über die sie sich bereits jetzt ärgerten und die sie am Ende des Tages hassen würden. In ihren Gedanken besaß sie weder einen Namen noch eine Identität. Sie hatten entschieden, dass es sich um einen Deutschen handelte. Vielleicht mochten sie ja keine Deutschen. Jedenfalls hegten sie keine freundlichen Gefühle gegenüber diesem dort oben, mit dem sie sich nun gegen ihren Willen abgeben mussten. Es war eine düstere Angelegenheit, die ihnen schwer auf dem Gemüt lastete, aber sie hatten schon zu viele Tote gesehen, um noch viel Mitleid zu empfinden.

Als sie das Felsband erreichten, lag der Mann mit dem Rücken zur Felswand auf der Seite, sein Blick aus den leeren Augenhöhlen war auf den nördlichen Teil des Gletschers gerichtet. Sie setzten sich neben ihn, rauchten, teilten miteinander den mit Wasser gespritzten Wein aus ihren Trinkflaschen und aßen ein paar zähe, scharf gewürzte Hartwürste. Der junge Bergführer warf einen Blick auf das entstellte Gesicht, dann spuckte er seine Wurst aus und nahm schnell einen tiefen Zug aus seiner Flasche. Seine Gefährten lachten, aber vermieden es aus Erfahrung, ihren schweigenden neuen Gefährten zu lange oder zu genau anzusehen.

Mühsam bauten sie die zweirädrige Tragbahre auf, während der älteste Bergführer ihnen zusah und Anweisungen gab. Er war stolz auf sein neu entwickeltes Modell und hoffte, eines Tages mit dem Verkauf seiner Prototypen an Bergrettungsteams in aller Welt seinen Lebensunterhalt zu verdienen. Im Moment aber lachten und fluchten seine drei Gefährten nur über ihn, während sie versuchten, die Achse mit der Bahre zu verschrauben und die großen Räder sicher zu befestigen. Trotzdem gefiel ihnen das neue Modell. Im Grunde bewunderten sie die immer neuen Erfindungen des alten Mannes, die sie in die Berge hinaufschleppen mussten, aber sie würden ihm das nie zeigen. Stattdessen verfluchten sie die Bahre mitsamt den Rädern, machten sie schlecht und grinsten sich verstohlen zu, als sie die Verärgerung und Kränkung im Gesicht des alten Mannes sahen.

Als sie den sperrigen Leichnam auf die Bahre hievten, beklagten sie sich, dass sie ihn wegen der hohen Räder so weit hochheben mussten. Sie zurrten ihn mit Seilen und Schlingen fest und gingen beim Abseilen der Bahre über die Felswände und die kurzen, senkrechten Türme nicht gerade sanft mit ihr um. Der jüngste Bergführer wurde dazu auserkoren, die Bahre unten zu lenken, eine Aufgabe, die er nur widerwillig übernahm. Grinsend schmeichelten die Gefährten seiner Eitelkeit, indem sie seine jugendliche Stärke und anerkannte Geschicklichkeit als Kletterer priesen, und bevor es der so gelobte Bursche richtig merkte, wurde er schon über die Wand abgelassen. Er gab sich alle Mühe, die Bahre möglichst ruhig und stabil zu halten. Seine feixenden Gefährten kontrollierten inzwischen die Geschwindigkeit, indem sie die einzelnen Seile gleichmäßig ausgaben, damit sowohl der Bergführer als auch der Leichnam gesichert waren und beide auf derselben Höhe gehalten wurden.

Der junge Mann gab sein Bestes, um sicherzustellen, dass die Räder der Bahre immer in Kontakt mit dem Fels blieben. Der große Durchmesser der Räder zu beiden Seiten des festgeschnallten Leichnams trug dazu bei, die Bahre zu stabilisieren; dennoch rutschte er durch die Erschütterungen mehrmals von den Griffen der Bahre ab, sodass sie mitsamt dem Leichnam zur Seite kippte, die Seile sich verhedderten und er vor Wut und panischem Schrecken aufschrie. Seine Gefährten feuerten ihn schadenfroh an und machten sich über seine gequält klingende Stimme lustig, bis ein schroffer Befehl des alten Bergführers sie schließlich zum Schweigen brachte.

Nach einer Weile beschloss der Bursche, sich nicht mehr ganz so zu verausgaben, um die Bahre zu stabilisieren. Wenn sie den Kontakt zum Fels verlor, wich er ihr einfach aus, ließ sich am Seil ein Stück weit wegschwingen und sah zu, wie die Bahre heftig ruckelnd über den Fels schlitterte und schrammte. Schließlich spüren Leichen ja nichts mehr, sagte er sich. Trotzdem brachte er es nicht fertig, den heftigen Stößen zuzusehen, sondern zuckte jedes Mal zusammen und wandte sich ab. Seine Gefährten, die ihn von oben beobachteten, waren schweigsam geworden. Sie achteten sorgfältig darauf, die Seile gleichmäßig und straff auszugeben, nickten ihrem Kameraden aufmunternd zu und hielten Augenkontakt. Immer wieder redeten sie ihm gut zu, er solle durchhalten, und beteuerten, dass er ihre ganze Unterstützung und ihr Mitgefühl bei dieser Aufgabe habe. Resigniert und zugleich beruhigt holte er dann tief Luft, atmete schaudernd aus und streckte die Hände aufs Neue nach den Griffen aus.

Hin und wieder sprang die Bahre, wenn sie auf die Seite kippte, vom Fels zurück und schwang so heftig hin und her, dass der Leichnam gegen die Wand schlug. Dann schaffte es der junge Retter manchmal nicht rechtzeitig, ihr auszuweichen. Er versuchte wenigstens, die schlimmsten Aufschläge zu verhindern und zugleich sein Seil von der rotierenden Achse und den Rädern fernzuhalten. Einmal jedoch, als er gerade außer Atem angehalten hatte, fand er sich plötzlich quer auf dem Leichnam liegend wieder. Da sich die Kapuze an der Jacke des Toten gelockert hatte, wurde sein Gesicht einen kurzen, schaurigen Moment lang an die kalte graue Haut der Leiche gedrückt. Vor Ekel und Entsetzen zuckte der junge Mann zurück und stieß die Bahre vor Wut heftig mit den Beinen von sich. Sofort wischte er sich mit dem Ärmel die Wange ab und spuckte angewidert aus. Als er die feixenden Kommentare seiner Gefährten hörte, schickte er einen wütenden Blick nach oben. Am nächsten Standplatz wickelten sie den schlaff herunterhängenden Kopf wieder in die Kapuze, um ihn gegen weitere Verletzungen zu schützen. Dennoch fasste der junge Bergführer die Griffe der Bahre nicht mehr an und bestand darauf, dass einer der anderen ihn in der beschwerlichen Position unterhalb des Leichnams ablöste. Keiner von ihnen gab sich übermäßig viel Mühe, die Aufschläge zu verhindern. Von da an ging alles ohne Schmerzensschreie, Bitten um Pausen oder verängstigte Blicke vonstatten, die nur den Fortgang der Arbeit aufhielten, und sie kamen umso schneller voran. Manchmal war es eben einfacher, einen Toten zu bergen als einen Lebenden.

Patrick beobachtete durch sein Fernglas, wie die Bergführer den Leichnam den Grat hinunterschafften. Er sah, wie die Bahre dabei zwischen den sich mühsam vorankämpfenden

Männern hin und her pendelte und der Leichnam gehörig durchgeschüttelt wurde, wenn sie die Räder über das felsige Gelände holpern ließen. Schnee wirbelte ihm über die Wange, während er der düsteren Prozession mit dem Blick folgte. Als sie bei ihm ankamen, sahen die Männer müde und verschlossen aus. Keiner sprach ein Wort. Die Anwesenheit des Toten schienen sie nicht weiter zur Kenntnis zu nehmen. Er war nur mehr eine schwere Last.

Am Morgen hatte sich der Anführer der Männer seinen Rucksack bequemer auf dem Rücken zurechtgeschoben und sich von Patrick mit einem Tippen an den Schirm seiner Mütze verabschiedet. Dann hatte er mit einer resignierten Verwünschung seine drei Kameraden herbeigerufen und sich zum Gehen gewandt.

»Wir sind nur zu viert«, hatte der letzte und jüngste Bergführer Patrick sein Leid geklagt, als er, die mit Haltebändern und schweren Rädern versehene Bahre auf den Rücken geschnallt, mit finsterer Miene an ihm vorbeitrottete. »Wir sind nur zu viert und sollen einen dicken Mann vom Berg holen.« Seine Kameraden stapften bereits den Weg zu dem verwitterten Felspfeiler hinauf. Sie hielten die Köpfe tief gesenkt, und das Gewicht ihrer Rucksäcke schien sie fast zu Boden zu drücken.

Jetzt, rund zehn Stunden später, beobachtete Patrick von der Veranda der Hütte aus die Männer mit der Bahre. Im heftigen Schneegestöber verlor er sie immer wieder aus den Augen. Er ging mit eingezogenem Kopf in die Hütte zurück, hängte das Fernglas an einen Haken neben der Tür und zündete die einzige Kochstelle des Gasherds an. Er tauchte den Kessel in den großen Plastikbottich mit Wasser neben dem Herd und stellte ihn auf die Flamme.

Als er auf die Veranda zurückging, um zu schauen, wie weit die Männer gekommen waren, waren sie nicht mehr zu sehen. Der Wind rüttelte an der Hüttenwand und peitschte schneidende Eiskristalle gegen seine Wangen. Er kniff die Augen zusammen und starrte in den Sturm hinaus. Zwischendurch erhaschte er immer wieder einen kurzen Blick auf den grauen Fels, aber durch den starken Schneefall wurde rasch alles weiß. Gelegentlich riss der Wind eine Lücke in die schneebeladenen Wolken, und dann glaubte Patrick schemenhafte Gestalten in der Ferne auftauchen zu sehen. Auch sie wirkten grau und sahen aus, als hätte der Sturm sie im Bannkreis dieses Berges eingefroren. Schon einen Augenblick später waren sie wieder verschwunden. Die untersten Felspfeiler des Grates waren im Nu verhüllt, als hätte sich auf einmal der ganze Berg verflüchtigt. Weit und breit war von den vieren nichts zu sehen. Es war merklich dunkler geworden, in einer Stunde würde es Nacht sein. Patrick blickte noch einmal prüfend zu den Sturmwolken hinauf, dann ging er zurück in die Hütte. Um die Bergführer machte er sich keine Sorgen. Sie kannten die Berge seit ihrer Kindheit, auch bei extremen Wetterverhältnissen. Sie würden sicher bald auftauchen.

Er griff nach der Gaslampe, die über dem kleinen, auf Böcken stehenden Tisch hing, drehte sie auf und zündete den feinen Glühstrumpf an. Dieser wurde rasch heiß und warf ein warmes, pulsierendes Licht auf die Veranda draußen. Er sah sich in der winzigen Hütte um. Mit ihren etwa sechs mal fünfeinhalb Metern war sie kaum größer als ein Notunterstand, den er mit ein paar Gebrauchsgegenständen bequemer eingerichtet hatte. Der Tisch am Fenster mit der Gaslampe darüber war sein Stammplatz. Auf einer Seite standen ordentlich aufgestapelt seine Bücher. Ein Schreibblock und Stifte sowie ein gebrauchter Kaffeebecher ließen darauf schließen, dass der Tisch ihm zustand. Rechts daneben befand sich in der Ecke ein teilweise eingemauertes Bett sowie mehrere Regalbretter voller Bücher, die sich an den Holzwänden entlangzogen. Auf der Matratze lag ein blauer Schlafsack, und an einem Nagel an der Wand am Fußende des Betts hing eine leuchtend gelbe Daunenjacke. Zwei schlichte Holzkisten unter dem Bett reichten ihm als Stauraum.

Über dem Bett fiel ein schwacher Lichtschein durch die mit Raureif bedeckten Fensterscheiben. Als der Wind auf dieser

Seite der Hütte über den Grat hinunterfegte, hörte er, dass er an Intensität zunahm. Eissplitter klirrten gegen das Glas. Er beugte sich vor und rieb die beschlagenen Scheiben frei, aber draußen war weit und breit nichts zu sehen. Unter dem Fenster fiel der Steilhang mehr als hundert Meter tief ab bis hinunter zu den zerklüfteten Felsen am Rand des Gletschers. An schönen Tagen konnte er, wenn er über das Fußende seines Bettes hinwegblickte, von seinem Tisch am Fenster aus die Nordwand sehen.

An der gegenüberliegenden Hüttenwand stand ein weiterer langer Tisch, über dessen grob behauener Platte zwei Lampen hingen. An drei Seiten der Hütte gab es Fenster, und an der hinteren Wand stand ein einzelnes Stockbett, das aus schweren Holzbalken grob zusammengezimmert war. Dicke Schaumstoffmatratzen polsterten das schlichte Holzgestell aus, und ein paar fleckige Wolldecken, die aufgrund mangelnder Benutzung feucht waren, lagen ordentlich gefaltet an den Fußenden.

Der Gasherd bei der Tür stand auf einem Holzgestell, das er im Vorjahr gebaut hatte. An der Außenwand der Hütte war neben der Tür eine mannshohe rote Propangasflasche befestigt; ein dicker Gummischlauch führte durch die Wand und verband die Flasche mit dem Herd. Er hatte sich auch eine Arbeitsfläche für die Zubereitung der Mahlzeiten eingerichtet und ein Sortiment an Tellern, Töpfen und Besteck auf Ablagebrettern an der Wand darüber verstaut. In der Mitte der Hütte stand ein runder, bauchiger Kanonenofen mit einem Ofenrohr aus schwarzem Blech, das durch die Holzverkleidung der Decke in den schlecht isolierten Speicher und durch die schrägen Holzschindeln und das rostige Blechdach nach draußen führte.

Patrick beugte sich über den langen Tisch und zündete die beiden rostigen, selten benutzten Sturmlaternen an. Zwar hatte er einen üppigen Vorrat an Petroleum, aber er verschwendete es nicht gern. Zu Beginn jeder Saison verbrachte er die ruhigen ersten Wochen damit, seine Vorräte hochzuschleppen. Die schwere Propangasflasche, die Petroleumkanister und die Säcke mit Holzscheiten waren die schwersten Lasten. Anfangs blieben die Bergführer stumm und halfen ihm nicht, da sie nicht recht wussten, was sie von diesem Ausländer halten sollten, der aus dem Notbiwak eine bewartete Berghütte machte. Er hatte weder um Erlaubnis gefragt noch um Hilfe gebeten. Zu den Bergführern war er höflich und versorgte sie großzügig mit Zigaretten und Kaffee, wenn sie mit ihren Kunden an der Hütte vorbeikamen. Er galt bei ihnen als durchtrainierter, kräftiger und offenkundig geschickter Kletterer.

Da er nichts von ihnen wollte, brachten sie ihm mit der Zeit zögerlich Respekt entgegen. Ohne dass es jemals offen zugegeben wurde, wurden immer öfter stillschweigend Vorräte neben der Hüttentür zurückgelassen. Manchmal wurde ein Stapel Brennholz oder ein Petroleumkanister neben den Stufen abgestellt, wenn eine geführte Gruppe vorbeiging. Oder es wurde eine Flasche Wein oder eine in Wachspapier eingewickelte Hartwurst auf dem Tisch zurückgelassen. In diesem Jahr hatte er die Gasflasche hinuntergetragen und bei der kleinen Werkstatt im Dorf neues Propangas bestellt, und zwei Tage später hatte er überrascht beobachtet, wie zwei junge Männer sie ihm den Weg zur Hütte hochtrugen. Als er sie schwitzend die unhandliche, schwere Flasche heraufschleppen sah, musste er lächeln. Die beiden wussten, dass er sie bis jetzt immer klaglos selbst zur Hütte hinauftransportiert hatte.

Patrick beobachtete, wie der Schnee gegen die Fensterscheibe peitschte, und hoffte, das zusätzliche Licht würde den Männern den Weg zur Hütte weisen. Vielleicht waren sie aber auch schon vorbeigegangen und mit ihrer Last direkt ins Tal abgestiegen. Er ging zum Ofen hinüber und hob mit dem Haken, der neben dem schwarzen Ofenrohr hing, die schwere Herdplatte ab. Ein Schwall heißer Luft schlug ihm ins Gesicht, als er ein Holzscheit auf die Glut fallen ließ. Aus dem Ofen sprühte ein Funkenregen und setzte sich als Aschestaub auf dem Metall ab. Der Holzkorb war fast leer. Er legte noch zwei weitere Scheite nach und schüttete die Rinde und die abgesplitterten Späne, die sich im Holzkorb angesammelt hatten, in die Flammen, bevor er die Platte wieder auf den Ofen schob.

Der Wasserkessel auf dem Gasherd begann zu pfeifen, also drehte er das Gas ab und stellte den Kessel zum Warmhalten auf die Ofenplatte. Da das Wasser leise weiterkochte, klapperte der Deckel. Er hob den Brennholzkorb vom Boden auf und ging zur Tür.

Als er sie aufschob, sah er überrascht, wie viel Schnee sich bereits auf der Veranda angesammelt hatte. Er blickte nach rechts um die Ecke der Hütte, wo ein paar grob aus dem Fels gehauene Stufen von der Veranda hinunterführten. Die beiden Lampen über dem langen Tisch warfen ein helles Licht auf die schneebedeckte Veranda und das Geländer. Noch immer war von den Männern oder dem Berg hinter ihnen nichts zu sehen. Er schloss die Tür und wandte sich nach links, wo am Ende der Veranda eine lange Kiste stand. Aus der Dunkelheit dahinter fegte der Wind heulend vom mehr als hundert Meter weiter unten liegenden Gletscher herauf und brauste mit einem tiefen, unheimlichen Ächzen durch die Scharte im Grat.

Patrick hob den schweren Deckel der Kiste an, klemmte sich den Korb zwischen die Knie und beugte sich tief hinunter, um an die ordentlich darin aufgestapelten Holzscheite zu gelangen. In der Regel enthielt die Kiste, die über die gesamte Breite der Veranda reichte, mehrere Lagen Holz, die rund einen Meter hoch aufgeschichtet waren. Nun jedoch hätte er fast das Gleichgewicht verloren, so weit musste er sich hinunterbücken, um die wenigen verbliebenen Scheite der zweituntersten Lage heraufholen zu können. Bald würde die Saison zu Ende sein. Nachdem er den Korb mit Holz gefüllt hatte, trat er zurück und ließ den schweren Deckel vom Wind zuschlagen, dann schob er den Riegel vor, um den Deckel zu fixieren.

Als er sich zur Tür umwandte, sah er am anderen Ende der Veranda den mit Schnee bestäubten Leiter der Bergführer. Patrick lächelte, deutete mit dem Kopf zur Tür hin, und der Mann wandte sich um und sprach kurz mit seinen Gefährten, bevor er über die Veranda auf ihn zustapfte.

12

Patrick stellte den Wasserkessel, die Emailleschalen für den Kaffee und ein paar Gläser auf den Tisch. Dann holte er die Flaschen mit Weinbrand und Rotwein von der Ablage über dem Herd. Die Bergführer schoben sich dankbar auf die langen Bänke zu beiden Seiten des Tisches. Keiner von ihnen sprach. Dampf stieg von den Jacken der Männer auf, als der Schnee schmolz und den schweren Stoff dunkel färbte. Zigaretten wurden angezündet, und der Qualm stieg über den Dampf zur Decke. Vier Gläser wurden rasch mit Weinbrand gefüllt und freudlos gekippt. Der jüngste Bergführer schraubte den Deckel von der Weinflasche aus Plastik, und die Gläser füllten sich aufs Neue.

Patrick goss kochendes Wasser in eine große Blechkanne, und der Duft von frischem Kaffee stieg ihm dampfend in die Nase. Er rührte um und ließ die Kanne auf dem Rand der Ofenplatte stehen. Dann stellte er eine Schachtel mit Zuckerwürfeln auf den Tisch, wartete, bis das Gebräu gezogen hatte, tauchte dann einen Becher in das Fass mit eiskaltem Wasser und goss etwas davon in die Kaffeekanne. Der Kaffeesatz, der noch auf der Oberfläche herumgewirbelt war, setzte sich augenblicklich am Boden der Kanne ab, sobald er mit dem kalten Wasser in Berührung kam. Patrick füllte die vier Schalen und stellte die Kanne auf den Tisch. Dann kamen Zucker und ein paar großzügige Schuss Weinbrand dazu, und die Männer beugten die Köpfe über ihre Becher und nippten schweigend an dem Gebräu.

»Was ist mit dem Mann?« Patrick deutete mit dem Kopf zur geschlossenen Tür. Der Riegel klapperte im Schloss, als eine

Windböe über die Veranda fegte. »Haben sich die Vögel schon über ihn hergemacht?«

»Ja – natürlich.« Der junge Mann zögerte mit Blick auf seine Gefährten. »Das lassen die sich doch nie nehmen.«

»Stimmt«, erwiderte Patrick und verzog das Gesicht.

»Wir finden, dass es schon zu spät ist, um ihn heute noch ins Tal runterzubringen.« Der junge Mann sah seine Gefährten Hilfe suchend an.

»Ja, ich weiß«, stimmte Patrick ihm zu. »Und es dauert zu lange in der Dunkelheit und bei diesem Wetter.«

»Stimmt.« Der Mann wandte verlegen den Blick ab.

»Wollt ihr, dass ich euch helfe? Ich kann mit euch absteigen.«

»O nein, nicht notwendig.« Der Bergführer hob abwehrend die Hand. »Bei dieser Bahre sind vier Leute am besten, und mit den Rädern ist es auch nicht so schwer – jedenfalls nicht ab hier, wo der Weg besser ist. Aber jetzt liegt zu viel Schnee.«

»Ja, und es wird eher noch schlimmer«, erwiderte Patrick, denn das Fenster klapperte, und der Wind rüttelte am Dach, wenn er darüber hinwegfegte. Der junge Bergführer stand auf und ging zur Tür. Ein Schwall eisiger Luft wehte in die Hütte, als er sie aufschob. Der Sturm legte an Stärke zu. Der Mann lehnte sich mit der Schulter gegen die Tür und sah Patrick an.

»Wir müssen ihn hierlassen«, sagte er und zuckte bedauernd mit den Schultern.

»Ganz schön heftig, dieser Sturm.« Der Leiter der Bergführer stand auf und leerte sein Weinglas. »Und es wird noch schlimmer kommen. Orkanartige Windböen und schwere Schneefälle, heißt es. Zwei Tage, vielleicht drei. Wer weiß. Es ist ein Föhnsturm, oder, was meint ihr?« Seine Gefährten zuckten die Schultern und nickten zustimmend.

»Wir müssen ihn hierlassen.«

»Das wird er schon überleben. Es ist kalt. Ich denke, er wird dir keine Scherereien machen, mein Freund.« Der junge Bergführer sah Patrick lachend an.

»Also gut, aber wo?«, fragte Patrick, und der junge Mann wirkte erleichtert. Zum ersten Mal zog sich ein breites Grinsen über sein müdes Gesicht.

»Wir könnten ihn in eine Zeltplane einwickeln. Der Schnee deckt ihn zu.«

»Ja«, unterbrach ihn der ältere Mann. »Soll der Schnee ihn zudecken. Dann passiert ihm nichts. Wir kommen zurück, sobald der Sturm sich gelegt hat.«

»Habt ihr denn eine Zeltplane dabei?«, wollte Patrick wissen. Der Mann zuckte die Schultern und wandte den Blick ab.

»Nein. Aber das ist auch nicht nötig«, erwiderte der junge Bergretter. »Der Schnee wird das übernehmen. Und jetzt, wo der Sturm da ist, sind die Vögel kein Problem mehr.«

»Was ist mit Ratten? Murmeltieren?«, fragte Patrick.

»Nein, doch keine Ratten! Die haben es drin bei dir doch viel bequemer, oder?« Der Mann schmunzelte. »Es sei denn, du willst lieber mit uns ins Tal absteigen. Eine so unterhaltsame Gesellschaft wie wir ist er sicher nicht.« Er nickte Richtung Tür, die in ihrem Rahmen klapperte. »Dieser Sturm hat's wirklich in sich. Komm mit uns runter ins Dorf. Dort warten eine gute warme Mahlzeit, eine Runde Kartenspielen, ein bisschen Gesellschaft, vielleicht eine junge Dame für dich, wie wär's?« Die Männer grinsten, stupsten einander an und ermutigten Patrick im Chor, sich ihnen anzuschließen.

»Nein. Ich bleibe hier.« Patrick sah zu den Fenstern hinüber, gegen die der Sturm peitschte.

»Ich wusste, dass du deinen heiß geliebten Karnickelbau nicht verlassen würdest. Warum bleibst du eigentlich hier oben? Immer allein, jeden Sommer? Du redest nie darüber.«

»Er mag halt keine jungen Damen«, sagte der junge Bergführer mit glucksendem Lachen.

»Schon gut«, sagte Patrick brüsk und stand auf. »Ich habe eine bessere Idee. Also, wo ist der arme Kerl? Ihr müsst euch beeilen, damit ihr ins Tal kommt, bevor zu viel Schnee liegt.«

Patrick warf sich die gelbe Daunenjacke über, zog die Tür auf und wich zurück, als ihm der Wind heftig entgegenschlug.

Er wandte sich nach links und kämpfte sich durch das wilde Schneegestöber über die Veranda. Als er den Deckel der Holzkiste hochhievte, musste er sich mit aller Kraft gegen die Sturmböen stemmen.

»Kommt hierher«, schrie er und gab sich alle Mühe, den Deckel aufzuhalten. »Hier passt er rein. Bringt ihn hier herüber.« Er hörte die derben Späße der Männer, als sie zum Fuß der Treppe gingen, sich über die Bahre beugten und rasch den Leichnam losbanden. Sie bugsierten ihn in Hüfthöhe quer über die Veranda. Die Leichenstarre hatte sich inzwischen wieder gelöst, und es war gar nicht so schwierig, ihn in den Holzkasten herunterzulassen. Die breiten Schultern des Mannes drückten fest gegen die Wände, sein Kopf ruhte auf einem erhöhten Holzscheit. Das Gesicht wirkte im Lichtschein des Fensters grau und wächsern. Die leeren, blutigen Augenhöhlen ließen Patrick erschaudern, er zuckte vor dem grässlichen Gesichtsausdruck zurück und wandte sich entsetzt ab. Dennoch legte er die starren Arme des Toten so, dass die kalten grauen Hände über der Brust aufeinanderlagen, wobei er sich große Mühe gab, seine Abscheu vor den Bergführern zu verbergen. Die Männer traten zurück, erleichtert über diese einfache Lösung ihres Problems. Patrick ließ langsam den Deckel herunter und musste sich dabei kräftig gegen den Ansturm des Windes stemmen, doch es erschien ihm respektlos, den Deckel über dem starrenden Gesicht einfach herunterknallen zu lassen. Dann schob den Riegel durch das Schloss.

»Wir kommen zurück, wenn das hier vorbei ist. Die Bahre ist sicher neben den Stufen verstaut.«

Die vier schwangen sich die Rucksäcke auf die Schultern, zogen sich die Kapuzen über den Kopf und strafften die Tragegurte an Hüften und Schultern. Die hellen Lichtkegel ihrer Stirnlampen leuchteten in das Schneegestöber, das vom Wind an der Hütte vorbeigetrieben wurde.

»Das junge Paar wird sicher auch bald eintreffen«, sagte der junge Bergführer. Er schnallte sich den Hüftgurt fest und wies mit dem Kopf in Richtung Berg, aber der Sturm schluckte seine Worte.

»Du wirst sie schon von Weitem hören!«, rief ein anderer, und die Gruppe lachte und drängte sich mit dem Rücken zum Wind kameradschaftlich zusammen.

»Sind ganz schöne Streithähne, die beiden«, murmelte der alte Mann, aber Patrick hörte schon nicht mehr zu, und der Sturm verwehte ihre Worte ohnehin. Sein Blick war auf das Ende der Veranda gerichtet, und er war in Gedanken bei dem Mann in der Holzkiste. Ihm ging das von den Vögeln zerfledderte Gesicht mit den angetrockneten Adern, die wie Würmer aus den grässlichen leeren Höhlen hervorkrochen, nicht aus dem Sinn. Der junge Mann winkte ihm zu und stieg die Stufen von der Veranda hinunter, gefolgt von seinen drängelnden Gefährten. Der angewehte Schnee ging ihnen bis über die Schuhe.

Der ältere Bergführer trat vor und streckte Patrick die Hand hin. Der ergriff sie in herzlicher Zuneigung.

»Danke, Patrick«, sagte er mit gerunzelter Stirn. »Gott schütze dich.« Er blickte auf Patricks verstümmelte Hand mit ihren verdickten Fingerstümpfen hinunter. »Pass auf dich auf, ja?«

Der Bergführer sah ihn eindringlich an und wollte seine Hand gar nicht mehr loslassen. Er richtete den Blick noch einmal auf die verstümmelten Finger und sah dann Patrick wieder in die Augen.

»Und eines Tages erzählst du mir, wie das passiert ist, ja?« Er hob Patricks Hand hoch, in Richtung seiner Gefährten, und grinste. Dann wandte er sich rasch ab und ging hinaus in den Sturm.

Die erschöpfte Gruppe drehte sich mit einem kurzen Winken und Zunicken noch einmal zu Patrick um, dann stapften die Männer eilig den zerklüfteten Grat unterhalb der Hütte hinunter. Im Lichtschein, der aus der Hütte fiel, zeichneten sich ihre Spuren dunkel ab. Patrick sah den auf und ab wippenden flackernden Lichtern hinterher, die in der Nacht immer schwächer wurden und schließlich im heftigen Schneegestöber verschwanden. Dann richtete er den Blick auf den Grat über ihm. Aus den Fenstern fiel ein heller Lichtschein auf den Schnee. Jenseits dieses Lichtkegels meinte er Schatten ausmachen zu können, die sich in der Dunkelheit bewegten.

Zum dritten Mal innerhalb einer Stunde blickte Patrick von seinem Notizbuch auf und lauschte in den Sturm hinaus. Die Fensterscheiben vibrierten bei jeder heftigen Schneeböe. Er glich seine Einkaufsliste, die er in dem Buch notiert hatte, mit den auf den Regalbrettern aufgereihten Vorräten ab. Wenn der Sturm länger als vier Tage anhielt, könnte eine Essensrationierung erforderlich werden. Die Brennstoffvorräte waren ausreichend: Er hatte genügend Propangas, und außerdem konnte er den Ofen sparsamer beschicken, damit die schwindenden Holzvorräte länger reichten. Eigentlich hätte er die Einkaufsliste dem ältesten Bergführer mitgeben sollen, als die Männer die Leiche geborgen und den Berg geräumt hatten. Verärgert über seine Vergesslichkeit, schüttelte er den Kopf. Das war sonst gar nicht seine Art.

»Den Berg geräumt?« Die Worte klangen in der einsamen Hütte allzu schroff. Er lehnte sich auf seinem Stuhl zurück und schob das Notizbuch von sich. »Den Berg geräumt?«

Patrick stand auf, schob den Stuhl über die rauen Dielenbretter zurück und griff nach dem großen roten Hüttenbuch, das neben der Tür hing. Er nahm die Kordelschlaufe vom Haken und trug das Buch zum Tisch. Dort schlug er es in der Mitte auf und blätterte die Seiten – jede in seiner ordentlichen Schrift datiert – durch. Seitenweise Namen zogen in seiner Erinnerung vorbei, manche schlampig mit bunten Stiften hingekritzelt, andere ordentlich eingetragen und mit Kommentaren versehen, jeweils die Namen der Bergsteiger, das Datum, die geplante Route, Bemerkungen über die herrschenden Wetter- und Schneebedingungen, ab und zu ein Kompliment für Patricks Gastfreundschaft. Fast am Ende des Buchs kam er zu den jüngsten Eintragungen: der knappen, förmlichen Angabe der Namen und ein paar weiteren Anmerkungen der von dem Arzt geleiteten Gruppe vom gestrigen Morgen – die enge, ordentliche Schrift erinnerte an sein hochmütiges, wichtigtuerisches Auftreten, als er mit fast herrischer Stimme das Hüttenbuch verlangt hatte.

Unter diesem Eintrag erkannte Patrick seine eigene Handschrift. Der allein gehende Kletterer hatte sich nicht die Mühe gemacht, sich einzutragen, aber Patrick hatte notiert: »Einzelner Mann, Alleinbegehung, Ostgrat, Aufbruch 5 Uhr früh. Gipfel erreicht 6.30 Uhr (ca.).« Patrick griff nach dem Stift und fügte hinzu: »Gestorben am 2. Turm beim Abstieg zwischen 8 und 9 Uhr früh (ca.).«

Er hatte genug Platz gelassen, um noch ein paar Anmerkungen hineinzuschreiben, sobald die Bergführer mit der Leiche ins Tal abgestiegen wären. Ein paar Zeilen unter dem Eintrag stand: »Junges Paar, Mitte zwanzig, später Aufbruch um 12 Uhr zum Ostgrat, ignorierten Unwetterwarnung, Mann (offensichtlich der Vorsteiger) ungeduldig und streitsüchtig.«

Patrick klappte nachdenklich das Buch zu und presste seine Handfläche auf den abgegriffenen Umschlag. Er hätte an das junge Paar denken sollen, hätte die Bergführer bitten sollen, mit ihrem Abstieg ins Dorf noch zu warten. Aber es war ihm nicht einmal in dem Moment, als der junge Bergführer über ihre Streitereien gewitzelt hatte, in den Sinn gekommen. Das lag an dem Toten. Patrick hatte sich von den leeren Augenhöhlen ablenken lassen. So etwas war sonst gar nicht seine Art. Er war an diesem Ort über die Jahre hinweg schon oft genug mit dem Tod konfrontiert worden, war abgehärtet gegen den Anblick zerschmetterter, lebloser Körper. Vielleicht lag es ja an diesem Sturm? Irgendetwas daran kam ihm vertraut vor – diese nervös machende, unheimliche, fast elektrisierende Atmosphäre, zusammen mit den schrillen Misstönen des Sturms. Er schob das Buch ärgerlich von sich, wandte sich vom Tisch ab und versuchte, Ordnung in seine Gedanken zu bringen.

Innerhalb weniger Stunden würde der Weg ins Tal hinunter unpassierbar sein – um die Bergführer zu einem Einsatz zurückzurufen, wäre es dann zu spät. Er warf einen Blick auf seine Bergschuhe, die Steigeisen und den Eispickel, die an einem Holzhaken neben der Tür hingen. Was konnte er allein schon ausrichten? Würde er bei diesen Wetterbedingungen überhaupt aufsteigen können? Er öffnete seine Faust, betrachtete die Stümpfe seiner abgefrorenen Finger und fluchte über seine Vergesslichkeit. Der Sturm war in vollem Gange. Es würde noch schlimmer kommen, hatte der alte Mann gesagt. Wie schlimm? Drei Tage, vielleicht sogar vier? Bei diesen Wetterbedingungen wäre es nicht sinnvoll, bis zum Morgen zu warten, denn bis dahin wären die beiden von einer Nacht im Freien schon zu geschwächt. *Gott bewahre, dass sich einer von beiden verletzt hat.* Bei diesem Gedanken fiel seine Entscheidung. Er würde den Grat so weit hinaufsteigen, wie es ohne allzu große Gefahr möglich war. Befänden sie sich oberhalb des Ersten Turms, müssten sie sich allein durchschlagen, aber er war sich sicher, den Berg gut genug zu kennen, um sie unterhalb dieser Stelle zu finden.

Er zerrte eine der Holzkisten unter dem Bett hervor, durchwühlte hastig ihren Inhalt und warf bestimmte Dinge zu der Wand hin, wo seine Bergschuhe und Steigeisen hingen: ein kleines Erste-Hilfe-Set, eine Thermoskanne, einen Gaskocher, einen vorbereiteten Beutel mit Fertigsuppen, Energie-Drinks und Reservebatterien, ein leichtes Seil, eine Rettungsdecke, dazu eine Liegematte und warme Kleidung. Der Stapel mit Ausrüstung wuchs rasch, als er auch noch seinen Schlafsack in den Beutel stopfte und ganz unten in seinem Rucksack verstaute. Die methodische Art, mit der er die Sachen packte, zeugte von Effizienz und langjähriger Übung. Zum Schluss legte er das Seil über den Rucksack und zurrte es mit den Gurten fest.

Als er von der Veranda hinunter in die Dunkelheit trat und die volle Gewalt des Sturms zu spüren bekam, schirmte er die Augen mit den hohlen Händen vom Lichtschein aus der Hütte ab und suchte das Gelände über ihm ab. Er sah ein wildes Gewirbel tanzender Schneeflocken und dazwischen, wie graue Flecken, die Felspfeiler, die mal sichtbar waren, mal wieder verschwanden. Hinzu kamen die Sturmattacken, die ihm erst einmal jede Orientierung raubten, aber nach und nach gewöhnten sich seine Augen an die Dunkelheit. Er konnte nun vor dem Nachthimmel dunklere Formen ausmachen: Die zerklüftete Kammlinie des unteren Grats zeichnete sich schwarz gegen die kleinen Schneeflecken in der Ostwand ab. Zuletzt suchte er mit peripherem Sehen die Hänge linker Hand des Grats ab und versuchte dabei, bewusst nicht das zu fokussieren, wonach er eigentlich suchte. Gerade als er sich anschickte, die Suche aufzugeben und in Richtung Grat aufzubrechen, blitzte am Rand seines Gesichtsfelds etwas auf. Er hielt den Kopf still und wartete, dabei blickte er weiter geradeaus. Da war es wieder – ein kurzes Aufblitzen, das sofort vom Schneegestöber geschluckt wurde. Dann noch einmal: ein unregelmäßig auf und ab hüpfendes, verräterisches Aufblitzen von Stirnlampen, das sich, zwar unerträglich langsam, aber dennoch stetig vorwärtsbewegte. Die Lichter flackerten wieder auf, diesmal ein gutes Stück unterhalb des Ersten Turms.

Zehn Minuten später, als Patrick gerade dabei war, die Kaffeekanne wieder aufzufüllen, hörte er ihre schweren Schritte auf der Veranda und laute Stimmen, die Erschöpfung und Wut verrieten. Er zog die Tür auf und sah einen Mann, der eine Frau an den Schultern gepackt hielt und sie schüttelte. Sie war völlig bleich im Gesicht, stand reglos da und hatte einen leeren, ziellosen Blick.

»Jetzt komm schon, Cassie. Komm weiter!«, brüllte der Mann aufgebracht und mit heiserer Stimme. »Wir müssen nur weitergehen, dann erreichen wir das Dorf. Ich hab die Lampen der Bergführer gesehen. Die haben gespurt. Sie sind uns nicht weit voraus.« Er schrie vor Enttäuschung und Zorn. In ihren stumpfen Augen war keine Reaktion erkennbar, und sie murmelte etwas Unverständliches. Als sich die Tür plötzlich öffnete und sie Patrick mit der Kaffeekanne in der Hand sah, zuckte sie erschreckt zusammen.

»Na los, kommt rein«, sagte Patrick und winkte die beiden jungen Bergsteiger mit der Kanne herein. Der Mann starrte ihn wütend an.

»Nein, ist schon gut«, erwiderte er kurz angebunden. »Wir müssen den Bergführern folgen, solange noch Zeit dazu ist. Jetzt können wir ihre Spuren noch sehen. Bis zum Dorf sind es nur noch ein paar Stunden.« Die Frau schwankte, ihr Gesicht war wächsern und ausgelaugt, ihre Lippen bebten. Patrick sah ihre Totenblässe und bemerkte, dass sie trotz der Kälte kaum zitterte. Er streckte die Hand aus und packte sie am Ellbogen; einen Augenblick schwankte sie und hätte fast das Gleichgewicht verloren. »Komm rein«, sagte er freundlich. »Drinnen ist es warm.«

»Nein. Wir müssen weiter«, beharrte der junge Mann und blickte Patrick, der nun die Frau in die Hütte führte, gereizt an. »Was machen Sie denn da? Wir haben keine Zeit zu verlieren.«

Nachdem die Frau hineingestolpert war, zog Patrick die Tür zu und wandte sich dem Mann auf der Veranda zu, der sich wütend den Helm vom Kopf riss und ihn drohend hin und her schwang. Er schien gar nicht zu merken, dass ihm der Schnee ins Gesicht peitschte, während er Patrick anstarrte. Er zitterte am ganzen Körper, Patrick hätte nicht sagen können, ob vor Zorn oder vor Kälte.

Er beugte sich vor, bis das Gesicht des Mannes nur noch wenige Zentimeter von seinem entfernt war, und sagte: »Du kannst ja gehen, wenn du unbedingt willst. Aber sie bleibt hier. Sie ist nicht in der Verfassung, um weiterzugehen. Ich schlage vor, du —«

»Wer zum Teufel sind Sie denn?«, fauchte der Mann und streckte Patrick herausfordernd sein Gesicht entgegen, als wollte er ihn damit stoßen. »Das hier geht Sie nichts an.« Er schob Patrick mit einem Arm beiseite und schrie der Frau durch die geschlossene Tür zu: »Komm jetzt weiter! Wir haben keine Zeit für so was, Cassie. Komm verdammt noch mal da raus. Wir haben —«

Seine Worte wurden von einem Aufschrei abgeschnitten, als Patrick ihn heftig an den Schultern packte und zurückstieß, sodass er nach hinten taumelte. Er konnte sich mit dem linken Arm gerade noch am Geländer festhalten, sonst wäre er zu Boden gestürzt, aber dann stürmte er mit einem Fluch auf den Lippen auf Patrick zu und holte dabei mit dem rechten Arm zum Schlag aus. Patrick konnte mühelos ausweichen, und das Fluchen brach abrupt ab, als seine Faust überraschend vorschoss und den Mann auf den unteren, knorpeligen Teil der Nase traf. Als er zurücktaumelte, packte ihn Patrick an der Kehle, schwang ihn herum und drückte ihn mit aller Kraft gegen die Hüttenwand.

»Wage es ja nicht!«, sagte Patrick mit ruhiger, drohender Stimme. Der Mann sackte zusammen, aber Patrick machte keine Anstalten, seinen Griff zu lockern. Dabei spürte er unter seinen Fingern die kalte, nasse Haut des Mannes und die gerippte Vorderseite seines Kehlkopfs. »Sie ist erschöpft und lebensgefährlich unterkühlt. Ich werde nicht zulassen, dass sie in dieser Verfassung weitergeht. Verstehst du das?« Bei diesen Worten ließ er los, und der Mann zog seinen Kopf zur Seite und machte ein paar Schritte rückwärts. Er griff sich an den Hals, rieb ihn sich und hustete mit einem abgehackten, heiseren Keuchen. Aus seinen Nasenlöchern rann Blut.

»Scheißkerl!«, fauchte er trotz des Hustens. Als er sich wieder gefangen hatte, richtete er sich auf, hielt nun aber Abstand von Patrick. »Ihr geht es gut genug«, murmelte er. »Es sind nur noch ein paar Stunden bis ins Tal.«

»Nicht bei diesem Wetter, garantiert nicht«, erwiderte Patrick. »Und ihr geht es überhaupt nicht gut. Noch eine Stunde, und die Hypothermie setzt ein. Dann könnt ihr nicht mehr so schnell gehen. Selbst wenn du sie stützt, wirst du sie nur mit viel Glück noch rechtzeitig ins Tal bringen. Wenn du sie irgendwo am Weg zurücklassen und Hilfe holen würdest, müsstest du unbedingt innerhalb von ein paar Stunden zu ihr zurückkommen. Und du könntest nur hoffen, dass der Schnee sie bis dahin noch nicht bedeckt hat und du sie bei deiner Rückkehr überhaupt wiederfindest. Willst du dieses Risiko eingehen?« Patrick blickte ihm direkt in die wütenden Augen, und der Mann sah verwirrt zur Tür, dann wieder zurück zu Patrick.

»Aber sie ist durchtrainiert, wissen Sie. Kräftiger, als Sie denken.« Patrick schüttelte den Kopf. »Sie mag es nur nicht, wenn es anstrengend wird, das ist alles, sie gibt zu schnell auf. Ich hab ihr schon immer gesagt –«

»Das glaub ich dir gern«, unterbrach ihn Patrick. »Aber Kondition hat nichts mit Kälteresistenz zu tun. Sie bleibt hier. Und ich schlage vor, du auch.«

»Lass mich mit ihr reden.« Der Mann trat vor, und Patrick nickte und deutete mit der Hand zur Tür.

Der Ton des Wortgefechts drinnen klang aggressiv und schroff, das hörte man über den tosenden Sturm hinweg. Als er von drinnen ein Krachen vernahm, ging Patrick zur Tür, zögerte aber, als die Stimme wieder lauter wurde – seine Stimme. Ihre war kaum hörbar. Plötzlich fiel Licht auf die Veranda, denn die Tür wurde aufgerissen, und sofort wirbelte der Schnee hinein. Der Mann schob sich rempelnd an Patrick vorbei und griff nach seinem Rucksack. Er schwang ihn sich über die Schulter und zurrte wütend die Gurte straff. Dann setzte er seinen Helm auf, knipste die Stirnlampe an und starrte Patrick zornig ins Gesicht.

»Fick dich, du Arschloch!«, schrie er. »Kannst sie haben, wenn es das ist, was du willst.« Er sprang eilig die Treppe hinunter, als Patrick auf ihn zuging. »Bleib mir bloß vom Hals, ja?«, schrie er und wandte sich hastig den verwehten Spuren zu, nicht ohne sich noch einmal umzudrehen und Patrick den Stinkefinger zu zeigen. Nur wenige Minuten später war das Licht seiner Stirnlampe vom Schneesturm verschluckt.

Patrick drehte sich um, trat in die Hütte und drückte mit der Schulter die Tür zu. Die Frau saß am Tisch, den Kopf auf die Arme gelegt. Sicher weint sie, dachte er. Er ging zum Ofen und legte einen Metallhebel um; sobald die Luft einströmte, flackerten die Flammen mit einem brausenden Geräusch auf.

Er hob mit dem Haken die schwere Wärmeplatte ab, schob sie beiseite und ließ ein Holzscheit in die Flammen fallen. Ein Funkenregen sprühte auf, und der helle Schein der Flammen flackerte durch die Hütte.

13

Cassie warf sich in der Nacht unruhig hin und her, bis sie schließlich aus einem fiebrigen Schlaf auftauchte. Als sie vollends wach war, kehrte rasch die Erinnerung zurück, und ein Gefühl von Traurigkeit breitete sich in ihr aus. Es war dunkel und stickig heiß. Sie nahm den seidigen Stoff des Schlafsacks und einen muffigen Geruch wahr. Als sie den Kopf bewegte, spürte sie, wie die kratzige Wolle einer Mütze über das Nylon scharrte. Die Schlafsackkapuze war über ihren Kopf gezogen. Sie griff nach oben, um sie aufzuziehen, doch dann hielt sie in ihrer Bewegung inne und machte im Geist eine rasche Inventur ihres Zustands. Ihr war warm, obgleich sie immer noch die letzten Überreste jener Eiseskälte in ihrem Körper mit einem dumpfen Schmerz an ihrem Rückgrat und in ihren Gelenken spürte. Sie legte sich die Handfläche auf die Brust und ertastete ein unvertrautes Baumwollhemd, dessen Kragen an ihrem Hals drückte, merkte zugleich aber auch, dass die nackte Haut ihrer Oberschenkel an locker sitzenden, weichen Thermo-Leggings rieb. An den Füßen trug sie dicke, viel zu große Socken. Dann fiel ihr die Hütte mit ihrem warmen Licht wieder ein und auch der Mann, der so wütend auf Callum gewesen war, und die Tischplatte, auf die sie ihren müden Kopf gelegt hatte. Wie sie ins Bett gekommen war, daran konnte sie sich beim besten Willen nicht erinnern.

Auf einmal hörte sie ein unheimliches Krachen und Beben, so laut und stark, dass sie es am ganzen Körper spürte. Es klang, als hätte sich die Hütte auf ihrem Fundament verschoben. Cassie spürte, wie sich ihr durch elektrostatische Aufladung die feinen Härchen im Nacken sträubten. Ein helles

Licht drang durch den Spalt ihrer zugezogenen Schlafsackkapuze, und sie erweiterte ihn mit zwei Fingern, um vorsichtig hinauszuspähen. Schatten bewegten sich in dem von einer Lampe erleuchteten Raum und tanzten in verzerrten, verwirrenden Mustern über die Wände. Eine Sturmlaterne mit weit heruntergedrehtem Docht baumelte an einem rauchgeschwärzten Haken neben der Tür, und ihr schwefelgelber Lichtkegel beleuchtete eine unförmige Jacke, die an der Tür hing. Am Tisch saß der Mann, dem sie gehörte. Er hatte ihr halb den Rücken zugewandt. In einem über und über mit Wachs betropften Flaschenhals steckte eine Kerze. Die Flamme flackerte bei jedem Windstoß und warf ein unruhiges, schwaches Licht auf das Buch in seinen Händen. Von ihrem sicheren Beobachtungsposten aus musterte sie ihn genau. Er kam ihr ungewöhnlich still und reglos vor. Sie fragte sich schon, ob er wohl schlief, doch dann blickte er ohne Hast auf, als plötzlich mit einem glasartigen Klirren Eisteilchen an die Scheiben des langen Fensters neben ihm geweht wurden. Das Geräusch ließ sie zusammenzucken.

Seine Bewegungen wirkten langsam und überlegt. Er blickte eine Weile zum Fenster hinaus und beobachtete, wie der Sturm draußen in der Dunkelheit sein Unwesen trieb, dann wandte er sich wieder seinem Buch zu. Als er umblätterte, bemerkte sie, dass seine Finger zu Stümpfen verstümmelt waren, und sah das dichte Geflecht von Sehnen und Adern an seinem Handgelenk und wie sich die Muskeln an seinen Unterarmen anspannten.

Sobald sich ihre Augen an das gedämpfte Flackern der Kerzenflamme gewöhnt hatten, konnte sie auch sein Gesicht erkennen: Er hatte eine markante Unterkieferpartie unter ergrauenden Locken, die ihm bis weit über die Ohren reichten und zerzaust in die Stirn fielen. Plötzlich erinnerte sie sich auch wieder an seine Augen, an seinen faszinierend wilden Blick, seinen beherrschten Anflug von Zorn. Er runzelte konzentriert die Stirn, beugte sich tiefer über seine Buchseite und kaute auf seiner Lippe herum.

Ein Mann in den späten Vierzigern, schätzte sie, vielleicht älter, mit Respekt einflößendem, aber noch jugendlichem Aussehen. Er hatte einen drahtigen, athletischen Körper, ein stoppeliger Dreitagebart zierte sein braun gebranntes Gesicht, und als er sich im Licht der Kerze anstrengte, die Schrift auf der Seite zu lesen, sah sie in seinen Augenwinkeln tiefe Fältchen. Er war nicht gut aussehend, fand sie, besaß aber eine gewisse Anziehungskraft und hatte etwas auffallend Widersprüchliches, Leidgeprüftes an sich. Sein Gesicht sah vorzeitig gealtert aus und so, als sei es einmal übel zugerichtet worden. Er hatte eine strenge, fast verstörende Ausstrahlung, die sie misstrauisch machte.

Sie dachte an den Zorn in seinem Blick, als er ihr – zurückhaltend und mit einer beeindruckenden Beherrschtheit – von der Auseinandersetzung auf der Veranda erzählt hatte. Sein Körper wirkte drahtig und zäh, er hatte die breiten Schultern eines Kletterers und bewegte sich auch wie einer, mit leichtfüßiger Sicherheit, durchtrainiert, sicher, geschmeidig und mit sparsamen Bewegungen. Ihr gefiel sein konzentrierter Krafteinsatz und sein wohldosierter Zorn: Er schien in Balance zwischen Ruhe und Bewegung.

Seine Hemdsärmel waren hochgerollt, und eine große Armbanduhr mit Edelstahlband hob sich von seinem gebräunten Unterarm ab. Durch die krausen Haare darauf fiel das Licht, und als er den Arm bewegte, schienen sie golden aufzuleuchten. Sie rührte sich nicht, als er sich zu ihr umwandte und die Kapuze ihres Schlafsacks ins Visier nahm. Sie wusste, er konnte darin ihr Gesicht nicht ausmachen, und dennoch wandte er den Blick nicht ab, sondern sah ihr direkt in die Augen, und sie konnte sich seinem Blick nicht entziehen. Dann widmete er sich wieder seinem Buch und blätterte um.

Sobald er das Buch wieder näher an die Kerze hielt, öffnete sie langsam den Spalt in der Kapuze. Ihre Kleider waren an einem Kletterseil aufgehängt, das quer durch den Raum gespannt war. Er hatte ihr fast alles ausgezogen, dachte sie mit einem belustigten Lächeln, dann aber spürte sie erleichtert das

Kneifen des Gummizugs an ihrer Hüfte. Ein schwacher Klang, wie Glockenläuten, ließ sie noch einmal aus dem Schlafsack hervorspähen. Der Mann blickte an die Wand zu seiner Rechten. Eine Uhr mit verstaubtem Zifferblatt hing über dem Tisch, und die schwarzen Zeiger deuteten auf elf Uhr. Er sah zu ihr hinüber, dann wandte er sich wieder seinem Buch zu. *Wo war nur die Zeit geblieben?* Sie versuchte die Ereignisse des Tages zu rekapitulieren: der späte Aufbruch zu ihrer Tour, die Ungeduld Callums, aus dessen kurzen Befehlen man seine Verärgerung heraushören konnte. Sie hatte ihn auf das sich eintrübende Wetter aufmerksam gemacht, doch er hatte ihre Ängste nur abschätzig zurückgewiesen. »Komm schon. Weniger Gerede, mehr Tempo. Das wird schon alles gut gehen.« Und sie hatte keine weiteren Einwände mehr geäußert. Sie hatte nie Einwände geäußert.

Zu einem richtigen Streit war es zwischen ihnen nie gekommen. Eigentlich komisch, dachte sie sich, während sie den von draußen hereindringenden Geräuschen des Sturms und dem Ächzen und Stöhnen lauschte, das die Hütte ihm entgegensetzte, als beuge sie sich nur widerstrebend seiner Macht. Immer wieder knarrte es plötzlich, wenn der Wind gegen das Dach drückte. Das Ofenrohr schepperte im Einklang mit dem Pulsieren des Windes, und auch die Fenster klapperten ungeduldig. Sie blickte auf ihre Hände mit den abgebrochenen Fingernägeln, den eingerissenen Nagelhäuten und der blassen, faltigen Haut, auf denen das flackernde Kerzenlicht tanzte. Versuchsweise ballte sie die Fäuste, doch ihre Hände fühlten sich schwach an, und die Gelenke schmerzten. Sie hatte mit den Männern, die sie geliebt hatte, immer gestritten, aber mit Callum nur selten – bis zu diesem Urlaub. Und jeder Streit hatte ein Stück von ihrer Liebe weggefressen. Vielleicht war es ja auch ihre Schuld, vielleicht liebte sie zu sehr, verlangte zu viel, bis die Liebe verschwunden war und sie merkte, dass sie und Callum sich nichts weiter zu bieten hatten als eine nichtssagende Kameradschaft. Merkwürdig, dass man sofort Bescheid wusste, wenn die Liebe vorbei war. Eines Morgens hatte sie ihn angesehen und gemerkt, dass die Liebe verschwunden war. Sie hatten dennoch so weitergemacht wie zuvor.

Auch Callum wusste es. Er wurde missmutig, fordernd, reizbar, und sie hielt den Mund, um des lieben Friedens willen und weil sie keine Liebe mehr empfand. Es war leichter, seit sie nichts mehr zu verlieren hatten – sie akzeptierten den Verlust. Callum wollte keine Liebe: Er wusste, dass sie ihn nicht liebte und dass es so einfacher war.

Dann wurde auch das Schweigen zu einem Streit, und es gab keinen Balsam der Versöhnung mehr, kein durch Leidenschaft genährtes Vergeben, nur noch Überdruss. Schon komisch, dachte sie, dass ich immer dann gestritten und gekämpft habe, wenn ich am glücklichsten, am verliebtesten war. Doch nun überließ sie anscheinend anderen das Kämpfen. Ihr fielen die Augen des Mannes wieder ein, als er ihr gesagt hatte, er habe Callum einen Faustschlag versetzt, und sie hatte sich insgeheim gewünscht, sie hätte das getan.

Während sie den über sein Buch gebeugten Mann weiter beobachtete, spürte sie die beengende Wärme des Schlafsacks um sich herum, und die wollene Mütze ließ ihre Kopfhaut jucken. Eigentlich gab es einiges, was sie tun sollte. Sie sollte aufstehen und erklären, was geschehen war, und sich dann zum Aufbruch fertig machen. Wie war sie überhaupt hier gelandet, und warum wollte sie am liebsten dableiben? Es kam ihr alles seltsam und ungeplant vor. Auf der Klettertour hatte sie sich schwach gefühlt, obgleich die Schwierigkeiten eigentlich nicht groß gewesen waren. Callum wusste das und hatte sie gedrängt und auf sie eingeredet, aber sie hatte einfach keine Energie mehr gehabt. Die Wolken am Himmel hatten den ganzen Tag drückend über ihnen gehangen und waren später noch tiefer gesunken, aber sie hatte geschwiegen, bis die ersten Schneeflocken fielen und Callum immer aufgebrachter wurde. Er blickte zornig zum Gipfel hinauf, während sie sich langsam bis zu einer Reihe von Felszacken hochkämpfte, wo er sie nachsicherte. Das düstere Eisfeld fiel steil bis auf den nördlichen Teil des Gletschers ab. Als sie Callum endlich erreicht hatte und ihm sagte, sie wolle absteigen, fegte der Wind über den Kamm und blies ihr die Haare in die Augen. Sie ignorierte sein Schweigen, als er die Seile aufnahm, die verknoteten Enden zum Abseilen fixierte und die Seilschlingen trotz seiner Wut fachmännisch in die dahinjagenden Wolken auswarf. Während sie Callum dabei zusah, war ihre Müdigkeit noch quälender geworden und hatte von all ihren Gliedern Besitz ergriffen, bis sie sich schwer fühlte wie Blei und ihr alles egal war. Er war still, denn er wusste, dass er einen Fehler gemacht und sie zu sehr angetrieben hatte.

Erst in der Nähe des unteren Turms, als der Sturm sie schon mit voller Kraft umtoste, hatte er ihr über den Wind hinweg etwas zugerufen. Er wollte ihr Mut machen, indem er ihren Blick auf die Bergführer und die nahe Schutzhütte lenkte. Sie erinnerte sich nur noch daran, dass sie sich schwankend an ihm festhielt, während er die letzte Abseilstelle einrichtete. Sie spürte, wie der Schlaf in sie hineinkroch, als sie den Kopf an seinen Rücken lehnte und alles nur noch wie aus weiter Ferne mitbekam. Er hatte sie wütend angeschrien, und sie hatte den Kopf hochgerissen und versucht, mit aller Macht gegen den Schlaf anzukämpfen. Dann hatte sie wie betäubt dagestanden, während er mit den Seilen kämpfte. Er hatte sie immer weiter angeschrien, während er sie anseilte und Vorbereitungen traf, um sie abzulassen – er traute ihr nicht mehr zu, dass sie sich noch selbst abseilen konnte. Jetzt erkannte sie, dass er nicht verärgert war. Er war panisch, und er schrie nur, weil er Angst hatte und verhindern wollte, dass sie einschlief. Dann standen sie im Lichtschein der Hütte, und dieser Mann war da, und Callums Angst und Enttäuschung kochten über.

Trotz der Kälte, die sie betäubte, erkannte sie, dass er sie nicht liebte, doch das war ihr gleichgültig. Sie liebte ihn ja auch nicht. Cassie verstand seine Angst und respektierte ihn dafür. Er war verängstigt, weil er sie beinahe verloren hätte und weil der Mann sein Versagen mitbekommen hatte. Er kam sich dumm vor, und als er seine Wut an dem anderen ausließ, schlug ihn der Mann nieder. Mit Liebe hatte das alles jedoch nichts zu tun. Sie schob die Kapuze weit auf und musste in der plötzlichen Helligkeit blinzeln. Der Mann wandte sich zu ihr um.

»Wird Callum sicher unten ankommen?« Ihre Stimme klang angespannt. Der Wind kam ihr auf einmal sehr laut vor, und sie blickte ängstlich zu dem schneeverkrusteten Fenster hinüber. »Du hast ihn bei diesem Wetter allein absteigen lassen?«

»Na, bist du jetzt wach?« Seine Stimme war ruhig, klang aber irgendwie belustigt, sodass sie errötete. »So heißt er also.«

»Wird er es hinunterschaffen? Wird er im Dorf ankommen?« Sie setzte sich mühsam auf, schob die Schlafsackkapuze zurück und schwang ihre warm eingepackten Beine über den hölzernen Bettrand, wobei sie spürte, wie die raue Kante grob am Nylonstoff des Schlafsacks riss. Er sprang auf und trat rasch zu ihr hinüber.

»Bleib liegen.« Er streckte die Arme aus und legte sie ihr auf die Schultern. »Nicht aufstehen. Leg dich wieder hin. Du musst dich ausruhen.«

»Aber Callum —« Er unterbrach sie mit einer Handbewegung und musterte sie eingehend.

»Ihm wird schon nichts passieren.« Er zuckte die Schultern, als sei es ihm gleichgültig. »Ganz sicher. Er hat es so gewollt: Da muss er jetzt durch.«

»Aber er war so durchgefroren und erschöpft. Es hat ihn wütend gemacht, dass er nicht so stark war, wie er sich das gewünscht hätte. Du hättest ihn nicht schlagen sollen.«

»Er hätte mich auch nicht schlagen sollen«, erwiderte der Mann gleichmütig und sah sie weiter unverwandt an, auch dann noch, als er einen blauen Zelttuchbeutel öffnete, der am Kopfende des Betts lag. »Gib mir deinen Arm. Schieb den Ärmel hoch.« Sie ließ es ruhig geschehen, als er die Blutdruckmanschette um ihren Oberarm wickelte und so viel Luft hineinpumpte, bis sie eng und hart wurde. Beim Ablesen des Werts legte er den Kopf zur Seite, und der Klettverschluss riss mit einem lauten Geräusch auseinander, als er die Manschette abnahm. »Schon besser.«

»Ich mache mir Sorgen um …«

»Ganz ruhig.« Der Mann schüttelte das Fieberthermometer hinunter, dann hielt er es ihr an den Mund. Sie öffnete die Lippen und ließ sich das kühle Glasstäbchen zwischen Lippen und Zähne stecken. Schweigend und mit dem Gefühl, plötzlich wieder Kind zu sein, schloss sie die Augen. Sie lauschte den Angriffen des Windes gegen die Hütte, bis er ihr das Thermometer wieder aus dem Mund zog. Das Glas glitt kühl und glatt an ihren Zähnen vorbei, und sie schlug die Augen auf. Er las sorgfältig die Temperatur ab und schüttelte das Thermometer dann mit lockerem Handgelenk hinunter, bevor er es wieder in dem kleinen Zelttuchbeutel mit einem weißen Kreuz darauf verstaute.

»Schon viel besser«, sagte er und legte die Tasche auf eine Ablage über ihrem Kopf. Er blickte auf sie hinunter und lächelte zum ersten Mal. »Bleib ganz ruhig liegen. Ich bring dir Kaffee und etwas zu essen. Dann können wir reden. Wir haben jede Menge Zeit, uns zu unterhalten.« Er grinste, als die Hütte wieder einmal unter dem Druck des Windes erbebte.

»Ich heiße Cassie«, sagte sie, als er sich zum Herd umwandte.

»Ich weiß«, erwiderte er und hob die Kaffeekanne hoch.

»Die Kurzform für Cassandra«, fügte sie hinzu.

»Ich weiß. Meine Mutter hieß auch so.« Er goss dunklen, dampfenden Kaffee in eine weiße Porzellanschale. »Der Name einer trojanischen Prinzessin, die mit prophetischer Gabe gesegnet war. Er bedeutet ›die Männerfangende‹. Ich heiße Patrick«, sagte er. »Patrick McCarthy«, fügte er hinzu, als er ihr den Kaffee reichte.

Sie hielt die Porzellanschale mit beiden Händen fest und beugte ihr Gesicht über den duftenden Dampf. Sie war am Rand abgesplittert und vom Alter verfärbt, aber der Kaffee schmeckte köstlich, und sie spürte, wie das heiße Getränk ihre Kehle hinunterströmte und sie von innen heraus wärmte. »Danke«, sagte sie leise, aber er hatte sich schon abgewandt und machte sich am Gasherd zu schaffen, regulierte die Größe der Flamme und stellte einen Topf darauf.

Als sie ihren Kaffee ausgetrunken hatte, nahm er ihr die Schale ab, wischte sie mit einem Tuch aus und füllte sie mit einem nahrhaften, dickflüssigen Eintopf aus Kartoffeln, Möhren und zäher, fetter Wurst. Kommentarlos reichte er ihr die Schale, und sie nahm sie und den Löffel und schämte sich, dass sie den Eintopf so schnell hinunterschlang. Er war gut gewürzt und wärmend, und gierig aß sie die fetten Wurststücke, wobei sie ihr schlechtes Gewissen ignorierte, weil sie sich nicht an ihre vegetarischen Prinzipien hielt. Er sah ihr schweigend zu und drehte sich am Tisch eine Zigarette. Als sie fertig gegessen hatte, legte sie sich mit dem Schälchen auf dem Bauch zurück und schloss die Augen.

»Das ist doch immer dasselbe«, sagte er aus dem Schatten heraus.

»Was denn?«, murmelte sie. Sie spürte noch genussvoll dem Geschmack in ihrem Mund nach.

»Dass sie essen, als seien sie am Verhungern.«

»Und wer sind ›sie‹?«

»Unterkühlungsopfer.« Sie riss erstaunt die Augen auf.

»Und das ist auch bei allen gleich«, sagte er. Er trat zu ihr und nahm ihr die Schale ab. »Ich glaube, es geht dir jetzt gut genug, dass du aufstehen kannst, wenn du möchtest.« Er trug die Schale zum Herd, goss aus dem Kessel heißes Wasser hinein, schwenkte sie leicht aus, dann schüttete er das Spülwasser in einen Plastikeimer und wischte die Schale mit einem Tuch aus.

»Du achtest wohl sehr auf Hygiene«, spöttelte sie und schwang die Beine im Schlafsack über den Bettrand. Vom plötzlichen Aufsetzen wurde ihr schwindlig. Wegen ihres niedrigen Blutdrucks fror sie und fühlte sich ausgelaugt und schwach. Die Wärme, das Essen und die Bewegung machten sie benommen. In ihren Schläfen hämmerte das Blut, und ihr Herzschlag ging unregelmäßig. Sie schwankte unsicher auf der Bettkante, sah auf einmal leichenblass aus, und dann wurde ihr schwarz vor Augen.

Sie spürte, wie seine Hände ihre Schultern umfassten und sie sanft auf die Matratze zurückdrückten. Sie hatte ihn gar nicht kommen gehört. Ihr Blick wurde wieder klarer, und sie sah sein Gesicht dicht an ihrem, roch seinen Raucheratem, spürte seine Bartstoppeln und seinen prüfenden Blick, mit dem er sie – mit leicht verärgerter Miene, wie ihr schien – musterte. Er ließ sie auf den Rücken sinken und zog den Schlafsack fester um sie und über ihren Kopf. Dann tastete er im Schlafsack nach ihrem Handgelenk, das schlaff auf ihrer Brust lag, und drehte es mit der Handfläche nach oben, und schließlich spürte sie den kräftigen Druck seiner Finger an ihrem Puls. Den Kopf hatte er von ihr abgewandt, stattdessen fixierte er die Wanduhr. Sie spürte, wie ein Schauer sie durchlief, doch eher vor Angst als vor Kälte. Er ließ ihre Hand sinken und tastete sich dann im Schlafsack weiter. Sie spürte seine Finger, die nach dem Saum des Hemds suchten, und dann die trockene Haut seiner Handfläche, die auf einmal mit verblüffender Wärme auf ihren Rippen ruhte. Sie wollte protestieren, ihrer Empörung Luft machen. Aber sie sagte kein Wort.

Nach einer Weile schob er seine hohle Hand unter ihre Achselhöhle und drückte mit dem Daumenballen vorn gegen ihre Schulter, die anderen Finger streckte er aus bis hin zu den Muskeln am Rand ihrer Schulterblätter. Etwa eine Minute ließ er sie dort ruhen, dann beugte er sich noch weiter über sie, drehte sie auf die Seite und fuhr mit seiner Hand zu ihrem Kreuz hinunter. Verblüfft spürte sie zugleich Wärme und Kälte: ihre Kälte und seine Wärme. Dann zog er seinen Arm wieder heraus, straffte die Kordel des Schlafsacks unter ihrem Kinn und blickte sie dabei unverwandt an: Sein Zorn hatte sich in Besorgnis verwandelt.

»Was ist?«, fragte sie, aber er legte den Finger an die Lippen und richtete sich auf.

»Bleib einfach ganz ruhig liegen. Nicht sprechen.« Er stand auf und nahm einen flachen, ovalen, vom Wasser blank geschliffenen honigfarbenen Stein von dem Regal über ihr und legte ihn aufs Bett. Dann holte er zwei weitere Steine und legte alle drei auf die heiße Platte des Kanonenofens.

»Was machst du da?«, fragte sie und verfolgte seine Bewegungen mit ihren Blicken.

»Steine anwärmen«, kam die kurz angebundene Antwort.

»Ich sagte doch, nicht sprechen.«

Sie war erstaunt über den Tadel in seiner Stimme, über seinen distanzierten, gleichmütigen Ton. Die Kerze warf huschende Schatten an die Holzdecke, und sie spürte, wie die Hütte unter ihrem Rücken zitterte und bebte. Sie lauschte dem Sturm und den Geräuschen in der Hütte, die er beim Herumhantieren machte – dem Scheppern von Blechtöpfen, dem gedämpften Auftreten seiner Schritte, dem Hinstellen von Gegenständen neben ihrem Bett –, und über allem heulte der Wind. Er hob und senkte sich mit unheimlichen Dissonanzen: An den gespannten Halteseilen der Hütte erzeugte er hohe Pfeiftöne und am Geländer der Veranda ein tiefes, symphonisches Summen, unterbrochen von einem plötzlichen hohen Trommelwirbel klirrender Eisteilchen gegen die Fensterscheibe. Die Luft war wie elektrisch aufgeladen, und der Wind zermürbte sie allmählich mit seinem seltsam hypnotischen und endlosen Klagen.

»Hier.« Unter ihrem Nacken spürte sie seine Hand, die ihren Kopf stützte und ihr die Schale an die Lippen hielt. »Trink.« Sie schlürfte die warme Flüssigkeit und spürte, wie sie ihr vom Kinn auf den Hals hinuntertropfte. Der viel zu süße Geschmack zog ihr den Mund zusammen, und sie kniff angewidert die Augen zu. »Alles austrinken«, drängte er, und sie trank schlückchenweise weiter, bis die Schale leer war und er ihren Kopf wieder auf die Matratze zurücksinken ließ.

Er stand auf, und sie hörte, wie die Schale auf einer hölzernen Fläche abgestellt wurde, dann war er wieder an ihrer linken Seite, griff in ihren Schlafsack und schob ihr einen schweren, mit Wollstoff umwickelten Stein fest in die Achselhöhle. Er drückte ihren Oberarm gegen die sich rasch aufwärmende Wolle und wies sie an, den Stein mit dem Arm festzuklemmen. Den zweiten Stein steckte er auf ihre rechte Seite, dann schob er seinen Arm ganz unten auf ihren Bauch. Sie spürte das warme, schwere Gewicht über ihren Bauch gleiten, bis es auf ihrem Schambein lag und seine Hand noch tiefer griff und ihre Oberschenkel auseinanderschob.

»Auseinander«, befahl er. Überrascht von seinem scharfen Ton und erschrocken über ihre Scheu fügte sie sich. Seine Handkante glitt unbeirrt zwischen ihre Oberschenkel und schob sie auseinander, um dann den Stein dazwischenzulegen, dicht an ihren Körper gepresst. Sie war froh über die Thermo-Leggings und hatte das Gefühl zu erröten, obgleich sich ihr Gesicht eiskalt anfühlte.

»Beine zusammen. Klemm den Stein dort fest.« Sie hielt den heißen Stein fest zwischen die Beine gepresst, und eine Welle der Erleichterung und zugleich ein Gefühl der Demütigung durchlief sie. Dann war er verschwunden, nur sein riesiger Schatten und der flackernde Kerzenschein huschten über die Deckenbalken. Sie lauschte dem Sturm, verwirrt und schläfrig und klebrig von dem verschütteten Getränk, und fiel in einen tiefen Schlaf.

14

Eine Weile später erwachte sie wieder und spürte, wie seine Hand kurz ihre Haut befühlte, dann wurden die angewärmten Steine ausgetauscht, wobei sie ihre Arme und Oberschenkel bereitwillig in die richtige Stellung brachte und sich murmelnd bedankte, als zwei Finger sie fest am Handgelenk drückten und nach dem pulsierenden Leben suchten, das gegen ihre Sehne klopfte.

Als sie das nächste Mal die Augen aufschlug, blinzelte sie in grelles Sonnenlicht, das auf das grob gezimmerte Bettgestell schien, auf dem sie lag. Über ihr zogen sich an allen drei Wänden Regalbretter entlang, auf denen Gläser, Schachteln und Dosen in engen, aber unterschiedlich hohen Reihen standen. Sie erkannte das weiße Kreuz auf dem blauen Zelttuchbeutel wieder, und auch der Schlauch des Blutdruckmessgeräts baumelte von den Regalbrettern herunter. Als sie den Kopf umwandte, sah sie am Ende der langen Bank unter dem Fenster die Fersen seiner Socken unter einer Decke herausragen. Sie konnte auch die Wölbungen seiner Schultern ausmachen und dachte, dass ihm sicher kalt war. Die Wanduhr zeigte neun Uhr an. Draußen hämmerte der Wind noch immer unerbittlich, und doch hatte er es nicht vermocht, sie zu wecken.

Die Steine, harte Brocken unter ihren Armen, waren verrutscht, und derjenige zwischen ihren Oberschenkeln drückte gegen die harte Rundung ihres Schambeins und löste ein angenehm zartes Kribbeln aus, ein sprudelndes Aufwallen, das ihr das Rückgrat hochstieg und ihre Fußsohlen dazu brachte, sich zu krümmen. Sie setzte sich mühsam auf, griff nach den beiden in Wollstrümpfen steckenden Steinen in ihren Armbeugen und schob sie aus dem Schlafsack. Als sie weiter hinuntergriff, um den dritten herauszuziehen, entglitt er ihr und fiel mit einem schweren, dumpfen Krachen auf den Boden.

Sie zuckte erschreckt zusammen und drehte sich mit schuldbewusster Miene zu ihm um. Er sah sie über die Schulter hinweg an.

»Tut mir leid, ich wollte dich nicht wecken.« Er setzte sich ächzend auf, schüttelte sich die Decke von den Schultern und rieb sich mit dem Daumen und den Fingern seiner unversehrten Hand über die Schläfen. Dann drückte er zum Wachwerden gegen seine Nasenwurzel und schüttelte den Kopf wie ein Hund sein nasses Fell. Er sah auf die Uhr, warf einen Blick zu dem mit Raureif bedeckten Fenster hinüber und stand auf. Ein metallisches Klirren war zu hören, als er die schwere Platte vom Ofen hob. Er legte zwei große Holzscheite hinein, glühende Asche sprühte in die Luft, und das hereinfallende Sonnenlicht schien auf den feinen Staub, der zur Decke aufstieg. Die gusseiserne Platte rastete mit lautem Scheppern wieder ein, und sie sah ihm zu, wie er sich bückte und die Asche durch den Rost in den dafür vorgesehenen Kasten unten im Ofen rüttelte. Dann hängte er den Haken an das Ofenrohr zurück und stellte eine alte, blau emaillierte Kaffeekanne auf die Platte.

»Geht's besser?« Er setzte sich dicht neben sie auf den Bettrand und sah ihr prüfend in die Augen.

»Ja, viel besser.« Sie wandte den Blick ab. »Was starrst du so? Ganz schön unhöflich.«

»Macht dich das verlegen?« Er griff nach ihrem Handgelenk. »Ich habe nur geprüft, wie weit deine Pupillen sind. Da bin ich lieber unhöflich, als dass ich einen Patienten verliere.«

»Einen Patienten?« Sie sah ihn verblüfft an, aber er hatte die Wanduhr im Blick, und zwei Finger fühlten mit kräftigem Druck ihren Puls.

»Hätte dich gestern Nacht fast verloren«, sagte er in nüchternem Ton und schob ihr das Fieberthermometer zwischen die zornig geschürzten Lippen. »War noch dazu meine Schuld. Hätte an den Afterdrop denken müssen. Wirklich dumm von mir. Ich war so wütend, dass ich das fast übersehen hätte.«

Sie murmelte etwas Unverständliches und versuchte, das Thermometer herauszuziehen, aber er schob ihre Hand beiseite und drohte ihr mit einem tadelnden, strengen Blick und dem erhobenen Zeigefinger. Als er die Temperatur abgelesen hatte, stand er ächzend auf und schüttelte das Thermometer hinunter.

»Du kannst jetzt aufstehen – aber langsam, hörst du, immer schön langsam. Deine Kleider sind trocken.« Er deutete auf das Seil, an dem sie aufgehängt waren. »Zieh dir zum Schluss diese Jacke drüber. Sie hat meine Körperwärme.« Er schälte sich aus seiner gelben Daunenjacke und reichte sie ihr. »Dann komm frühstücken. Bist sicher hungrig.« Das war ein Befehl, keine höfliche Bitte.

Sie zog sich rasch und schweigend an und befolgte dabei seine schroffen Anweisungen, über ihr trockenes Thermohemd wieder sein Hemd anzuziehen, die Leggings und die Mütze anzubehalten und sich ihren roten Schal um den Hals zu schlingen – bis sie fragend zu ihm hinübersah, aber er hatte ihr den Rücken zugewandt und rührte in einem Topf auf dem Herd. Suppenschalen und -löffel lagen schon auf dem Tisch, auch ein großes Stück Brot auf einem Blechteller, Hartkäse und dunkle Räucherwurst. Er stellte die Kaffeekanne und zwei Becher dazu, und im hellen Licht, das von den weiten Schneeflächen draußen in die Stube drang, kringelte sich der Dampf wie Rauch. Sie schlüpfte in zwei viel zu große Hüttenschuhe, stopfte die überstehenden Falten seiner Socken hinein, setzte sich auf die Bank unter der Wanduhr und zog den Reißverschluss der gelben Daunenjacke bis zum Kinn hoch. Schweigend genoss sie den herrlichen Kaffeeduft. In der Hütte war es kalt, trotz des Holzofens, und sie fragte sich, wie er mit nur einer dünnen Wolldecke hatte schlafen können.

Er ließ sich auf die Bank unter dem Fenster gleiten, schenkte ihr Kaffee ein und schob ihr eine zerbeulte Zuckerdose hin. Sie hob abwehrend die Hand und schüttelte den Kopf, aber er stellte die Kanne auf dem Tisch ab und gab zwei gehäufte Esslöffel Zucker in ihren Becher. Nicht einmal Teelöffel, dachte sie in stummer Missbilligung, aber sie griff nach dem Becher und rührte den Kaffee um. Offenbar hatte sie sich bereits daran gewöhnt, dass ihr dieser seltsame Fremde sagte, was sie zu tun und zu lassen hatte. Und er war wirklich seltsam, dachte sie, als sie mit angewiderter Miene an ihrem viel zu süßen Kaffee nippte. Sie sah ihm zu, wie er den Hartkäse und das Brot kraftvoll und energisch in Stücke säbelte. Er schnitt genügend für sie beide auf, dann tat er dasselbe mit der Wurst, ohne sie auch nur einmal zu fragen, ob sie etwas davon haben wolle. Es war, als wäre er allein da oben, obwohl er Essen für zwei zubereitete. Nichts an seinem Verhalten trug ihrer Anwesenheit Rechnung.

Sie dachte an die vergangene Nacht zurück und an all das, was er für sie getan hatte. Er war nicht von Sorge oder Mitleid geleitet gewesen, erkannte sie nun. Es war für ihn wie ein Auftrag, der so effizient und gewissenhaft wie möglich erledigt werden musste. Vielleicht fühlte sie sich deshalb so unbefangen, was ihre Beinahe-Nacktheit und seine intime Berührung betraf, als er ihr die angewärmten Steine an den Körper gelegt hatte. Er stellte keinerlei Bedrohung für sie dar. Der Gedanke war verblüffend und beschäftigte sie eine ganze Weile, bis er ihr einen Teller mit Käsestücken zuschob, ohne sie auch nur eines Blickes zu würdigen, und dann aufstand, um ein paar Brotscheiben auf die Herdplatte zu legen. Ihr anfängliches Unbehagen verwandelte sich in Zorn, aber sie zog trotzdem kommentarlos den Käse zu sich heran. Er beschwerte die Brotscheiben auf dem Ofen mit einem Teller, und bald erfüllte der Duft von geröstetem Brot die Hütte. Als er sich am Ofen umdrehte, blickte sie auf und erwartete, dass er etwas sagen würde, doch stattdessen ging er hinüber zu einem kleinen Barometer, das zwischen dem Fenster und der Tür an der Wand hing, und überprüfte den Luftdruck. Sie beobachtete ihn dabei, wie er mit dem Zeigefinger gegen das Glas tippte und dann behutsam den Messingknopf in der Mitte der Skala drehte, bis der schwarze und der kupferne Zeiger übereinanderlagen und den aktuellen Luftdruck anzeigten. Er runzelte die Stirn, und ein Netz von Fältchen breitete sich über seinen Schläfen aus; dann zog er hoch konzentriert die Brauen zusammen, als er noch einmal gegen das Glas klopfte. Der Druck war seit dem letzten Ablesen gefallen. Er beugte sich zu ihr hinüber, und nachdem er das Eis von der Fensterscheibe abgekratzt und das Kondenswasser abgewischt hatte, spähte er gespannt in das grelle weiße Licht draußen. Der Wind hatte in seiner grimmigen Attacke noch nicht nachgelassen.

»Da verbrennt was«, sagte sie und deutete mit dem Kopf zum Ofen. Er stand auf und ging mit geschmeidigen, gemächlichen Schritten hinüber. Sie sah ihm dabei zu, wie er das geschwärzte Brot umdrehte, die Scheiben herunterdrückte und sie mit dem Teller fest auf die Platte presste. Nach ein paar Sekunden hob er den Teller hoch und nahm die Scheiben rasch von dem rauchenden Metall. Er stellte das Brot neben sie hin und griff nach der Kaffeekanne.

»Was genau bedeutet ›Afterdrop‹?«, fragte sie, als er ihre Schale wieder auffüllte. Sie legte die Hand über die Zuckerdose, als er nach dem Löffel greifen wollte, und sah ihn bittend an, bis er schulterzuckend den Zucker in seine eigene Schale löffelte: ein kleiner Sieg.

»Dein Körper braucht Zucker.« Er lehnte sich ans Fensterbrett zurück, und die Silhouette seines Oberkörpers hob sich scharf gegen das grelle Morgenlicht ab. Dann zündete er sich eine Zigarette an, und blaue Rauchwölkchen stiegen kräuselnd zur Decke. Mit in den Nacken gelegtem Kopf stieß er den Rauch wieder aus.

»Du hattest gestern einen Afterdrop«, erklärte er. »Das kann tödlich sein.«

»Was ist das? Was geschieht da mit einem?« Es störte sie, dass sie seine Augen nicht sehen konnte, und sie schirmte ihren Blick vor dem grellen Licht ab, was so aussah, als würde sie salutieren.

»Du wärst fast gestorben«, erwiderte er und zupfte ein paar Tabakfäden von seinen Lippen. »Also, zumindest meiner Meinung nach, aber ich bin natürlich kein Arzt.«

»Hast du das zuvor schon mal erlebt?«

»Ja, und ich habe Betroffene daran sterben sehen.«

»Was, hier?«

»Ja, hier, genau an dieser Stelle«, sagte er und nickte zu dem leeren Schlafsack auf dem Bett hinüber. »Da ist man ziemlich machtlos. Vielleicht bin ich deshalb ein bisschen vorsichtig, wenn ich glaube, dass ich wieder so etwas vor mir sehe.«

»Und was ist es genau?«, bohrte sie nach.

»Es ist eine Art Spätfolge der Unterkühlung. Sie tritt auf, wenn man nicht gut genug aufpasst, und ich hätte einfach besser aufpassen müssen.«

»Hey, ich bin doch immer noch da, und zwar quicklebendig«, erwiderte sie gut gelaunt.

»Du hättest dich mal letzte Nacht sehen sollen.«

»Du hast sicher eine ganze Menge von mir gesehen, letzte Nacht.« Sie blickte ihn direkt an und war zufrieden, als er verlegen ihrem Blick auswich.

»Als ich dich mit deinem Mann draußen vor der Tür stehen sah, wusste ich gleich, dass du unterkühlt warst.« Er beugte sich vor, stützte die Ellbogen auf dem Tisch auf und streifte seine Zigarette in einem rostigen Aschenbecher ab. Dann nahm er noch einen letzten, tiefen Zug und drückte den Stummel schließlich aus.

»Tut das nicht weh?«, fragte sie, als sie ihn die Glut mit dem Stumpf seines Zeigefingers ausdrücken sah. Er blickte erstaunt auf.

»Mittlerweile nicht mehr. – Ich hab sofort gesehen, dass es dich schlimm erwischt hatte. Ich habe so was zuvor schon mal gesehen. Dein Mann offenbar nicht«, fügte er verächtlich hinzu.

»Er ist nicht mein Mann«, protestierte sie, aber er sah sie mit einem sarkastischen Zucken um die Mundwinkel an, und diesmal war sie es, die den Blick abwandte.

»Du hattest alle Anzeichen einer Unterkühlung, meiner Einschätzung nach im fortgeschrittenen Stadium: blasse Haut, leerer Blick, ein gewisses Maß an Verwirrtheit, lallende Sprache und Verständnislosigkeit darüber, dass dein Mann weiter absteigen wollte.«

»Er hieß – heißt Callum«, sagte sie gereizt.

»Ach ja, Callum, stimmt.« Er hatte sich eine weitere Zigarette gedreht, leckte über den Kleberand des Papiers und zwirbelte sie mit geübter Leichtigkeit zu einem Röhrchen. »Nun, Callum hat dich fast auf dem Gewissen.« Er sah sie mit prüfendem Blick an. »Du hast nicht gezittert. Das ist ein untrügliches Zeichen dafür: kein Zittern mehr.«

»Ich dachte, man zittert immer, wenn man friert. Jedenfalls habe ich sehr wohl gezittert. Daran erinnere ich mich genau. Es wollte gar nicht mehr aufhören«, meinte sie. Mit Grauen dachte sie daran zurück.

»Nein, da erinnerst du dich nicht richtig. Das ist genau der Punkt. Und das Zittern hatte bei dir sehr wohl aufgehört. Aber an diesem Punkt setzt bei dir auch die Erinnerung aus. Du erinnerst dich vielleicht noch daran, dass du vor Kälte gezittert hast, vielleicht gar nicht weit von der Hütte entfernt, und vielleicht war es sogar ein sehr heftiges Zittern – deshalb erinnerst du dich vermutlich daran. Aber als ich dich draußen stehen sah, hattest du aufgehört zu zittern, und darum geht es.«

»Warum?«

»Man zittert, wenn man friert, bis zu einem gewissen Punkt, dann hört es auf, und man hat ein ernstes Problem. Zittern ist eine Notmaßnahme des Körpers, um sich wieder aufzuwärmen. Es funktioniert eine Weile, ebenso wie Bewegung, aber nicht lange.«

Als er ihr das so erklärte, wuchs ihre Beklemmung. Es hatte schlimmer um sie gestanden, als sie realisiert hatte. Sie musterte ihn aufmerksam, während er die verschiedenen Stadien der Unterkühlung erläuterte, gelegentlich mit seiner Gestik einen Punkt besonders hervorhob und bei alledem keinerlei Anstalten machte, seine verstümmelte Hand zu verbergen. Sein Blick war direkt auf sie gerichtet, und er schenkte ihr seine ganze Aufmerksamkeit. Er wirkte selbstsicher beim Sprechen, denn er kannte sich offenbar mit dem Thema aus.

Er erläuterte ihr den dorsomedialen Kern des Hypothalamus, den Zitterreflex, die Auswirkungen von Muskelkrämpfen in der Umgebung des Herzens und lebenswichtiger Organe, den Abfall der Körperkerntemperatur, den Zusammenbruch der Hirnfunktionen, Herzrhythmusstörungen, Herzstillstand, Tod.

»Eigentlich alles ganz simpel, aber es kann von einem Moment auf den anderen kompliziert werden.«

Sie hörte gern seiner Stimme zu, betrachtete aber während seiner Ausführungen interessiert seine Arme: kräftige Unterarme mit hervortretenden Adern, tief gebräunt von der Sonneneinstrahlung im Gebirge, mit starken Fingern oder besser gesagt dem, was von ihnen übrig geblieben war. Er bewegte die Stümpfe mit überraschender Geschicklichkeit, und sie beobachtete ihn dabei, wich aber seinem Blick aus.

Er sprach in gleichmütigem Ton, als eigne sich der am besten dazu, seine Erinnerungen in Schach zu halten. Er sprach aus Erfahrung. Obgleich er ruhig wirkte, lag in seiner Stimme eine zunehmende Eindringlichkeit, als er Schritt für Schritt die Verschlechterung beim Zustand von Unterkühlungsopfern beschrieb, und ihr war bewusst, dass er alle diese Phasen bei jemandem hilflos hatte mit ansehen müssen, ohne den Zusammenbruch verhindern zu können. Er erklärte ihr den Unterschied zwischen milder, mittelgradiger und schwerer Unterkühlung und wie die Menschen daran starben – ruhig, scheinbar klaglos. Sie schliefen einfach ein, sagte er, und erinnerten sich an nichts mehr.

»Und in welchem Stadium war ich?«, fragte sie und hob das Kinn, damit sich ihre Blicke trafen. Er zögerte, und sein Gesicht drückte zum ersten Mal leisen Zweifel aus.

»Mittelgradig«, sagte er schließlich und nickte zur Bestätigung.

»Du scheinst dir nicht so sicher«, meinte sie.

»Es ist keine exakte Wissenschaft«, erwiderte er schulterzuckend. »Manche überleben eine schwere Unterkühlung, andere sterben schon in einem milden bis mittelgradigen Stadium. Hängt von dem Betroffenen ab. Wir sind alle verschieden. Es heißt, man solle ein Opfer nie aufgeben. Es sei erst tot, wenn es aufgewärmt und trotzdem tot ist. Es gibt da jede Menge unterschiedliche Meinungen ...« Er brach ab, und seine Miene verdüsterte sich durch irgendeine Erinnerung.

»Hast du schon mal jemanden aufgegeben?«, fragte sie, und er kniff die Augen zusammen, als er sie anblickte.

»Nein«, sagte er ein wenig zu schroff. »Aber man hat mich aufgegeben.« Er sah sie mit entwaffnender Offenheit an. »Die ersten beiden ... Nun, damals wusste ich noch nicht so viel darüber. Seither hab ich einiges zu diesem Thema gelesen und auch ein paar eigene Ansichten darüber entwickelt. Die Steine zum Beispiel – diese Idee stammte ursprünglich von einem Arzt. Ich habe sie vom Fluss unten beim Dorf hier heraufgebracht. Er macht dort unten einen weiten Bogen und hat ein breites Ufer mit groben Flusskieseln. Das sind gut geeignete ovale Steine, vom Wasser geglätteter Granit. Sie nehmen sehr gut Wärme auf«, fügte er hinzu, und sein Gesichtsausdruck hellte sich auf.

»Du bist stolz auf deine Methode, nicht wahr?«, sagte sie mit einem neckenden Tonfall in der Stimme, und sein Lächeln verschwand.

»Sie funktioniert«, sagte er schlicht und stand auf. Damit war die Unterhaltung beendet. Er ging zur Tür und öffnete sie. Obwohl ein Schwall eisiger Luft und Schneeflocken in die Hütte wirbelten, trat er hinaus. Sie sah zu, wie er die Tür mit aller Kraft gegen den Ansturm des Windes zuzog und beugte sich hinüber, um das Fenster freizuwischen und ihn draußen auf der Veranda zu beobachten. Er stand da, den Körper nach vorn geneigt, die bloßen Hände auf den schneebedeckten Handlauf des Geländers gelegt, und sein Hemd flatterte im Wind. Für sie herrschte draußen ein einziges wildes Gestöber aus Wind und Schnee. Er jedoch konnte anscheinend mehr herauslesen. Er prüfte die Stärke des Windes und hob den Kopf, um durch das dichte Schneegestöber den Himmel zu studieren.

Der Kessel begann gerade zu dampfen, als die Tür wieder aufgestoßen wurde. Sie goss das Wasser in die Kaffeekanne, sah zu, wie das Kaffeepulver herumwirbelte und die Flüssigkeit schäumte, und hörte, wie er den Schnee von seinen Hüttenschuhen stampfte.

»Gieß noch einen Schuss kaltes Wasser dazu«, sagte er. »Das ist ein guter Trick.« Das Wasser zischte auf, und sie beobachtete, wie sich das Kaffeepulver setzte.

»Es wird erst mal noch schlimmer, bevor es besser wird«, sagte er von seinem Platz beim Fenster aus. »Das Barometer fällt rasch. Zwei Tage noch, schätze ich. Mindestens.«

»Noch zwei Tage hier oben?«, fragte sie. »Können wir denn nicht ins Dorf hinunter? Werden uns die Bergführer nicht holen kommen?«

»Wozu? Und ja, wir könnten im Notfall absteigen, aber das werden wir besser nicht tun. Du bist noch nicht so kräftig, wie du vielleicht glaubst. Es dauert eine Weile, bis man sich erholt hat. Es wäre unvernünftig, sich schon wieder der Kälte auszusetzen.«

»Tut mir leid«, sagte sie und stellte die Kaffeekanne neben ihn. »War eine dumme Idee.«

»Brauchst dich nicht zu entschuldigen.« Er füllte die beiden Schalen mit Kaffee. »Jedenfalls sind wir beide jetzt quitt. Ich war gestern Abend ziemlich leichtsinnig. Man darf eine Unterkühlung nie unterschätzen, das müsste ich eigentlich wissen.«

»Also, wie schlimm stand es wirklich um mich?« Sie setzte sich und griff nach ihrer Schale.

»Schlimmer, als ich dachte«, erwiderte er. »Erinnerst du dich noch an irgendetwas?«

»Ja – na ja, glaub ich zumindest.« Sie runzelte die Stirn. »Ich erinnere mich daran, dass Callum hier drin war. Er brüllte herum. Ich hab aber nicht ganz begriffen, warum. Ich hörte zwar, was er sagte, aber ich konnte nicht reagieren. Es war, als stünde ich neben mir und sähe uns beide, wie wir uns anschreien, aber ich sagte gar nichts. Ich erinnere mich daran, dass die Tür aufging, und an noch mehr Gebrüll und dass du hier warst und zornig dreingeblickt hast, und dann hab ich mich hingesetzt. Zumindest meine ich, dass ich mich hingesetzt habe.«

»Ja, du hast dich hingesetzt. Genau hierhin.« Er deutete auf seinen Platz. »Und du hast die Arme auf den Tisch gelegt und bist eingeschlafen, von einem Moment auf den anderen, nicht langsam weggedämmert, sondern wie ausgeknipst. Ich hab so was schon früher mal erlebt, also wusste ich, was zu tun war. Ich habe deine Temperatur gemessen, und sie war nicht gut, viel zu niedrig, keine dreißig Grad, aber mit Thermometern ist das so eine Sache. Hätte rektal messen müssen, aber ich hab's gelassen – du kannst dir vorstellen, warum.« Er zuckte mit den Schultern und wandte den Blick ab. »Jedenfalls ging es dir eindeutig schlecht. Niedriger Puls, aber noch nicht unregelmäßig, sehr verlangsamte, flache Atmung, wie nicht anders zu erwarten. Ich hab dir die feuchten Kleider ausgezogen, und dann zuerst Klamotten von mir und den Schlafsack am Ofen vorgewärmt. Dann hab ich dich angezogen, in den Schlafsack gepackt und ins Bett gelegt. Ich hab immer wieder deinen Puls und die Atmung kontrolliert. Die Temperatur blieb konstant, dann stieg sie sogar etwas. Dein Puls wurde kräftiger, also wartete ich einfach darauf, dass du aufwachen würdest. Hätte eigentlich mit dir in den Schlafsack kriechen sollen, aber ich hab's nicht gemacht.« Er zuckte wieder mit den Schultern.

»Dann, als du wieder zu dir gekommen bist, als du aufgewacht bist, dachte ich dauernd an deinen Mann, deinen Callum, und ich war vermutlich stinksauer. Jedenfalls war das völlig dumm, und dann hat dich auf einmal der Afterdrop erwischt.«

»Das heißt?«

»Na ja, du warst eigentlich wieder aufgewärmt – oder zumindest schien es so. Das Problem ist nur, um deine Kerntemperatur zu halten, hatte dein Körper Blut aus den Extremitäten ins Körperinnere zusammengezogen, und als du teilweise wieder aufgewärmt warst, hat dein Körper das aufgewärmte Blut wieder in die Extremitäten zurückströmen lassen. Dieses Blut wird dort plötzlich abgekühlt, schießt zurück und verursacht dadurch einen katastrophalen Abfall der Kerntemperatur. Das passiert nicht so oft. Das Thermometer hat vermutlich schlecht gemessen, ein paar Zehntelgrad zu hoch. Klingt nicht nach viel, ich weiß, aber es macht den Unterschied zwischen mittelgradiger und schwerer Unterkühlung aus. Und das hier ist nicht der geeignete Ort, um mit einer schweren Unterkühlung fertigzuwerden, so viel ist sicher.« Er stippte heftig seine Zigarette aus.

»Vor zwei Jahren habe ich miterlebt, wie ein Mann hier im selben Bett gestorben ist.« Er richtete den Blick dorthin, wo sie achtlos den Schlafsack hatte liegen lassen. »Sein Kletterpartner lag zu der Zeit schon tot am Fuß des niedrigeren Turms. Ihn fand ich draußen vor der Tür. Ich dachte schon, ich hätte ihn zurückgeholt. Das dachte ich wirklich, und dann … Ffft!« Er machte eine wegwerfende Handbewegung. »Er war tot, einfach so, und ich konnte nichts dagegen tun. Das ist der Afterdrop.«

»Und du dachtest, das Gleiche passiert auch mit mir?«

»Ehrlich gesagt, ich wusste es nicht.« Er sah sie an. »Ich hoffte, nicht«, fügte er mit leisem Lächeln hinzu. »Wahrscheinlich ist es dadurch passiert, dass du dich plötzlich aufgesetzt hast. Wenn all das kalte Blut zurückschießt, tritt ein abrupter Wärmeverlust ein. Für mich sah das bei dir ernst aus. Selbst flach auf dem Rücken liegend, von den Steinen gewärmt, hattest du noch unter dreißig Grad, und das nach drei Stunden absoluter Ruhe im Schlafsack. Die Nacht über habe ich jede Stunde nach dir geschaut. Es hat lange gedauert, und ich habe viele warme Steine gebraucht, um deine Kerntemperatur wieder dorthin zu bringen, wo ich sie haben wollte.«

»Die ganze Nacht?«, fragte sie. »Dann bist du ja kaum zum Schlafen gekommen!«

»Eine Stunde, vielleicht zwei.« Er schob ihr das Essen hin. »Und jetzt hör auf zu reden und iss. Dein Körper braucht das genauso dringend wie den Zucker. Du wirst dich wundern, wie dringend.«

Und sie wunderte sich tatsächlich. Das Brot war verbrannt und schmeckte alt und modrig. Der Käse war hart und die Oberfläche mit öligem, ausgeschwitztem Fett bedeckt, und die Wurst bestand aus scharf gewürztem Knorpel und Fett. Dennoch aß sie mit Heißhunger. Als er ihr auch noch seinen voll beladenen Teller hinschob und sie weiter beobachtete, nahm sie den Teller an, ohne zu fragen oder zu danken. Erst als sie fertig gegessen hatte, sich zurücklehnte und den letzten Rest mit lauwarmem Kaffee hinunterspülte, bemerkte sie sein belustigtes Grinsen und wandte verlegen und beschämt über ihre Gier den Blick ab. Da hörte sie ihn zum ersten Mal lachen – ein kräftiges, tiefes Lachen.

»Mach dir keine Gedanken. Das seh ich nicht zum ersten Mal. Dein Körper siegt über deine Manieren. Das ist ein sehr gutes Zeichen.«

»Du scheinst wirklich schon schrecklich viel gesehen zu haben«, erwiderte sie. »Oder vielleicht sollte ich besser sagen, viel Schreckliches.«

»Ja, einiges schon, schätze ich.« Er nickte, und das Lächeln verschwand aus seinem Gesicht. »Aber schließlich erinnert man sich ja auch eher an schlechte Zeiten als an gute.«

»Wirklich? Das ist aber traurig. Ich versuche mich an die guten Zeiten zu erinnern.«

»Hängt davon ab, wie schlecht die schlechten Zeiten waren, würde ich sagen.«

»Wie schlecht müssen sie denn sein?«

»Du stellst viele Fragen. Am besten kann man schlimme Zeiten vergessen, wenn man sich keine Fragen stellt.«

Er stand auf und stellte die Teller zusammen. Als er sich vorbeugte, um nach ihrer Kaffeeschale zu greifen, sah sie einen kleinen goldenen Anhänger von seinem Hals baumeln. Sie streckte die Hand aus und griff vorsichtig danach. Er erstarrte in dem Augenblick, als seine Hand die Schale berührte, und sie spürte, wie sein Körper plötzlich ganz steif wurde. Als sie den kleinen goldenen Gegenstand in ihren Fingern herumdrehte, sah sie, dass er nicht aus massivem Gold war, wie sie zuerst angenommen hatte. Es war eine kleine, kaffeebohnengroße Muschel, eine winzige Meeresschnecke. Sie sah einen Hauch von Rosa auf der cremefarbenen Oberfläche im Muschelinnern und einen orangefarbenen und gelben Streifen, wo die Spiralform des Schneckenhauses sich zu einem Punkt verengte. An der Muschelöffnung befand sich eine kunstvoll gearbeitete, zarte Goldeinfassung, die in einer zierlichen, birnenförmigen Anhängerschleife aus Gold mündete. Der Anhänger war auf ein schlichtes Lederband gefädelt.

»Das ist wunderschön«, sagte sie, als sie die zarte Muschel vorsichtig zwischen ihren Fingern drehte. Es war, als hielte sie ihn gefangen, denn sein Körper war starr vor Anspannung, regungslos, wie aus Angst, dass diese zerbrechliche Schönheit bei der geringsten Bewegung zerstört werden könnte. »Ich habe noch nie so etwas gesehen. Wo hast du das her?« Sie sah ihm fragend in die Augen und ließ die Muschel augenblicklich los. Einen Moment lang verharrte er reglos und starrte sie wütend an. Dann wandte er den Blick rasch ab, nahm die Schale, drehte sich wortlos um, trug das Besteck zur Spülschüssel und schüttete mit heftigen Bewegungen Wasser aus dem Kessel darüber. Dann knallte der Kessel lautstark auf die Herdplatte und übertönte das unaufhörliche Heulen des Windes.

»Es tut mir leid. Ich habe mir nichts Böses dabei gedacht.« Sie sah ihn bestürzt an. Er wischte die Teller mit einem Lumpen ab. »Ich wollte dir nicht zu nahe treten. Habe ich dich irgendwie verletzt?« Schamröte stieg ihr ins Gesicht. Sie hatte etwas Dummes getan, an irgendetwas gerührt, das spürte sie genau.

»Nein. Nein, das hast du nicht.« Er sah über die Schulter zu ihr hinüber. »Wie gesagt, du stellst zu viele Fragen.«

»Okay, ich verstehe.« Aber sie verstand nichts, hatte keine Ahnung.

»Am besten, du legst dich wieder in den Schlafsack und ruhst dich noch etwas aus.« Nun gab er ihr wieder Anweisungen. Ein ernstes Gesicht wurde aufgesetzt, der Frage ausgewichen, die Sache abgetan.

»Aber ich bin doch gerade erst aufgestanden«, protestierte sie.

»Na und? Was zum Teufel willst du denn sonst tun?« Er warf einen sprechenden Blick zum Fenster, gegen dessen Scheiben die Eiskristalle klirrten. Die Deckenbalken knarrten, und von draußen hörte man einen plötzlichen Knall, als ob ein Stahlrohr gegen die Wand geschlagen hätte.

»O Gott!« Sie zuckte zusammen und hob schützend die Hand, als würde gleich die Fensterscheibe zerspringen. »Was zum Teufel war das?«

»Leg dich in den Schlafsack«, sagte er kurz angebunden. »Ich sehe nach. Wahrscheinlich einer der Sicherungsbolzen.«

»Sicherungsbolzen? Wofür sind die gut?«

»Sie halten die Hütte aufrecht«, sagte er schroff und stand auf. Er nahm einen kleinen Zelttuchbeutel von einem Wandregal und sah nach, ob Zange, Schraubenschlüssel und Metallsäge darin waren. Auf dem Weg zur Tür nahm er ein Seil sowie Steigeisen und eine Materialschlinge mit Kletterhaken und Eisschrauben von den Holzhaken an der Wand.

»Mach schon, leg dich in den Schlafsack. Wir können nicht den ganzen Tag Holz verbrennen, nur um dich warm zu halten. Die Jacke kannst du dort drüben aufhängen.« Er deutete auf eine Reihe rostiger Nägel, die in den hölzernen Balken eingeschlagen waren, der quer über die ganze Breite der Hütte verlief. »Zieh deine an, jetzt wo sie trocken ist. Wenn du was zum Lesen willst, schau in die grüne Kiste unter dem Bett.«

Er öffnete die Tür, und sofort drang wildes Schneegestöber in die Hütte.

15

Man sagt, Seeleute kennen ihre Meere und Bergsteiger ihre Berge – aber das stimmt nicht. Sie wissen vielleicht, wie man dort lebt, wie man sich zurechtfindet und reist und überlebt, aber sie kennen die Gegenden nicht wirklich, denn sie ändern sich ständig. Das Wetter ändert alles, und das ist ihre Parole, nicht die Meere oder die Gletscher, auch nicht die Wellen oder die Felswände: Es ist das Wetter.

Sie lernen, Segel zu hissen und Abseilstellen einzurichten; sie lesen ihre See- und Landkarten, können die Gezeiten und die Lawinen deuten, erkennen die Besonderheiten der Strömungen und der Schneebeschaffenheit. Sie perfektionieren ihr Handwerk, bis sie Meister der geheimnisvollen Kunst von Eisgerät und Fallsegel sind, von Steigeisen und Spleiß, und dennoch beobachten sie ständig gespannt das Wetter. Auch darüber können sie viel lernen, aber ganz sicher werden sie sich nie sein. Nur eines wissen sie ganz genau: Wenn er will, kann sie der Wettergott auf einen Schlag vernichten. Das macht sie ehrerbietig und demütig – und lässt sie immer auf der Hut sein.

Es ist das Unbekannte, das ihnen Angst einflößt, der heimliche Verdacht, dass irgendein Ungeheuer den Jahrhundertsturm, den schlimmsten Sturm ihres Lebens, ausbrüten könnte, einen Sturm, über den sie nichts wissen, bei dem sie auf keinerlei Erfahrungen zurückgreifen können und der all ihre sorgfältig erworbenen handwerklichen Fertigkeiten wertlos macht. Sie lernen, das Wetter zu deuten, die beste Route zu wählen, mit dem Wind zu segeln oder beizudrehen, den Gipfelsturm zu wagen oder besonnen den Rückzug anzutreten.

Ein so mörderischer Sturm wie dieser gewinnt mit jeder Böe an Stärke, jede ist gewaltiger als die vorhergehende, bis derjenige, der ihn, vor Angst zusammengekauert, miterlebt, den Verdacht schöpft, dass dem Sturm etwas Lebendiges innewohnt, das Böses im Schilde führt: Er vermutet eine kaltschnäuzige Drohung in den eisigen Temperaturen, eine Art Zorn, der den Peitschenschlag des Windes lenkt und das beklemmende Gefühl hervorruft, verfolgt zu werden. Solche Stürme sind selten, und die Zeugen überleben so gut wie nie. Diejenigen, denen das gelingt, sind durch die leidvolle Erfahrung für immer verändert. Die körperlichen Narben mögen verheilen, aber der Geist vergisst nie. Er selbst hatte nie vergessen.

Durch die Erinnerung seiner Opfer an friedvolle, ruhige Zeiten hatte das blinde Wüten des Sturms die Macht, zu betäuben und zu überwältigen. Er bewirkte eine bewundernswerte geistige Klarheit. Im Chaos des Schneesturms lockte der Wahnsinn. Der geistlose Trübsinn, das leblose Licht und der unerbittliche, scheinbar außer Rand und Band geratene Sturm quälten seinen Verstand. Er erinnerte sich daran, dass er den Berg an jenem Morgen bei klarem Himmel gesehen hatte, in einem so strahlenden Licht, dass man den Eindruck hatte, man sehe die Landschaft durch einen polierten Kristall. Diese Erinnerung war in ihm wach geblieben; sie war der einzige Grund gewesen, weshalb sein elendes Schicksal nicht die Oberhand gewonnen hatte.

Aus diesem strahlenden Licht wurde eine faszinierende Hoffnung, eine Erinnerung daran, wie sich die Bergkämme einst gestochen scharf von den weiten Gletscherhängen darüber und darunter abgehoben hatten. Vor seinem geistigen Auge sah er noch immer die sich überschneidenden Gratlinien, die sich in allen Abstufungen von Grün – Smaragdgrau, Dunkeljade, Olivgrün und Salbeigrün – hinzogen, in allen Schattierungen, nur nicht in Schneeweiß. Die Farben erschienen so satt und klar und das Licht so ursprünglich, dass die Schönheit beinahe körperlich wirkte. Sie nahm mehr gefangen als sein Herz, ergriff von mehr Besitz als von seinem Geist. Sie bezog ihn mit ein.

Im Sturm klammerte er sich an diese Erinnerung, an das verstörend unwirkliche Bild jener Landschaft in seinem Gedächtnis. In seinem Bewusstsein blieb ihre makellose Unberührtheit erhalten. Sowohl sein Zeit- als auch sein Ortsgefühl verschwammen, dann verlor er sie endgültig. Die Erinnerung aber war seine Rettung, seine einzige Garantie dafür, dass sich das wilde Chaos um ihn herum mit der Zeit legen und die Klarheit und Schönheit der Welt zurückkehren würde.

Der Sturm stellte sein Leben und seine geistige Gesundheit auf den Prüfstand, machte seine Existenz vorübergehend zunichte und versetzte sie durch etwas fast Unbeschreibliches in eine Art Schwebezustand. Er war eine archaische, wilde Urgewalt, unverfälscht in ihrer Gefühllosigkeit und Grausamkeit. Sie drang in seinen Geist ein und gab ihm das Gefühl, dass dieser Quell der Dunkelheit und des Lichts, der Schönheit und Kraft seine Seele vernichtet hatte. Sie war wie ein wildes Tier, das im einen Augenblick lebendig ist, im nächsten aber schon als Beute eines Raubtiers getötet wird. Sie war nicht länger ein Quell für Gefühle, für Wertschätzung. Der Sturm zwang ihn, Zeuge seiner Raserei zu werden; der Berg, verborgen und verhüllt von dem Orkan, war eine stets gegenwärtige, unsichtbare Macht. Er selbst befand sich irgendwo zwischen den beiden, verharrte wie im Dämmerzustand und wartete auf die Rückkehr des Lichts.

Als der Sturm aufhörte und sich grollend an den Horizont seiner Vergangenheit zurückzog, trat ein Augenblick vollkommener Ruhe ein; das helle Licht kehrte zurück, und er war begnadigt. Die Berge kamen mit frisch vom Sturm gelüfteten Kleidern wieder zum Vorschein. Sie erstrahlten in verblüffender Klarheit, wie blank geputzt, erneuert und geläutert, unbeschreiblich poetisch. Jede Farbe, Form, Linie und Schattierung war deutlicher, jeder scharf gezeichnete Gipfel geheiligt, und alles war in ein helles Licht getaucht, sodass es ihm vorkam, als blickte er auf eine neue, noch nie betretene Welt. Es war, als wäre der vorübergezogene Sturm nichts weiter als ein Traum gewesen, eine mystische Nachtwache, eine vage Erinnerung an sein Überleben, an Ausdauer und Beharrlichkeit, an eine mittlerweile vergessene Zeit, denn das Licht, auf das er so lange gewartet hatte, war wiedergekehrt, und er würde leben.

Der Sturm, der sich an diesem späten Vormittag anbahnte, gewann immer noch an Stärke: Jedes Aufheulen des Windes geriet eine Oktave höher, und die Kakophonie wuchs stündlich. Im grauen Licht fegten schneebeladene Böen über die bebende Holzhütte hinweg. In dem Moment, als Patrick die Tür hinter sich zuzog, spürte er genau, dass dies kein normaler Sturm war. Er erkannte die Anzeichen sofort. Er fühlte sich wie elektrisch aufgeladen, Schauer liefen ihm über den Rücken und ließen seine feinen Härchen zu Berge stehen, er bekam eine Gänsehaut. Während er seinen Körper zwang, den pulsierenden Windstößen, die über die Veranda bliesen, Widerstand entgegenzusetzen, musste er an den letzten großen Sturm denken. Alles in ihm wurde starr und angespannt, und plötzlich war auch die Angst wieder da.

Am Rand der Veranda zwang ihn der Wind auf die Knie, und er schlang Halt suchend einen Arm um das Geländer. Er zog den Kopf ein und versuchte, über dem Heulen des Windes, der durch die Scharte oben am Grat blies und die ausgesetzte Hütte mit voller Wucht traf, die Ursache der krachenden Aufschläge zu orten. Als er gerade die Stirnseite der Hütte, die frontal zum Wind stand, ins Visier nahm, schien die gesamte Konstruktion wie betrunken zu schwanken.

Dann kam ein schweres Stück Wellblech vom Dachrand geflogen und krachte gefährlich nah bei den Fenstern gegen die Hüttenwände. Für einen kurzen Augenblick lag das Drahtseil, mit dem die Hütte verankert war, bewegungslos und fast in Griffweite am Rand der Treppe, und er hechtete darauf zu, um es zu packen. Als er danach griff, zerschnitten ihm die scharfen, durchtrennten Drahtfasern die Hand bis auf den Knochen, und der Wind trug seine Flüche davon. Die Verankerung des Drahtseils schnellte außer Reichweite, und die Stahlplatte, die mit Haltebolzen an dem ausgerissenen Ende befestigt war, wurde von den Schneeböen erfasst wie ein Papierdrachen. Er hörte ein lautes Krachen und sah, dass die Hüttenwände nachgaben und die weiße Schicht auf den eisüberzogenen Balken plötzlich abplatzte. Die Hütte wurde regelrecht auseinandergerissen. Der orkanartige Wind begann sie allmählich aus ihrem Fundament zu hebeln.

Patrick wusste nur zu gut, wie leicht das geschehen konnte. Er hatte das Verankerungssystem Anfang des Sommers selbst montiert. Dazu hatte er lange stählerne Ringhaken tief in die umliegenden Felsen getrieben. Beide Ecken der Giebelseite, die frontal zur Scharte im Grat stand, waren durch Verankerungen mit einem doppelten, um die Hütte gewundenen Drahtseil verbunden. Jedes der doppelten Drahtseile war mit einer Schlaufe durch die Ringhaken geführt, mit einer Ratsche gespannt und durch die mit Schrauben gesicherten Halteplatten festgeklammert worden und führte von den beiden Ecken der Hütte in Kopfhöhe zehn Meter weit nach außen. An warmen Sommernachmittagen hatten die Seile nützliche Wäscheleinen abgegeben, an denen er die Schlafsäcke und Decken auslüften und seine wenigen Kleidungsstücke trocknen konnte. Nun aber peitschte eine der Verankerungen durch die Luft, und die schwere Halteplatte krachte wie Hammerschläge gegen das Dach und die Wände der Hütte.

Immer noch tief geduckt, schwang Patrick Schlingen seines Kletterseils nach hinten und schleuderte sie dann mit einem kräftigen Schwung aus dem Handgelenk nach oben. Das Bündel mit den Kletterhaken und die Steigeisen, die er als Beschwerung ans Ende des Seils gebunden hatte, flogen hoch über das Dach, wurden aber vom Wind seitwärtsgerissen. Mühsam holte er das Seil wieder ein, stemmte sich angestrengt gegen den Wind, während er sich abmühte, das Seil wieder in Schlingen aufzunehmen, dann warf er es noch einmal mit aller Kraft in die Höhe. Das ineinander verkeilte Klettergerät schlug auf dem Dachfirst auf, und der Wind wehte das Seil in einem weiten Bogen nach außen, aber diesmal hatte er Glück. Die Steigeisen verhedderten sich in dem Stahlkabel, und so konnte er sich mit seinem Gewicht in das Seil stemmen und das Kabel weiterzerren, bis es an dem Haken straff gezogen war, der es am Dachgiebel hielt. Er wickelte sich das Seil um die Hüfte, sprang von der Veranda zurück und zur Seite, bis ihm die Halteplatte mit rauem Scharren und heftigem Rumpeln um die Beine sprang und das Drahtseil sich löste. Er hechtete nach der Platte und klemmte dabei gleichzeitig das Seil, dessen Ende irgendwo draußen im Schneesturm wehte, mit Knien und Armen fest, da der Wind schon heftig daran zerrte.

In hektischer Eile packte er das ausgefranste Seilende und zog es ins Licht, das durch die Fenster an der Veranda entlang ins Freie drang. Er stemmte sich mit dem Rücken gegen den Wind, hieb mit raschen Bewegungen die scharfen, ausgefransten Seilenden ab und löste die Bügel der Halteplatten. Dann zerrte er das schwere Drahtkabel aus dem Licht und kämpfte sich mit gesenktem Kopf auf die Scharte im Grat zu. Als er näher kam, zwang ihn der Wind in die Knie. Die letzten paar Meter kroch er, und das Stahlseil schnitt ihm in die Schulter, bis er endlich den Ringhaken greifen konnte, der aus dem Felsen herausragte.

Das Seil schwang, sobald er es vom Boden hob, heftig hin und her, als er das gekappte Ende durch den dicken Metallring fädelte. Obwohl er sich mit aller Kraft gegen das träge Pendeln stemmen musste, gelang es ihm schließlich, die Halteplatte, die Bügelschrauben und die Ratsche am Seil zu befestigen. Als er die Ratsche spannte, straffte sich das Seil zwischen der Hütte und der Ringschraube zu einer starren Metallstange, die im Wind vibrierte. Mit fliegender Eile befestigte er die Halteplatten auf beiden Seiten der Schlaufe und zog die Schrauben an, bis es das Kabel zusammendrückte. Als er die letzte der sechs Schrauben angezogen hatte, waren seine Finger taub und die Handflächen von dem ausgefransten Seil tief zerschnitten. Dort, wo er mit dem Schraubenschlüssel abgerutscht war, hing ihm die Haut in Fetzen von den Knöcheln, als ob Mäuse daran genagt hätten, und von seinen Fingerstümpfen tropfte das Blut. Der Schnee um seine Knie herum war mit hellroten Flecken übersät. Schwer atmend ließ er sich hinter den schützenden Felsen fallen und warf einen prüfenden Blick auf die Hütte, während der Schnee ein paar Meter neben ihm wie Wasser durch die Scharte im Grat strömte. Ab und zu wurde das Seil schlaffer, dann spannte und straffte es sich wieder, und der Wind ließ es in einem hohen Ton vibrieren, aber wenigstens drehte und bog sich die Hütte nun nicht mehr.

Es dauerte weitere mühevolle dreißig Minuten, bis er den Grat entlanggekrochen und den zweiten Ringhaken überprüft hatte, der von Schnee bedeckt war. Die zusammengeschraubten Sicherungsplatten hielten, und das Drahtseil klemmte fest dazwischen. Sobald er zurück im Schutz der Veranda war, nahm er sein Kletterseil auf, hängte die Haken und Steigeisen aus, und schob den Riegel an der Tür zurück.

Der Wind riss sie auf und zog ihn dadurch geradewegs in die Hütte. Als er sich hastig herumdrehte, um seine Schulter schwer gegen die Tür zu drücken, damit er sie unter großem Krafteinsatz schließen konnte, rutschte er auf den Bodenbrettern aus. Der innere Schnappriegel der Tür hob sich, senkte sich wieder und rastete dann in den Verschluss ein. Er lehnte sich weiter schwer gegen die ächzenden Balken, packte ein langes Holzstück und klemmte es in die zu beiden Seiten der Tür angebrachten Haltearme, wobei er einen blutigen Handabdruck auf dem Holz hinterließ. Erst dann sank er auf die Knie, wiegte sich vor und zurück und stöhnte, während das Blut in seine Hände zurückschoss und die Schmerzen beim Auftauen der Hände ihm wie Messer unter die Fingernägel fuhren.

»Was ist passiert? Bist du verletzt?« Cassie starrte beunruhigt auf die schneebedeckte, stöhnende Gestalt, die an der Tür auf dem Boden kauerte.

»Nein, geht schon.« Seine Stimme klang gedämpft, als er die Worte in seine hohlen Hände murmelte, die er mit seinem Atem wärmte.

»Du blutest ja! Wieso hat es draußen so gekracht?« Cassie schwang die Beine vom Bett herunter und legte das Buch, das sie gelesen hatte, beiseite.

»Du willst wohl immer alles ganz genau wissen?«, sagte er,

und dann begann er leise und mit wachsender Vehemenz zu fluchen, als das heiße Blut bis zu seinen Fingerspitzen vordrang. Sie wollte schon etwas erwidern, doch dann verdrehte sie nur die Augen, ging zum Ofen hinüber und schob den Kessel auf die Herdplatte. Mit leiser Sorge beobachtete sie, wie er sich hin und her wiegte. Sie brühte den Kaffee auf und trug die Kanne zum Tisch, setzte sich und sah zu ihm hinüber, während er – kauernd wie ein Betender – bei der Tür blieb. Sie sah die blutigen Handabdrücke auf dem Querholz. Er rappelte sich langsam hoch, kam herüber und setzte sich auf den Stuhl am Fenster. Dort legte er seine Unterarme auf den Tisch, die Handflächen nach oben gedreht, die Finger gespreizt. Eine Ansammlung dunklen Blutes bildete sich in seiner rechten Hand, wo zwei tiefe Schnitte diagonal von seinem Daumenballen zum ersten Gelenk seines kleinen Fingers verliefen. Sie konnte bis auf den Knochen sehen, und als Patrick versuchte, eine Faust zu machen, klaffte der Schnitt grässlich über dem Muskel seines Daumens auf und legte das Fleisch frei wie bei einem Steak, das man aufgeschnitten hat, um zu testen, ob es durch ist.

»Mein Gott! Was ist passiert?« Sie griff nach seiner verwundeten Hand, aber er zog sie weg.

»Das war das Kabel«, sagte er und sah sie an. »Es schlug hin und her – und hat mich verletzt.« Er streckte die Finger, und das Blut tropfte dickflüssig auf den Tisch.

»Was für ein Kabel?«

»Das Drahtseil, die Verankerung«, erwiderte er und griff nach dem Tabakbeutel, der neben der Kaffeekanne lag. »Es hält die Hütte zusammen. Es ist gerissen.« In diesem Moment bebte die Hütte, die Deckenbalken ächzten, und rußiger Staub setzte sich auf dem Tisch ab. Sie blickte ängstlich zur Tür, als würde gleich etwas hereinbrechen.

»Es hält die Hütte zusammen? Du meinst, es bewahrt sie vor dem Einstürzen?«

»Im Moment schon noch«, erwiderte Patrick. »Ich habe es repariert … sozusagen.« Er schob ihr den Tabakbeutel hin und stand dann auf. »Drehst du mir eine? Sei so nett.«

»Kann ich nicht. Ich bin Nichtraucherin.«

»Aber ich kann gerade auch nicht«, sagte er und ballte mit einer Grimasse die blutigen Finger zur Faust. »Und ich bin Raucher. Vielleicht könntest du es mal versuchen, ja?« Er ging zum Bett hinüber und griff nach dem blauen Erste-Hilfe-Beutel. Währenddessen öffnete Cassie mit zweifelnder Miene den Tabakbeutel und zog das Briefchen mit dem Zigarettenpapier heraus. Als Patrick zurückkam, stellte er den Beutel und eine blaue Flasche auf den Tisch und setzte sich.

»Bevor du weitermachst, füll bitte noch etwas Wasser aus dem Kessel in eine Schüssel.« Sie nickte, nahm eine Plastikschüssel vom Wandregal und stand auf. »Ach, und bring mir das Salz. Es steht dort drüben.« Er deutete auf ein Regal voller Dosen mit Fertiggerichten und Gläsern mit Hülsenfrüchten und Gewürzen. Sie fand die blaue Pappdose mit Salz, füllte die Schüssel bis zur Hälfte mit dem dampfenden Wasser und zog eine Gabel aus einem Krug mit Besteck neben dem Herd.

Sie sah ihm dabei zu, wie er eine Tasse Salz abmaß, es in die Schüssel kippte und mit der Gabel kräftig umrührte. Durch das Wasser zogen sich rosafarbene Schlieren, da von seiner Handfläche noch immer das Blut tropfte. Als sich das Salz endlich so weit aufgelöst hatte, dass er zufrieden war, spreizte er die Finger so weit wie möglich und tauchte seine Hand mit der Handfläche nach unten in das heiße Wasser, das sich augenblicklich blutrot färbte. Sie beobachtete sein Gesicht, als ihm der Schmerz in die Hand schoss. Sein Blick war starr auf das Wasser gerichtet, und nur ein Keuchen durch zusammengebissene Zähne war zu hören. Dann senkte er den Kopf und begann, seine Hand im Wasser hin und her zu schwenken.

»Was macht die Zigarette?«, fragte er, und Cassie wandte rasch den Blick ab und griff nach dem Zigarettenpapier.

»Ich geb mir Mühe«, erwiderte sie und zupfte etwas Tabak aus dem Beutel. »War das wirklich nötig?«, fragte sie, als sie ihn auf dem Papier ausbreitete. »Das Salz, meine ich.«

»Ist gut zum Desinfizieren«, erwiderte Patrick. Sie sah, dass ihn das Sprechen anstrengte.

»Das tut doch sicher weh.«

»Ja.« Als er die Finger beugte, zuckte er zusammen, und das Wasser wurde noch dunkler. »Das ist so bei Medizin«, sagte er. »Was wehtut, hilft.«

»Nicht unbedingt«, erwiderte sie und gab sich alle Mühe, den Tabak in eine längliche Form zu bringen. »Das ist doch wieder dieser alte Irrglaube, dass man das Leid stoisch ertragen muss. Hättest du stattdessen nicht irgendeine Salbe draufschmieren können?«

»Das kommt schon noch. Und du stellst schon wieder Fragen. Wo bleibt denn jetzt meine Zigarette?«, fauchte er. Cassie hielt eine unförmige Papiertrompete in die Höhe, an deren Enden die Tabakfäden wirr hervorschauten. Patrick musste grinsen, und seine Stirn, die er die ganze Zeit über gerunzelt hatte, glättete sich endlich. Mit einem amüsierten Glucksen griff er mit den Fingerstümpfen seiner linken Hand nach der Zigarette. Er knipste den Tabak vom dünneren Ende ab und steckte sie sich zwischen die Lippen. Cassie fuhr mit dem Daumen über das Feuersteinrad seines Gasfeuerzeugs und hielt die Flamme an die Zigarette. Die Spitze glühte auf, als er daran zog. Er blies Rauch über den Tisch, seufzte, hob die Zigarette hoch und deutete mit dem Kopf eine Verbeugung an.

»Gar nicht schlecht für einen ersten Versuch«, meinte er. »Sieht komisch aus, raucht sich aber ganz gut.« Er lächelte sie an, und sie stockte und wurde verlegen. »Danke«, fügte er hinzu. »Na dann, packen wir's an.« Er klemmte die Zigarette zwischen die Lippen, blinzelte, als ihm der Rauch in die Augen stieg, und zog den Reißverschluss des Erste-Hilfe-Beutels auf. Dann holte er Wundkompressen, Pflaster, mehrere Salben, eine Schere und Verbandsmaterial heraus.

»Man muss die Wunde ausbluten lassen. Und das Salzwasser fördert die Heilung«, sagte Patrick. Bei seinen Worten wippte die Zigarette zwischen seinen Lippen, und er zuckte zusammen, als er seine Hand im Salzwasser zusammenballte und wieder spreizte und an beiden Seiten dunkle Blutwölkchen hervorquollen. Als er die Schnittwunden gut ausgewaschen hatte, griff er nach der blauen Flasche, die neben dem Erste-Hilfe-Beutel stand, und schraubte mit den Zähnen die Kappe ab. Cassie fragte sich, wie er es schaffte, dass ihm dabei die Zigarette nicht aus dem Mund fiel. Er hob die Hand aus der Schüssel, tupfte mit einem Wattebausch rasch das Wasser ab und spritzte dann die klare Flüssigkeit aus der blauen Flasche über die Handfläche. Der Schmerz fraß sich ihm tief ins Fleisch. Er nahm einen tiefen Zug von der Zigarette, hustete und verzog das Gesicht. Bevor noch mehr Blut herausquellen konnte, drückte er einen Wattebausch auf die Hand, vor allem am Daumenballen, wo der Schnitt besonders lang und tief war.

»Das muss genäht werden«, meinte Cassie schließlich leise. Sie wollte ihn in seiner Konzentration nur ungern stören.

»Ich weiß«, sagte er und schaute auf. »Aber mit links kann ich das nicht. Also werde ich mich wohl noch eine Weile gedulden müssen.«

»Wie lange wird dieser Sturm denn dauern?«, fragte sie, und während sie noch sprach, schien das Heulen des Windes noch eine Note höher zu klettern. Sie zog fröstelnd die Schultern hoch.

»Mindestens noch einen Tag«, sagte er, nachdem er einen Blick über seine Schulter auf das Barometer geworfen hatte. »Aber wahrscheinlich eher zwei, vielleicht auch drei – so rapide wie das Ding hier fällt.« Er schnippte die Zigarettenkippe mit bemerkenswerter Zielgenauigkeit zum bauchigen Kanonenofen. Die feuchte Kippe dampfte, als sie auf dem heißen Metall landete.

»Das hast du jetzt aber nicht zum ersten Mal gemacht, oder?«, fragte sie, und er nickte mit zufriedenem Lächeln.

»Immer wenn mir langweilig war«, gestand er. »Und diese Stürme werden nach einer Weile schon ziemlich langweilig.« Die Hütte neigte sich unter einer weiteren Windböe, und Cassie bemerkte seinen besorgten Blick auf die Balken am anderen Ende des Raums.

»Aber das hier ist kein normaler Sturm, oder?«, fragte sie. Er wandte sich ihr zu und richtete sich auf seinem Stuhl auf, presste aber weiter sorgfältig die Watte auf seine Hand. »Ich spüre ihn am ganzen Körper. Es ist nicht nur der Wind und das Tosen draußen und das Barometer. Ich spüre, wie er mir den Rücken hochkriecht«, sagte sie und ließ einmal mehr die Schultern kreisen, als wollte sie das elektrisierende Gefühl abschütteln.

»Ach«, sagte er und schob ihr seinen Tabakbeutel hin, »das kommt sicher vom Föhn. ›Atmosphärische Spannungen‹ nennen das die Wissenschaftler – dieses Gefühl, elektrisch aufgeladen zu sein. Ich würde es eher ›schlechte Neuigkeiten‹ nennen.«

»Und du meinst, das kommt alles vom Wind? Dieses seltsam beklemmende Gefühl … Es ist nicht elektrisch, es ist … es ist irgendwie … unheimlich«, stammelte sie fast beschämt über ihre Worte. Er blickte vielsagend auf den Tabakbeutel, und sie griff danach und zog das Zigarettenpapier heraus.

»Es ist unheimlich, aber es kann noch viel schlimmer werden. Das Vieh bricht in Panik aus der Weide aus, Menschen verfallen dem Wahnsinn, Mütter erleiden Fehlgeburten, Kinder werden vor Entsetzen stumm, Babys, die im Sturm nach einem Föhn geboren werden, sind gelähmt und haben irreparable Hirnschäden.« Er schmunzelte, als er ihre ungläubige Miene sah. »Zumindest sagt man das hier so. Ammenmärchen oder Bergbauernlatein, was?«

»Nun, die müssen es ja wissen.«

»Ja, stimmt, aber solche Geschichten sind immer ein wenig übertrieben. Natürlich kann das Vieh in Panik geraten, vielleicht verliert auch irgendwer den Verstand, weil sich seine Herde aus dem Staub gemacht hat, und in jeder Generation wird ein Dorftrottel geboren. Da ist es doch viel einfacher, wenn man den Sturm dafür verantwortlich macht als den Inzest.«

»Aber du meintest doch, die Wissenschaftler hätten Belege dafür gefunden, oder?«

»Sie haben einiges herausgefunden, was dafür spricht. Diese atmosphärischen Spannungen beispielsweise, eine Art von elektrischer Aktivität, die gibt es wirklich. Der Wind erzeugt sie irgendwie – der Föhn. Angeblich hängt das mit der Erdatmosphäre zusammen.«

»Glaubst du an diese alten Geschichten?«

»Nein, eigentlich nicht.«

»Warum nicht? Damit haben sich die Menschen doch über Generationen, vielleicht sogar über Tausende von Jahren auseinandersetzen müssen. Warum sollte man ihnen keinen Glauben schenken? Vielleicht hat man früher einmal behauptet, dass nichts dahintersteckt, aber wenn diese Wissenschaftler inzwischen bewiesen haben, dass solche seltsamen Phänomene auftreten, warum sollte man ihnen dann nicht glauben?« Sie reichte ihm eine weitere tütenförmige Zigarette, zündete sie an und beobachtete ihn dabei, wie er seine Hand untersuchte und Rauch über den Tisch blies.

»Dass der Föhn sehr ungewöhnliche atmosphärische Bedingungen schafft, haben sie vielleicht bewiesen, ja. Aber die Sache mit dem Wahnsinn und den Fehlgeburten haben sie weder beweisen noch entkräften können.«

»Ach ja, und du rauchst zu viel.« Er grummelte, und anstatt auf ihren Einwand zu reagieren, beugte er sich vor und hob die Wattekompresse von seiner Hand. Auf der Watte sah man den Abdruck von zwei dunkelroten Streifen, aber der Daumen hatte aufgehört zu bluten. Patrick hielt die Hand ganz still und legte vorsichtig die Kompresse wieder auf.

»Man weiß aber, wenn einer dieser Stürme losbricht, dann geschieht eine Reihe von Dingen. Dem Sturm geht ein warmer und äußerst kräftiger Föhn voraus. Anschließend folgen mehrere weitere Stürme, Frost, schwerer Schneefall, das Übliche. Diese Föhnwinde erzeugen große Mengen niedrigfrequenter elektromagnetischer Wellen in der Atmosphäre – daher auch der Name ›atmosphärische Spannungen‹. Und dann geschehen seltsame Dinge«, bekräftigte er und sah sie direkt an. »Sie verursachen elektrische Spannungen in der Hirnrinde bei Menschen, die unter Kopfschmerzen leiden, stören die geistigen Fähigkeiten, verkürzen die Aufmerksamkeitsspanne, verschlechtern die Gedächtnisleistung, beeinträchtigen das Denk-vermögen ... Aber Wahnsinn und Fehlgeburten, nun, da geht es um etwas anderes.«

»Spürst du das alles auch?«, fragte sie.

»Es heißt, dass man bei Föhn alles Mögliche spürt. Vögel suchen das Weite, Menschen werden reizbar, es ereignet sich Seltsames ...«

»Ich habe aber gefragt, ob *du* es spürst.«

»Nein«, erwiderte Patrick und warf wieder einen Blick auf das Barometer. »Aber vielleicht bin ich es auch gewöhnt.«

»Ist das ein schlimmer Sturm – schlimmer als üblich?«, fragte sie, aber er antwortete nicht, sondern starrte nur weiter an die Platten der Deckenverkleidung über dem Barometer, als lausche er einem vertrauten Geräusch. Das ohrenbetäubende Geheul des Windes und das Ächzen der Balken in den Hütten-wänden jagten ihr allmählich Angst ein. »Wird die Hütte hal-ten?«, fragte sie nervös. Er drehte sich langsam um und sah sie nachdenklich an.

»Ich hoffe es«, sagte er schließlich. »Wenn der Sturm bald kommt, dann glaube ich, dass sie hält.«

»Was meinst du mit ›wenn der Sturm kommt‹? Und was ist dann das da draußen?«, fragte sie und wies mit dem Kopf Rich-tung Fenster, das ständig ächzte und vibrierte.

»Das ist der Föhn*wind*. Dann folgt der Föhn*sturm* – manch-mal sind es auch mehrere.«

»Ah, ich verstehe.« Aber im Grunde verstand sie gar nichts und musste immer nur daran denken, dass der Sturm schon seit achtzehn Stunden wütete – und nun wurde ihr gesagt, er habe noch gar nicht richtig angefangen. Sie spürte, wie ihr wie-der die Angst in die Glieder fuhr. »Macht dich dieser ewige Lärm nicht wahnsinnig? Ich meine, wenn er tagelang anhält?« Sie machte eine ausholende Geste. »Macht dir das nichts aus?«

»Wie gesagt, es kann sehr langweilig werden.« Er blies einen dünnen Rauchstrom Richtung Decke. »Aber es gibt auch gute Nachrichten.«

»Oh, und welche?«

»Das Drahtseil hält immer noch. Und solange es hält, dürfte die Hütte stehen bleiben.«

»Und wenn es nicht hält?«

»Ich bin mir nicht sicher«, erwiderte er und blickte auf das Barometer, während die Hütte erneut bebte. »Aber ich gebe ihr nicht mehr allzu viel Zeit, wenn das hier noch weiter fällt.«

»Und was dann?«

»Mach dir keine Sorgen, das sehen wir dann, wenn es so weit ist«, sagte er. »Wir werden es hören, wenn sie kurz vor dem Auseinanderbrechen ist, und wenn wir uns gut vorbereiten, dann wird uns auch nichts passieren. Sie wird nicht in die Luft gewirbelt werden, also sollten wir selbst dann immer noch genug Schutz finden, um hier oben abwarten zu können, bis das Wetter aufklart. Es wird nur nicht mehr so gemütlich sein hier drinnen.«

»Und wie bereiten wir uns darauf vor?«

»Zunächst überlegen wir, was von der Hütte am ehesten stehen bleibt, wenn sie wirklich zusammenbricht, und das weiß ich schon. Zweitens stellen wir sicher, dass wir ein Lager mit überlebenswichtigen Dingen zusammenstellen, das nicht mit der Hütte in alle Winde zerstreut wird und das uns am Leben hält. Drittens versuchen wir einzuschätzen, wann die Zerstörung der Hütte bevorsteht, und dann verkriechen wir uns mitsamt unserer Ausrüstung in den Unterschlupf, den wir uns eingerichtet haben.« Er unterstrich jeden Punkt, indem er dazu ein Rauchwölkchen ausstieß, und als er sich vorbeugte, um die Kippe auszudrücken, warf er ihr einen ironischen Blick zu. »Dieser letzte Punkt ist auch der schwierigste. Wir können nur hoffen, dass es nicht auch unseren Unterschlupf erwischt, wenn die Hütte zerstört wird, und dass wir früh genug vorgewarnt werden. Die andere Möglichkeit ist, dass wir versuchen, uns einen Weg ins Dorf hinunter zu bahnen – aber das halte ich für keine besonders gute Idee.«

»Und das waren jetzt die guten Neuigkeiten?«

»Ja. Ich wette, du bist jetzt froh, dass du hiergeblieben bist, nicht?«

»Ich kann mich nicht daran erinnern, dass ich in dieser Angelegenheit viel zu sagen gehabt hätte.«

»Stimmt«, pflichtete er ihr bei. »Du wärst jetzt tot, wenn du mit deinem Mann weiter abgestiegen wärst.«

»Mit Callum«, korrigierte sie ihn scharf.

»Ach ja, und die andere gute Nachricht ist die.« Er ignorierte ihren verärgerten Einwurf und streckte ihr seine Hand mit der Kompresse auf dem Daumen hin. »Ich glaube, das hier sollte doch lieber genäht werden.«

»Du willst, dass ich das nähe?«, fragte sie. »Ich habe noch nie so etwas gemacht … Ich glaube nicht, dass ich so was kann …«

»Natürlich kannst du das«, erwiderte er mit einem tadelnden Stirnrunzeln. »Du hast eben zwei Zigaretten gedreht, und das, obwohl du vor gar nicht allzu langer Zeit noch dachtest, das könntest du nicht.«

»Aber das ist doch etwas ganz anderes, oder? Ich meine, eine Wunde nähen ist etwas Ernstes. Was ist, wenn ich es falsch mache?«

»Was kann man da schon falsch machen? Erzähl mir nicht, dass du nicht nähen kannst. Vielleicht tust du mir ein bisschen mehr weh als nötig, aber das ist doch mein Problem.«

»Nein, wirklich, ich kann nicht –«

»Sieh mal«, unterbrach er sie. »Das wächst nicht zusammen, wenn nur ein Verband drauf ist, vor allem nicht, wenn ich die Hand wieder benutzen muss. Und in drei Tagen ist es zu spät zum Nähen. Das muss jetzt gemacht werden. Ich kann ja versuchen, es mit meiner linken Hand zu machen, aber aus offensichtlichen Gründen wäre das ziemlich schwierig.« Er hielt das hoch, was von seiner Hand übrig geblieben war. Die Stümpfe waren oben abgerundet und verhärtet. »Die taugen nicht so gut zum Festhalten von Nadeln, verstehst du?«, sagte er stirnrunzelnd.

»Warum können wir die Hand nicht einfach fest verbinden, und du versuchst sie nicht zu gebrauchen?«

»Weil ich mir das vielleicht nicht aussuchen kann. Wenn die Hütte zusammenfällt, werden wir uns ganz schön ranhalten müssen, um am Leben zu bleiben und hier oben auszuharren oder uns ins Tal runterzukämpfen. Und für beide Fälle möchte ich die Wunde genäht und verbunden haben. Nun mach schon, versuch es zumindest. Ich werde dir genau sagen, was zu tun ist. Es dauert auch nicht lang.« Er kramte weiter in dem Erste-Hilfe-Beutel, bis er ein Metallröhrchen mit einem Schraubdeckel gefunden hatte. Er reichte es Cassie.

»Hier: Nadeln. Der Faden ist schon drin«, sagte er. »Du brauchst nur eine, schätze ich – das heißt, wenn du ordentliche Knoten machen kannst. Nur zu, hol eine raus! Bringen wir es hinter uns. Ach ja, und dreh mir doch bitte noch eine. Wenn das hier erledigt ist, werde ich bestimmt eine brauchen.«

Er hob die Wattekompresse von der Wunde. Zwei Schnitte, einen Fingerbreit voneinander entfernt, verliefen quer über seinen Daumenballen. Er legte seinen Handrücken auf den Tisch und bewegte dann langsam seinen Daumen. Die Schnitte klafften auf, und Blut quoll aus der tiefsten Wunde. Er zog seinen Daumen zurück, und die Wunden schlossen sich. Cassie konzentrierte sich auf das Drehen der Zigarette und fummelte nervös mit dem widerspenstigen Papierchen und dem Tabak herum.

»Wir fangen mit dem hier unten an«, sagte er, als er mit der Wattekompresse das Blut abtupfte. »Es ist der viel tiefere Schnitt, und vielleicht müssen wir den oberen gar nicht nähen. Fünf Stiche, höchstens sechs, das sollte reichen.«

Cassie sagte nichts. Sie legte die Zigarette sorgfältig auf die Seite und das Gasfeuerzeug daneben. Als sie sich die offene Wunde ansah, verzog sie das Gesicht. Patrick schien bemerkenswert gefasst. Ob es wohl etwas Alltägliches für ihn war, ohne Betäubung von einer vollkommen Fremden genäht zu werden? Vielleicht lag es aber auch einfach in seiner Natur. Ihr war bereits aufgefallen, mit welcher beherrschten, gemächlichen Effizienz er sich bewegte.

Sie beobachtete, wie er die Wunde abtupfte und wie sorgfältig und zart er dabei vorging, trotz seiner verstümmelten Finger. Ein paar Stiche, ganz gleich, wie unbeholfen sie von ihr ausgeführt würden, waren nichts, verglichen mit dem, was er beim Verlust seiner Finger erlitten hatte. Es gefiel ihr, dass er sich wegen seiner Hand nicht im Geringsten zu genieren schien. Im Gegenteil, er tat so, als wäre es nichts Ungewöhnliches, solche Fingerstümpfe zu haben. Es musste schon vor langer Zeit passiert sein, so geschickt, wie er die Stümpfe einsetzte, und so entspannt, wie er angesichts ihres Aussehens wirkte. Sie merkte, dass er sie dabei beobachtete, wie sie seine Hand anstarrte, und schaute hastig weg.

Sie schraubte das Röhrchen auf und ließ die Folienbeutelchen auf den Tisch gleiten. Dann wandte sie sich um und sah die sich öffnenden und schließenden, unablässig blutenden Schnitte mit grimmiger Faszination an. Sie stellte sich vor, wie sie gleich die Nadel durch die Haut stechen würde. Bestimmt würde es sich nicht viel anders anfühlen, als würde man durch einen schweren Baumwoll- oder Zeltstoff stechen. Die Ränder der Wunde klafften fast obszön auf, dann schlossen sie sich wieder und ließen eine Linie aus roten, blasigen Tröpfchen zurück. Sie sah, dass es ein vollkommen gerader, sauberer Schnitt war. Das würde die Sache vereinfachen.

»Meinst du, du schaffst es?«, fragte Patrick sanft.

»Ja«, erwiderte sie mit fester Stimme. Sie zog eines der Folienbriefchen auf und holte die gebogene Nadel mit dem aufgerollten Faden heraus. Dann blickte sie auf. »Ich werde mein Bestes tun.«

»Hier, reinige zuerst deine Hände damit.« Patrick schob ihr das Alkoholfläschchen über den Tisch zu. »Und mach dir keine Sorgen. Ich bin sicher, dein Bestes wird gut genug sein.«

Es war leichter, als sie erwartet hatte, fühlte sich an, als nähe man warmes, weiches Wildleder. Sie zuckte jedes Mal zusammen, wenn sie ihm die Nadel durch die Haut stieß, und spürte, wie sich ihr Magen verkrampfte, denn sie erwartete, einen Schmerzenslaut von ihm zu hören. Er sagte aber keinen Ton, und als sie nach dem festen Verknoten des ersten Stiches ängstlich hochblickte, lächelte er sie ermutigend an. Als der sechste Stich gesetzt war, tauchte sie etwas Watte in Alkohol, wischte sanft das Blut ab und tupfte behutsam rund um die dunklen Knoten der Stiche. Er beugte den Daumen, und der zweite Schnitt klaffte auf, bis Blut daraus hervorquoll. Cassie drückte die Watte auch auf diese Wunde, dann presste sie die Ränder fest zusammen, um die Blutung zu stillen, und setzte rasch und ohne zu fragen einen Stich quer über die tiefste Stelle des Schnitts.

»So sollte es reichen«, meinte sie schließlich, als sie mit der frisch getränkten Watte über seinen Daumen tupfte. »Das hat sogar richtig Spaß gemacht«, fügte sie fröhlich hinzu.

»Na, das freut mich aber«, erwiderte Patrick.

»Oh, tut mir leid«, sagte sie. »Für dich muss es ziemlich schmerzhaft gewesen sein. Aber du warst sehr tapfer, hast dich gar nicht gesträubt. Du hast es mir einfach gemacht.«

»Nein, du hast das schon gut gemacht. Saubere Arbeit.«

Er wollte seine Hand zurückziehen, aber sie packte sein Handgelenk und zog es zu sich zurück.

»Jetzt muss sie noch ordentlich verbunden und die Stiche durch Pflaster geschützt werden.« Sie wandte sich ab, überrascht von ihrem plötzlich autoritären Ton, und durchwühlte den Erste-Hilfe-Beutel, bis sie gefunden hatte, was sie brauchte. Er hatte sie ruhig gewähren lassen, als sie seine Hand festhielt. Er sah ihr zu, und sie spürte, dass er jede ihrer Handbewegungen genau verfolgte, beobachtete, wie gründlich sie alles tat, und aufpasste, ob sie es richtig machte. Vermutlich machte er das immer so.

Mit bedächtiger Genauigkeit schnitt sie ein Stück Pflaster in dünne Streifen und klebte sie über die ungenähten Partien der Wunden, um sie zusammenzuheften. Sie strich eine großzügige Portion desinfizierender Salbe über die genähte Wunde, legte ein Stück Gaze über seinen Daumenballen, bedeckte es mit einer Verbandskompresse und fixierte alles mit einer elastischen Binde. Das Seil hatte neben der Wurzel seines kleinen Fingers so tief ins Fleisch geschnitten, dass sie den Knochen und den silbergrauen Knorpel des Sehnenansatzes hervorschimmern sah. Es war nicht möglich, diese Wunde mit einem

Stich zuverlässig zu schließen, und sie vermutete, dass sie wegen der ständigen Bewegung der Finger nur sehr langsam heilen würde.

Sie schürzte die Lippen und konnte ihm den Schmerz nachfühlen, als sie ihm den Alkohol direkt aus der Flasche auf die Wunde schüttete. Er trocknete an der Luft schnell, und sie strich einen dicken Klecks der Salbe auch über diesen Schnitt und umwickelte die Wunde wiederum mit schützender Gaze. Als sie die Binde fest anzog, spürte sie, wie sein Körper sich verspannte und er zusammenzuckte. Sie klebte zwei breite Pflasterstreifen diagonal über die Wunde und legte einen Verband an, indem sie ihm die Binde um den kleinen Finger wickelte. Als sie fertig war, lehnte sie sich zurück und bewunderte ihr Werk. Patrick bewegte vorsichtig seine Hand; der straff sitzende Verband ließ seinen Fingern nicht viel Bewegungsfreiheit. Sie reichte ihm die Zigarette und beugte sich zu ihm vor, um sie ihm mit dem Gasfeuerzeug anzuzünden.

»Ist schlecht für deine Gesundheit«, sagte sie, als sie das Feuerzeug zuschnappen ließ.

»Das sind die meisten Dinge«, murmelte er. Dann stand er auf und griff auf das Regalbrett über ihr, das sich in Kopfhöhe die Wände der Hütte entlangzog. Mit einem unverständlichen Murmeln holte er mit seiner verletzten Hand eine Flasche Weinbrand herunter, die er ganz oben am Flaschenhals festhielt, um die Hand so wenig wie möglich öffnen zu müssen. »Das muss gefeiert werden.« Er goss zwei großzügige Schuss Weinbrand in die Kaffeeschalen und hielt eine davon hoch, um ihr zuzuprosten. Sie griff nach ihrer Schale.

»Danke, Cassandra«, sagte er und stieß mit seiner Schale an ihre. »Auf deine Nähkünste«, fügte er hinzu und kippte den Weinbrand in einem Zug hinunter.

Cassie sagte nichts und nippte an dem feurigen Schnaps. Sie spürte, wie die Wärme ihre Kehle hinunterrann und sich in ihrem Bauch ausbreitete. Er füllte seine Schale ein zweites Mal, die rauchende Zigarette zwischen den Zähnen. Diesmal nippte auch er nur daran, blinzelte ihr verschwörerisch zu und lehnte sich zurück. Sie sah, dass er sich nach dem Schmerz entspannte. Schweigend saßen sie eine Weile da. Sie suchte den verstreuten Inhalt des Erste-Hilfe-Beutels zusammen, verstaute alles ordentlich darin und wischte die Blutstropfen mit einem alkoholgetränkten Wattebausch vom Tisch. Dann stellte sie die Tasche vorsichtig auf die Ablage zurück, neben das Blutdruckmessgerät. Als sie an ihm vorbeiging, fragte sie sich, ob er sie die ganze Zeit beobachtete.

Sie kehrte mit zwei kleinen Weingläsern und dem Buch, das sie sich angesehen hatte, bevor er zur Tür hereingeplatzt war, zum Tisch zurück. Dann goss sie den Inhalt ihrer Schale in das Weinglas und tat mit seiner dasselbe. Sie fragte nicht, und er hatte nichts dagegen einzuwenden. Zum Schluss schenkte sie ihnen beiden Kaffee nach, setzte sich an ihren Platz zurück und nippte daran. Er war lauwarm.

Cassie hatte richtig gesehen. Er hatte sie tatsächlich beobachtet, und er fragte sich, warum er den Blick nicht von ihr lassen konnte. Zwischen ihnen hatte sich, seit sie zusammen am Tisch saßen, offensichtlich eine entspannte Kameradschaft entwickelt. Seit sie das Bewusstsein wiedererlangt hatte, war sie sich zunächst orientierungslos, herumkommandiert, kontrolliert und durch die Kälte und den Sturm und die plötzlich fremde Umgebung irgendwie zur Nutzlosigkeit verdammt vorgekommen. Das Gefühl der Vertrautheit fühlte sich sehr willkommen an. Es war irgendwie beim Nähen der blutenden Wunden entstanden, eine Aufgabe, die ihr ein hohes Maß an Konzentration abverlangt hatte. Sie hatte ihre Autorität zurückgewonnen. Sie hatte ihm ebenso geholfen wie er ihr. Zwischen ihnen klaffte nicht länger eine unüberbrückbare Distanz. Im Augenblick herrschte eine ruhige Gleichheit. Vielleicht war Vertrautheit das falsche Wort. Es war ein Verlust der Fremdheit. Sie fühlte sich irgendwie weniger bedroht.

Patrick spürte ihre Erleichterung und sah zu ihr hinüber. Sie erwiderte über den Tisch hinweg seinen Blick. Später schien es ihr, als hätten sie in jenem Augenblick einen weiten Weg zurückgelegt, bis sie an diesem Tisch zusammensaßen, aber da war es vielleicht auch schon zu lange her, und ihre Erinnerung täuschte sie.

Cassie war überrascht über ihre Ruhe, als sie das Sturmgetöse draußen wieder wahrnahm. Ihre Konzentration auf das Nähen war so intensiv gewesen, dass sie alles andere aus ihrem Bewusstsein ausgeblendet hatte. Nun lauschte sie dem Dröhnen und Tosen des Windes und dem sporadischen Beben der Hütte. Manchmal war sie sich sicher, dass sie sich hob oder seitlich verschob oder sich als Ganzes bewegte, aber nicht so heftig, dass sich einzelne Balken lockerten. Manchmal fuhr ihr von dem plötzlichen Rucken ein eisiger Schreck in die Glieder, und sie hatte das Gefühl, als würde die Welt einen Moment lang aus den Angeln gehoben. Dann drehte sie sich jedes Mal um und blickte auf das andere Ende der Stube, wo das stabile Bettgestell die ganze Breite des Raumes einnahm. Doch immer blieb die Hütte stehen, der Wind heulte, und sie blickte ihn verstohlen an, ob er ihr ängstliches Zusammenzucken bemerkt hatte. Nach außen hin war er ruhig, unbesorgt, und schien ihre Angst nicht wahrzunehmen.

Dennoch bemerkte er jedes Mal ihren panischen Schrecken, und auch er selbst spürte ein Aufwallen davon. Die Hütte bewegte sich, und er wusste, warum.

16

Die Abenddämmerung brach herein, ohne dass der Wind abflaute. Vom Fenster her war immer noch das unablässige Klappern zu hören, und als Cassie mit der Hand über die beschlagene Scheibe wischte und hinaus ins Halbdunkel spähte, sah sie, dass sich der Schnee inzwischen hoch auf der Veranda auftürmte. Sie fragte sich eben, ob der Föhnsturm bereits begonnen hatte, als ein so heftiger Windstoß die Hütte erzittern ließ, dass sie sich an der Tischkante festklammern musste.

Patrick hatte am Nachmittag schweigsam mehrere Stunden damit zugebracht, unter dem Bettgestell einen Unterschlupf zu bauen. Cassie hatte ihn dabei beobachtet, wie er die beiden Holzkisten unter dem Bett hervorgezerrt hatte, um Platz für die Matratze zu schaffen, die er so weit wie möglich unter die rohen Bretter schob, bis sie nur noch einen knappen Meter hervorstand. Dann hatte er die Kisten am Ende der Matratze aufeinandergestapelt. Aus einer von ihnen hatte er ein Stück ausgebleichten orangefarbenen Nylonstoff und eine alte, halb verrottete Zeltplane hervorgeholt. Den Stoff schlug er um die Kisten und spannte ihn bis zu den Brettern des Bettgestells. Mit einiger Mühe stemmte er eines der Bretter weg, wickelte das Stoffende darum, bis es hielt, und verkeilte das Brett dann mit ein paar kräftigen Fußtritten wieder in seiner ursprünglichen Position. Nun bildete der Nylonstoff über dem hervorstehenden Ende der Matratze ein straff gespanntes Dach.

Als Cassie ihn ermahnte, dass die Wundnaht an seiner Hand jeden Augenblick aufplatzen würde, wenn er sich nicht schonte, hielt er nur den Verband in die Höhe, um ihr zu zeigen, dass er nicht blutig war. Cassie beobachtete ihn weiter und sah, wie er ihre beiden Rucksäcke mit Vorräten füllte. Da er sich ihrer Blicke bewusst war, verstaute er die Blechschüsseln, den Gaskocher, die Wasserflaschen und die Energieriegel vorsichtig mit seiner unverletzten Hand. In beide Rucksäcke packte er jeweils Bergschuhe, Steigeisen und Eispickel, dann befestigte er an seinem außen noch ein Paar Schneeschuhe aus Aluminium. Als er mit seiner Arbeit zufrieden war, legte er die Rucksäcke auf die Holzkisten, um den darüber gespannten Stoff noch zusätzlich zu beschweren. An einer Seite befand sich eine schmale Öffnung, durch die man sich in den engen, mit der Matratze ausgepolsterten Unterschlupf unter dem Bett zwängen konnte. Durch diese stopfte Patrick den Schlafsack und einen voluminösen Gore-Tex-Biwaksack für zwei Personen.

Cassie fiel ein, dass sie in ihrem Gepäck noch einen Biwaksack hatte, doch als sie es Patrick sagte, meinte er, es sei wärmer, wenn zwei Personen in einem Sack lägen, vor allem da nur einer von ihnen einen Schlafsack hätte. Dann überprüfte er abermals sorgfältig alle seine Vorkehrungen und holte noch ein paar Dinge, die er vergessen hatte: eine petroleumgefüllte Sturmlaterne, die muffigen Wolldecken aus dem Stockbett und die beiden feuchten Matratzen, die er über die gesamte Konstruktion legte – als Kälteschutz und um das Stoffdach zu beschweren. Dann ging er noch einmal alles durch.

Patrick war nicht ohne Grund so schweigsam. Während er Cassie dabei zugeschaut hatte, wie sie seine Hand nähte, hatte er gespürt, wie sich irgendetwas verändert hatte, doch was genau geschehen war, konnte er nicht sagen. Er merkte sehr wohl, mit was für einem Blick sie ihn ansah. Schon bei ihrer ersten Begegnung, als sie steif vor Kälte zusammengebrochen war und er versucht hatte, sie vor den schlimmsten Folgen der Unterkühlung zu bewahren, hatte sie ihn mit weit aufgerissenen, blicklosen Augen unverwandt angestarrt. In jenem Moment hatte er jedoch noch das Gefühl gehabt, alles unter Kontrolle zu haben. Es hatte ein Problem gegeben, das nach einer Lösung verlangte, und das war etwas, was ihm eigentlich lag, doch dann hatte er sich von seiner Verärgerung ablenken lassen. Es machte ihn wütend, dass Cassie mitschuldig war an ihrer Situation, dass sie eine Unterkühlung in Kauf genommen hatte. Und wenn er an die Feindseligkeit und die gefährliche Sturheit zurückdachte, die Callum an den Tag gelegt hatte, packte ihn der Zorn. Am meisten aber ärgerte er sich über sich selbst, weil er Callum geschlagen hatte. Es war sehr lange her, seit er zum letzten Mal in Rage handgreiflich geworden war. Eigentlich hatte er sich inzwischen eine gewisse Selbstbeherrschung angewöhnt.

Er ging in die Hocke, um die Vorkehrungen, die er getroffen hatte, zu begutachten. Vielleicht würden sie sich als unnötig erweisen, doch er hatte gespürt, wie sich die Hütte bewegt hatte – erst einmal und dann noch einmal. Das konnte nur eines bedeuten: Das Drahtseil hatte sich gelöst. Es war völlig geräuschlos geschehen, ohne den erwarteten peitschenartigen Knall. Offenbar war es an der Stelle gerissen, wo es an der Hütte fixiert gewesen war. Nur mit großer Mühe hatte Patrick das Brett aus dem Bettgestell nach dem Spannen des Stoffes wieder darin verkeilen können, und ihm war augenblicklich klar geworden, dass die Hütte sich diesmal bewegt hatte, ohne danach wieder zurück in ihre ursprüngliche Position gezogen zu werden. Das Bettgestell hatte sich dabei ebenso verzogen wie die Wände. Jetzt gab es nichts mehr, was die Hütte noch an ihrem Platz hielt.

Soweit er wusste, besaß sie kein Fundament. Ursprünglich war sie nicht mehr als ein Unterstand für höchstens vier Personen und immer nur als Notunterkunft ausgelegt gewesen. Im Lauf der Jahre hatte Patrick sie ausgebaut, vergrößert, mit einem neuen Dach versehen und mehr oder weniger planlos seinen Bedürfnissen angepasst. Erst jetzt ging ihm auf, dass er wohl doch an ein sicheres Fundament hätte denken sollen, denn nun waren die wenigen Drahtseile das Einzige, womit sie an den umliegenden Felsen verankert war. Während er beobachtete, wie sich die Wände knarrend verzogen, fragte er sich, wie lange die Hütte der Wucht des Sturms noch standhalten würde. Mit jeder Stunde wurde die Einsturzgefahr größer. Er konnte sich genau vorstellen, wie es vonstattengehen würde. Zunächst würde sich die gesamte Hütte an Ort und Stelle drehen, da sie nur noch von einem einzigen Seil gehalten würde. Das Dach, das sich unter der Spannung der sich verdrehenden Hüttenwände an manchen Stellen bereits gelockert hatte, würde vom Wind angehoben werden, sich irgendwann ganz lösen und schließlich fortgerissen werden. Dann würde der Sturm den Korpus der Hütte bloßlegen, sie vollends entkleiden, bis auch die Wände – Brett für Brett – im Dunkel der Nacht verschwunden wären.

Da sich bislang nur eines der Seile gelöst hatte, würde das Bett vermutlich das Einzige sein, was unbeschadet bliebe, da es im ursprünglichen Teil der Hütte stand. Patrick schaute nach oben, in die Ecken der Stube. Wo die Deckenverkleidung an die Wände stieß, waren mehrere unübersehbare Spalten zu sehen, die sich mit jedem der rasch aufeinanderfolgenden Windstöße öffneten und wieder schlossen. Patrick starrte angestrengt hinauf, als versuche er zu erkennen, was draußen geschah, wo der Sturm mit voller Kraft wütete.

Er hatte solche Schäden noch nie gesehen und war entsprechend beunruhigt. Er wusste besser als jeder andere, wo die Schwachpunkte der Konstruktion lagen. Um die Hütte machte er sich mehr Sorgen als um sich selbst oder seinen unerwarteten, irritierenden Gast. Schlagartig wurde ihm klar, wie sehr ihm die Hütte ans Herz gewachsen war. Offenbar hatte er zu viele Jahre seines Lebens in dem windigen Häuschen gelebt, um nun ungerührt mit anzusehen, wie es in der Finsternis verschwand. Er hatte zu viele mühevolle Stunden damit zugebracht, all jene kleinen Details so zu verändern, bis die Hütte heimelig geworden war und – das war das Wichtigste – zu seinem Zuhause. Er wollte sie nicht verlieren.

Jetzt aber galt es, sich genau zu überlegen, was auf sie zukommen würde. Es würde – vielleicht abgesehen vom Loslösen des Daches – nicht mit explosionsartiger Wucht geschehen. Sie würden also genügend Zeit haben. Die Stabilität des hölzernen

Bettgestells zu nutzen und eine Art Höhle daraus zu bauen war die einfachste Lösung. Die Befestigungsseile, die rings um die Hütte angebracht waren, verliefen von der Höhe her knapp oberhalb des Bettes. Patrick nickte zufrieden, während er im Geist noch einmal jedes Detail durchging. Jetzt konnten sie nur noch abwarten. Er senkte den Kopf und lauschte dem tiefen Dröhnen des Windes, seinem unterschwelligen Timbre, das möglicherweise eine entscheidende Botschaft enthielt. Dann wusste er plötzlich, dass der Augenblick gekommen war. Er spürte es mehr, als dass er es hörte. Der Sturm hatte sich verändert. Eine Erinnerung stieg in ihm auf an das, was vor einem Vierteljahrhundert geschehen war, an ein Wetterzeichen, dem er vor langer Zeit schon einmal begegnet war. Der Wind flaute ab.

Patrick musste an die unglaubliche innere Ruhe denken, die er damals empfunden hatte, nachdem er dem wahnsinnigen Wüten des Windes entronnen war. Lautlos dahinziehende Schneewolken waren um ihn und über ihn hinweggewabert, und das Chaos des Sturms war endlich vorüber gewesen. Dann war der Schnee gekommen, und es war eisig kalt geworden. Patrick starrte auf seine verstümmelte linke Hand und ballte sie zur Faust. Wie lange das doch her war. Er nickte, ergeben und mit gerunzelter Stirn, bis er Cassies prüfenden Blick spürte. Schnell wandte er sich dem Unterschlupf zu und begann geflissentlich, ihn – noch einmal und völlig unnötigerweise – in Ordnung zu bringen. Cassie war der Augenblick, in dem er so ganz in seine Gedanken versunken und dennoch hoch konzentriert dagestanden hatte, nicht verborgen geblieben. Es hatte ausgesehen, als lausche er irgendeiner Botschaft von draußen, doch sie selbst hatte nichts weiter gehört als das unablässige Stöhnen des Windes und das gequälte Ächzen der Hütte.

Obwohl Patrick sich rasch wieder gefangen hatte, merkte er doch, wie verwirrt er war, und warf Cassie einen flüchtigen, strengen Blick zu. Im Grunde verbarg sich hinter seiner gerunzelten Stirn und der ernsten Miene jedoch nur seine Schüchternheit. Er hasste die ungewohnte Unbeholfenheit, die ihn jedes Mal überkam, wenn er mit einer Frau zusammen war, zu der er sich nur im Geringsten hingezogen fühlte. In solchen Momenten kam er sich seltsam ausgeliefert vor und konnte keinen klaren Gedanken mehr fassen. Dieses neu erwachte Verlangen, ein Gefühl, das er längst vergessen hatte, war ihm unangenehm. Er verdrängte es und versuchte stattdessen, an den Sturm zu denken, an das Drahtseil, das gerissen war, den Unterschlupf – an irgendetwas anderes als an die Art, wie sie ihn ansah, an die Empfindungen, die sie in ihm weckte, an jene Gefühle von damals, die jetzt wieder in ihm aufstiegen. Er stieß die Gefühle von sich, atmete tief durch, starrte auf den Verband an seiner Hand und versuchte ihr Bild vor seinem inneren Auge fortzuschieben. Verärgert stemmte er sich hoch und richtete sich auf. Mit schroffer Ungeduld schob er die Arme in seine Jacke und marschierte zur Tür.

»Ich geh kurz raus. Muss noch was nachschauen.« Er hob das Querholz aus seiner Halterung.

»Das Drahtseil?« Die Antwort auf ihre Frage war deutlich in seinen Augen zu lesen. »Du glaubst, dass es sich gelöst hat, oder?«

»Ja, aber schon vor einer Weile. Ich habe gespürt, wie ein Ruck durch die Hütte ging.«

»Ich auch. Aber warum hast du nichts gesagt?«

»Schien mir in dem Moment nicht sinnvoll.« Er zuckte die Achseln und wandte den Blick ab.

»Du musst mich nicht schützen.«

»Ach ja?«, erwiderte er schroff.

»Jetzt hör mal zu«, begann Cassie ärgerlich, doch ihre Worte gingen in der Schneewolke unter, die der Wind in die Stube trieb, als Patrick die Tür öffnete. Mit einem Mal war aus dem fernen Donnern des Sturms ein heftiges Tosen geworden. Die Schneeflocken peitschten Cassie nur so ins Gesicht, und sie griff hastig nach dem Buch, um es zuzuklappen. Sie hörte die Tür krachend ins Schloss fallen, als Patrick sie schwungvoll zuschlug, dann war es wieder still. Die Schneeflocken sanken zu

Boden und schmolzen mit einem Zischen auf dem heißen Ofen. Cassie wischte die dünne Schicht Pulverschnee vom Umschlag des Buches und vom Tisch. »Ich kann sehr gut auf mich selbst aufpassen«, beendete sie ihren Satz und starrte zornig zur Tür. Dann musste sie an Callum denken, an ihren Abstieg vom Grat und die beißende Kälte, die sie durchdrungen hatte, und schlagartig wurde ihr bewusst, dass sie wohl doch nicht so gut auf sich aufpassen konnte, wie sie glaubte. Sie erinnerte sich daran, wie Patrick sie die ganze Nacht hindurch umsorgt hatte, wie er ihr trockene Kleider angezogen, heiße Steine aufgelegt und ihr dabei strengste Anweisungen gegeben hatte. »Wenn er nicht gewesen wäre, wärst du jetzt tot«, fügte sie hinzu, in die Stille der Stube hinein.

Eine weitere plötzliche Windböe fegte über die Hütte hinweg und ließ die Holzbalken beängstigend knarren. Cassie zuckte zusammen. Patrick dagegen schien nichts so leicht aus der Fassung zu bringen. Es kam ihr vor, als würde er solche Dinge gar nicht bemerken, auch wenn ihm sonst nichts entging. Er besaß eine innere Gelassenheit, die sie gleichzeitig irritierte und beruhigte. Seine Art zu sprechen hatte etwas Nüchternes, Effizientes, eine sehr direkte, fast bissige Note. Sein Blick war durchdringend und duldete keinen Widerspruch. Seine Bewegungen strahlten eine würdevolle Ruhe aus, doch im Umgang mit Worten war er sparsam und barsch. Es war, als verberge er etwas, als habe er um alles, was er je getan hatte, eine hohe Mauer errichtet. Auch der Unterschlupf unter dem Bett war mit der routinierten Sorgfalt eines Mannes gebaut worden, der seine Abwehrhaltung längst verinnerlicht hatte. Er war es gewohnt, die Welt um sich herum auszuschließen – und das gelang ihm tatsächlich hervorragend.

Patricks besonnene und geschickte Vorkehrungen hatten Cassie fasziniert und beruhigt, aber irgendwie auch erschreckt. Offenbar wusste er genau, was zu tun war. Sein Vorgehen hatte nichts Aufgeregtes oder Hektisches, verriet keinerlei Besorgnis. Es hatte ihr Vertrauen eingeflößt zu beobachten, wie der Unterschlupf allmählich Gestalt annahm. Letztendlich sah er fast einladend aus, und für einen kurzen Augenblick war Cassie sogar versucht, sich die unausweichliche Zerstörung der Hütte als eine Art Abenteuer vorzustellen.

Als dann aber der eisige Schneesturm so unvermittelt durch die Tür drang, musste sie an die lähmende Kälte oben am Grat zurückdenken, der sie und Callum ausgesetzt gewesen waren, an die Nacht in der Hütte, an die sie keine Erinnerung mehr hatte, und wie sie innerlich vor Angst gebebt hatte, als Patrick sie völlig emotionslos über die Folgen einer Unterkühlung aufgeklärt hatte. Sie dachte an das peitschende Drahtseil und seine zerfetzte Hand und an die ungeheuren Kräfte, die am Werk sein mussten, um eine Hütte komplett aus ihrer Verankerung zu reißen. Einem solchen Sturm zwei Tage und zwei Nächte lang ausgesetzt zu sein würde kein Zuckerschlecken werden, ganz gleich wie einladend der Unterschlupf auch wirken mochte. Als sie darüber nachdachte, fand sie es alarmierend, wie routiniert und systematisch Patrick bei seinen Vorbereitungen zu Werke gegangen war. Seit sie seine Wunde verarztet hatte, war kaum ein Wort über seine Lippen gekommen. Dass er die Gefahr, der die Hütte ausgesetzt war, für real hielt, war unübersehbar, und die beängstigende Vorstellung davon war genug, um jeden erfreulichen Gedanken augenblicklich zu verdrängen. Patrick nahm die Situation sehr ernst, und das beunruhigte sie. Während die letzten Spuren des Schnees an den Wänden schmolzen, blickte Cassie zur geschlossenen Tür hinüber, und allmählich verrauchte ihr Zorn.

Einen Moment später flog die Tür auf und krachte gegen den Türpfosten, als Patrick in die Stube hineinschlitterte. Er klammerte sich an die Klinke, rutschte aber dennoch auf dem nassen Boden aus, während er sich mit aller Kraft gegen die Tür stemmte, um sie zu schließen. In diesem kurzen Augenblick, als der Schnee durch den Spalt ins Innere der Hütte drängte, schien die Tür wie von einem weißen Strahlenkranz umgeben. Patrick ließ das Querholz in seine Halterung fallen und lehnte sich mit der Stirn schwer atmend an die Tür.

»Ist es gerissen?«, fragte Cassie. Die Schneeflocken in der Stube sanken zu Boden wie weißer Staub.

»Ja.« Er wandte sich zu ihr um. »Auf dieser Seite.« Mit dem Kopf wies er zu der Ecke der Hütte hinüber, die hinter dem Bett lag. »Das andere ist noch in Ordnung.«

»Reicht das denn? Meinst du, es hält?«

»Vielleicht.« Er zuckte die Achseln, als wäre es ihm egal.

»Vielleicht?« Cassie stieß ein herbes Lachen aus. »Mehr gibt es dazu nicht zu sagen?«

»Vielleicht reißt es langsam, Faser für Faser, vielleicht hält es aber auch. Schwer zu sagen. Wir dürften aber genug Zeit haben, um uns in den Unterschlupf zu retten.«

Rings um ihn tropfte der Schnee zu Boden, als er sich aus der Jacke schälte. Cassie verkniff sich eine Antwort und sah ihm dabei zu, wie er seine bandagierte Hand vorsichtig durch den Ärmelbund zog.

»Was macht deine Hand?«

»Geht so.« Er warf einen gleichgültigen Blick darauf, bevor er zum Barometer hinüberging, mit dem Finger gegen das Glas tippte und den Zeiger nachstellte. Eine Weile lang stand er gedankenverloren am Fenster und beobachtete das Schneetreiben hinter der Scheibe. Dann wandte er sich um, als sei ihm plötzlich etwas eingefallen. Er holte mehrere Wolldecken, die zusammengefaltet neben dem Bett gelegen hatten, und hängte sie auf die Wäscheleine neben dem Ofen.

»Wenn wir die hier verwenden und den Schlafsack darüber ausbreiten, wird es uns später wärmer sein«, erklärte er Cassie. Dann ging er wieder zum Fenster hinüber.

»Dann rechnest du also damit, dass das Seil reißt?«

»Wir sollten auf alles gefasst sein, oder?«, entgegnete er beiläufig. Offenbar machte er sich keine Sorgen. Er war auf alles gefasst. Sie würden es schaffen. Mehr schien ihn nicht zu interessieren, dachte sie. Für ihn gab es keinen Grund zur Beunruhigung.

Vorsichtig wischte Cassie die frische Schneeschicht von dem Buch. Es war ein großformatiges Fotoalbum. Während sie erneut mit der Hand über den Tisch strich, warf sie Patrick einen flüchtigen Blick zu und versuchte aus seinem Gesicht abzulesen, was in ihm vorging. Die bandagierte Hand schützend gegen seine Brust gedrückt, den Oberkörper leicht vorgebeugt, stand er da und verfolgte das Treiben des Sturms durch die Fensterscheibe. Sein Gesicht war überraschend faltenlos und wirkte ausgesprochen jung für jemanden, der seit so vielen Jahren in den Bergen lebte. Das Grau seiner Schläfen verlieh ihm eher ein interessantes Aussehen, als dass es einen Hinweis auf sein Alter gab. Sie schätzte ihn auf knapp fünfzig. Sein hoch konzentrierter, prüfender Blick war auf das Fenster gerichtet, als könnte er darin etwas lesen, mit den Geräuschen des Windes in Verbindung bringen und sich auf diese Weise ein genaues Bild davon machen, was draußen geschah – nicht nur jenseits der Hüttenwände, sondern auch hoch oben auf den Gipfeln der umliegenden Berge. Er lauschte einer Sprache, die sie nicht verstand, las Buchstaben, die ihr wie Hieroglyphen vorkamen. Sie gab es auf, verstehen zu wollen, was er sah. Ihr genügte es, zu sehen, dass er dabei seine Gelassenheit behielt.

Die Traurigkeit, die Patrick umfangen hielt wie der Rauch ein brennendes Holzscheit, war ihr nicht verborgen geblieben. Es war, als umgäbe ihn eine bange Aura des Tragischen, als lebte er in einer Welt der Trostlosigkeit. Sie kannte das Gefühl, war mit der Leere, in die er sich zu hüllen schien, ebenfalls vertraut, doch sie fragte sich, wie es dazu gekommen war. Obwohl es unausgesprochen blieb, war es so unüberhörbar, dass ihr die Ohren dröhnten, und so unübersehbar, dass sie sich fast aufdringlich vorkam. Was sich ihr bot, war ein quälender Einblick in sein streng gehütetes Innerstes, das er durch seine Kompetenz und seine zurückhaltende Art so gut verborgen glaubte. Es war seltsam, das zu beobachten; es war, als hätte der Schleier, der ihn unsichtbar machte, seine Wirkung verloren, ohne dass er es gemerkt hatte. Dennoch trug er ihn wie ein Paar abgelaufene Schuhe oder einen ramponierten Hut, ohne sich dessen überhaupt noch bewusst zu sein oder einen Gedanken daran zu verschwenden. Cassie fragte sich, ob andere ihn ebenso leicht durchschauen konnten wie sie.

Plötzlich drehte Patrick sich um, als hätte er ihren prüfenden Blick gespürt, und setzte sich zu ihr an den Tisch. Tatsächlich hatte er gemerkt, dass sie ihn die ganze Zeit über angeschaut hatte, obwohl sie das stets auf eine zurückhaltende, keinesfalls aufdringliche Art und Weise tat. Die Schnelligkeit seiner Bewegungen überraschte Cassie nicht zum ersten Mal. Er bewegte sich mit einer solchen Geschmeidigkeit und Präzision, dass sie immer wieder aufs Neue staunte. Wenn er seine Position wechselte, dann schien dies ohne jede bewusste Anstrengung zu geschehen.

»Was meinst du?« Mit herausfordernd gerecktem Kinn sah sie ihn an. Sie forderte ihn geradewegs dazu heraus, sie erneut mit ein paar knappen Worten abzufertigen.

»Ich glaube, der Umschwung ist gekommen«, sagte er und warf einen Blick auf das Barometer. »Der Sturm wird sich bald legen. Es schneit schon stark. Und es ist kälter geworden. Der Sturm wird sich legen, und die Hütte bleibt wahrscheinlich stehen«, erklärte er entschlossen und voller Zuversicht. »Ich denke, wir werden ungeschoren davonkommen«, fügte er hinzu und schob ihr wortlos den Tabakbeutel hinüber. Stirnrunzelnd begann sie, ein Papier herauszuziehen und ein Häufchen Tabak daraufzusetzen. Patrick sah ihr zu, daher wollte sie diesmal eine etwas dickere Zigarette drehen. Während sie die Tabakfäden gleichmäßig über die ganze Länge des Papiers verteilte, wurde ihr das Schweigen bewusst, das den Raum erfüllte, die kameradschaftliche Stille, die zwischen ihnen schwebte wie eine Seifenblase inmitten eines tosenden Sturms. Behutsam fuhr sie mit der Zungenspitze an der gummierten Kante des Zigarettenpapiers entlang, und als sie aufblickte, sah sie, dass Patrick sie noch immer beobachtete.

Er saß ein paar Meter von ihr entfernt und musterte sie. Als ihre Blicke sich trafen, sah sie schnell weg und rollte die Zigarette zwischen den Fingern, bis die angefeuchtete Kante an dem Papier haftete. Die Zigarette war gleichmäßig dick geworden, und nachdem Cassie die losen Tabakfäden an beiden Enden abgeknipst hatte, drehte sie ihr Kunstwerk stolz zwischen Daumen und Zeigefinger. Ein freudiges Gefühl des Erfolgs stieg in ihr auf. Ohne nachzudenken, griff sie nach dem Feuerzeug, ließ es aufschnappen, zündete es und zog an der Zigarette, bis ihr Ende glühte. Während sie leise ausatmete, reichte sie die Zigarette Patrick hinüber, der sie mit einem verblüfften Gesichtsausdruck entgegennahm.

»Hattest du mir nicht erzählt, dass du nicht rauchst?«, fragte er und steckte sich die Zigarette zwischen die Lippen.

»Nein, ich habe nur gesagt, dass ich nicht wüsste, wie man die Dinger dreht«, entgegnete sie, während sie sich einen Rest Tabak von der Unterlippe zupfte. »Und ich rauche tatsächlich nicht – nicht mehr. Na ja, das ist schon ewig her. Aber mir fällt das Anzünden einfach leichter als dir … mit … mit deiner Hand«, stammelte sie sich durch den Rest des Satzes.

»Welche von denen meinst du?« Patrick hielt erst seine bandagierte und dann seine linke Hand in die Höhe und wedelte mit beiden durch die Luft, als veranstalte er ein Ratespiel.

»Tut mir leid«, sagte sie. »Ich wollte dich nicht …«

»… verletzen?«, führte er ihren Satz zu Ende. Sie nickte stumm. »Schon gut«, beruhigte er sie. Er ließ die verbundene Hand auf den Tisch sinken, während er die glimmende Zigarette zwischen dem verstümmelten Daumen und Zeigefinger der anderen Hand hielt. Er setzte sie exakt zwischen seine Lippen, wobei er seinen Blick nicht von Cassie abwandte, als wollte er ihr damit etwas deutlich machen.

»Das ist lange her. Ich habe gelernt, mich nicht so leicht verletzen zu lassen. Die Leute haben nun mal gern was zu gaffen. Sie sind neugierig, aber zu fragen traut sich kaum jemand.«

»Wie ist das passiert?«, hakte Cassie sofort nach.

»Erfroren«, erwiderte er und ließ die Hand auf den Tisch sinken. »Vor fünfundzwanzig Jahren. Ich habe im Winter einen Handschuh verloren – keine so gute Idee«, fügte er hinzu, die Lippen in ironischer Geringschätzung geschürzt, die Augen aber ohne jeden Anflug eines Lächelns. Er redete schnell und abgehackt, als könnte er mit dieser abrupten Art zu sprechen weitere Fragen vermeiden.

Cassie nickte und sagte nichts mehr. Stattdessen schaute sie sich die Fotografien an, die vor ihr lagen, bis das Schweigen zwischen ihnen allmählich unangenehm wurde. Geistesabwesend zupfte sie an ihrem Haar und betrachtete aufmerksam die Schwarz-Weiß-Fotos. Sie waren akkurat in das Album eingeklebt, und unter jedem Bild waren mit Bleistift das Datum sowie Angaben zur Filmempfindlichkeit und Blendeneinstellung vermerkt. Die Motivwahl war vielfältig und erschien ihr zunächst eher willkürlich: wasserumspülte Kieselsteine, die Maserung auf einem Stück Treibholz, bauchige Gewitterwolken, der schäumende Schwall eines gefrorenen Wasserfalls, ein Küstensaum im Mondschein, der Sternenhimmel über dem Horizont. Und dann wurde ihr plötzlich klar, was sie da betrachtete. Es ging nicht um den abgebildeten Gegenstand, sondern vielmehr um seine stoffliche Beschaffenheit, nicht um die Darstellung an sich, sondern um das Licht, das der Fotograf dabei eingefangen hatte. Mit einem Mal konnte Cassie das geschwungene Gold des Holzes ausmachen, das gefrorene Licht, das sich im Wasserfall fing, den sanften Schimmer der Sterne und die Schatten, die das Mondlicht warf. All das war wunderschön, und mit jeder neuen Seite, die sie aufschlug, trat die Unbehaglichkeit, die sie eben noch empfunden hatte, in den Hintergrund. Sie hörte, wie Patrick sich Weinbrand eingoss und wie der Aschenbecher klapperte, als er seine Zigarette ausdrückte, doch sie schaute nicht auf.

Dann fiel ihr Blick auf das erste Bild, das eine Berglandschaft zeigte, eine Gebirgskette in der Ferne, deren dicht bewaldete Gipfel sich aus einem Nebelmeer erhoben, als schwebten sie, und über allem hing mitten im taghellen Himmel der Vollmond. Auf den folgenden Seiten gab es keine Studien zum Thema Licht und Stofflichkeit mehr, keine Stillleben, die mit der äußeren Form experimentierten. Es war, als hätte alles, was eben noch da gewesen war, seine Gültigkeit in dem Augenblick verloren, als der Fotograf die Berge entdeckt hatte. Beim Durchblättern der Seiten fiel ihr jedoch auch auf, dass es etwas gab, was die einzelnen Aufnahmen verband. Im Mittelpunkt standen immer die Berge in ihrer vollkommenen Form, ob aus nächster Nähe festgehalten oder aus der Ferne, mit Schnee und Eis oder mit ihren aufgefalteten Gesteinsschichten: messerscharfe Grate, die zu unglaublichen Schneegipfeln emporstrebten, Granitsäulen, die sich majestätisch zu einem Gebirgskamm erhoben, hoch aufragend wie die Strebebögen einer Kathedrale, die wirre, sich überschlagende Schönheit eines Eisfalls, der dem Betrachter entgegenstürzte.

Es waren nicht die Berge selbst, die festgehalten worden waren. Es war das Licht – und was für ein Licht! Die Bilder waren von einer faszinierenden Leuchtkraft, einer strahlenden Klarheit, und Cassie hatte das Gefühl, dass die Intensität des Lichts mit jeder neuen Seite, die sie aufschlug, größer wurde. Dann blätterte sie noch einmal um, und ihr Blick fiel auf eine völlig leere Seite. Danach kamen keine Fotos mehr. Sie schlug noch einmal die vorige Seite auf und sah sich das Bild genauer an. Es kam ihr sonderbar vertraut vor. Es war die Aufnahme einer Bergwand. Düstere Felsen ragten bis zu den Wolken hinauf, unter ihnen die endlose Weite eines Eisfelds, eine abfallende, mit grauen, weißen und schwarzen Schlieren durchzogene Fläche, die sich in schwindelerregender Steilheit hinabschwang und am unteren Bildrand endete. Das indirekte Sonnenlicht ließ die Oberfläche der Wolken erstrahlen und schien deren Bäuche regelrecht aufzuwirbeln, und wo es ein kleines, dunstiges Loch fand, fiel es in gleißenden Strahlen hindurch und verlieh selbst dem Papier einen faszinierenden Glanz. Der Fotograf hatte die Ausgesetztheit und die Höhe der Wand so perfekt eingefangen, dass der Betrachter unweigerlich in die Szenerie hineingezogen wurde und das plötzliche verunsichernde Gefühl hatte zu fallen. Erschrocken wich Cassie zurück.

Sie blickte kurz zur Seite, dann wieder auf das Foto. Es war eine Betrachtung zum Thema Bewegung, zum Fließen der

Lichtstrahlen innerhalb des Lichts. Das Licht war es auch, das sie beim Anblick des Motivs so gefangen nahm. Sie las das Datum, das unterhalb des Fotos vermerkt war. Es war an einem Wintertag vor fünfundzwanzig Jahren aufgenommen worden.

Als Cassie das Album beinahe ehrfürchtig schloss, war ihr längst bewusst, dass sie beobachtet wurde. Das war nun mal seine Art. Es störte sie nicht.

»Die sind wirklich wunderschön«, sagte sie und erkannte in seinem Blick einen Anflug von Überraschung. Er schaute schnell wieder weg. Sie wusste sofort Bescheid. »Die sind von dir, oder? Du hast diese Fotos gemacht, stimmt's?«

»Das ist schon lange her.« Er nickte und lehnte sich vor, um ihr einen Weinbrand einzuschenken, doch sie hielt die Hand über das Glas.

»Nein, danke«, sagte sie lächelnd. »Ich glaube, es wäre keine so gute Idee, sich zu betrinken, kurz bevor die Hütte von einem Jahrhundertsturm umgepustet wird.«

Er zuckte mit den Schultern und schenkte sich nach. »Ich hab dir doch gesagt, dass wir das überstehen werden.« Er stand auf und griff nach einer der Flaschen, die auf dem Regal über seinem Kopf aufgereiht waren. »Wie wär's dann mit einem Glas Rotwein?«, fragte er und hielt ihr eine Plastikflasche hin. »Ich weiß, das ist so ein Gesöff aus dem Supermarkt. Aber man kann sich dran gewöhnen ... Und außerdem sind diese Flaschen nicht ganz so schwer zum Hochtragen.« Er stellte die Flasche neben ihr Glas und setzte sich wieder. »Was die Fotos angeht«, fuhr er fort und wies mit dem Kinn in Richtung des Albums auf dem Tisch, »die hab ich vor vielen Jahren gemacht, als ich noch arbeiten und Geld verdienen musste.«

»Hast du noch welche? Ich würde gern noch mehr sehen.«

»Ja, irgendwo da drüben ...« Er ging mit raschen Schritten zum Bett hinüber und begann, die Stoffplane über ihrem Unterschlupf zu lockern. Dann schob und zerrte er so lange daran, bis eine der Aufbewahrungskisten hervorziehen konnte. Um die Plane halbwegs straff zu halten, schob er stattdessen einen Rucksack darunter. Dann stellte er die Kiste auf die Bank und fing an, im Durcheinander darin herumzustöbern. Cassie lehnte sich vor, um einen Blick in die Kiste zu erhaschen. Es befanden sich tatsächlich einige Fotos darin, zwischen Muscheln, Notizbüchern, verrosteten Kletterhaken mit ausgebleichten Seilresten daran und einer Handvoll Tierschädeln. Einige davon stammten von Vögeln und hatten lange, grazile Schnäbel, ein anderer von einem Murmeltier, und neben mehreren Fossilien, deren Ränder die Spuren von Hammerschlägen aufwiesen, fanden sich der Unterkiefer eines Fuchses samt Zähnen sowie ein paar zerbrochene Geweihe. Auf einer aufgerollten Ledertasche mit Schnitzmessern lag die zerfledderte Ausgabe eines Handbuchs zur Bergrettung. Mitten in einem Haufen knorriger, vom Wind glatt geschmirgelter und halb verwitterter Treibhölzer verteilten sich kleine Fetzen benutzten Schleifpapiers. Alles war mit einer hauchdünnen Staubschicht überzogen, und ganz unten in der Kiste hatten sich Sägemehl und Holzspäne angesammelt.

»Und? Keine Kameras?«, fragte Cassie.

»Nein.« Seine Stimme war rau und etwas schroff. »Ich habe schon lange damit aufgehört.«

»Das ist schade«, sagte Cassie. Sie sah den Trotz in seinem Blick, mit dem er seine Traurigkeit zu verbergen suchte.

»Wie man es nimmt. Ich war so weit damit gekommen, wie ich konnte«, antwortete Patrick, doch seine Worte klangen nur mäßig überzeugend.

»Aber mit etwas so Schönem wie dem hier sollte man nicht einfach aufhören.« Protestierend hielt Cassie eines der Fotos in die Höhe. Es zeigte eine Düne, über die der Sand fegte. »Man spürt die Leidenschaft, die darin steckt, finde ich.«

»Hm …« Patrick zuckte mit den Schultern und hob seine vom Frost gezeichnete Hand. »Die hier hat es mir nicht gerade leicht gemacht. Und vielleicht ist mir auch einfach die Leidenschaft abhandengekommen.« Unverwandt starrte er sie an, als wollte er damit testen, ob sie es wagen würde, die Unterhaltung fortzusetzen. Cassie beugte sich über die Kiste und zog die Fotos vorsichtig aus dem Durcheinander, blies den Staub weg und legte sie dann behutsam auf den Tisch.

»Manche Dinge können einem nicht abhandenkommen«, sagte sie. Doch Patrick war schon aufgestanden, um noch ein paar Holzscheite ins Feuer zu legen.

17

Als es zu dunkeln begann, stellte sich das Gefühl der leisen Vertrautheit wieder ein, das zwischen ihnen entstanden war. Am Fenster hingen die Sturmlaternen, und die Flamme der Kerze spiegelte sich flackernd in der Flasche auf dem Tisch, tanzte zitternd zum Stöhnen des Windes. Sie unterhielten sich leise, während draußen der Sturm wütete und immer mehr Schnee vor der Tür der Hütte anhäufte. Die Stunden vergingen, und Cassie fiel auf, dass die Flamme immer schwächer zuckte. In Patrick war eine deutliche Veränderung vorgegangen – Cassie war sich nicht sicher, ob es ihr ungezwungenes, freundschaftliches Miteinander oder der Wetterumschwung gewesen war, der sie ausgelöst hatte. Es war, als stünde er mit dem Sturm auf seltsame Weise in Verbindung, als gäbe es eine Art vertrauter Übereinkunft zwischen ihnen. Patrick hatte aufgehört, das Barometer zu prüfen oder flüchtige Blicke in die hintere Ecke der Stube zu werfen. Irgendwie schien er genau zu wissen, was draußen gerade vor sich ging, und über ihn selbst hatte sich dieselbe Ruhe gesenkt wie über die Hütte. Er redete über den Sturm, über das Wüten der Naturgewalten und wie es sein musste, in einem solchen Unwetter zu sterben.

»Kannst du dir das eigentlich vorstellen?«, wollte er plötzlich von ihr wissen.

»Nein, nicht so recht«, gab sie zurück. »Abgesehen von gestern Abend habe ich so was noch nie miterlebt.«

Auch jetzt noch vermittelte ihr der Sturm, der die Hütte umtoste, ein Gefühl von Ohnmacht und bedrückender Enge. Das veränderte Geräusch, das er seit einer Weile verursachte – ein tiefes, unheilvolles und nervenaufreibendes Dröhnen –, machte ihr Angst. Patrick amüsierte sich über ihre fast kindliche Furcht, versuchte aber sie abzulenken, auch wenn ihm das nicht so recht gelang. Er erzählte ihr, was die Berge ihm bedeuteten, sprach von ihrer Schönheit, ihrer Kraft und der Angst, die sie in einem hervorrufen konnten. Und er schilderte, wie sie zu seiner Seelenlandschaft geworden waren, von seinem Leben Besitz ergriffen hatten. Er sprach ruhig und distanziert, und Cassie hörte aus seinen Worten ein gewisses Bedauern heraus, als wäre dies gegen seinen Willen geschehen. Sie nahm eine tiefe Traurigkeit und fast verbitterte Duldsamkeit wahr, die jedoch ohne Erklärung blieben.

»Und was ist mit der Liebe?«, fragte sie und wechselte damit abrupt das Thema ihrer Unterhaltung. Patrick runzelte die Stirn. Ob er jemals einen Menschen geliebt habe, hakte sie nach, und er deutete vage an, dass es früher einmal so gewesen sei – auch wenn er dabei mehr von Verlust erzählte als von der Liebe. Ob sie ihn verlassen habe, wollte Cassie wissen. Auf gewisse Weise ja, antwortete er. Er sprach so unbeteiligt über die Liebe, wie es nur jemand macht, der einen anderen Menschen wirklich geliebt hat, doch etwas Genaueres erfuhr Cassie nicht. Sie ließ nicht locker: Ob er gewollt habe, dass sie ihn verließ, fragte sie ihn. Patrick schwieg und schien mit seinen Gedanken weit fort zu sein. Er lauschte dem Sturm und spürte wieder die altvertraute Unbehaglichkeit, die ihn in Anwesenheit einer Frau immer überkam. Cassie stellte eindeutig zu viele Fragen.

Die Weinbrandflasche leerte sich zusehends, doch das schien auf Patrick, der sich im Lauf des Abends immer wieder nachschenkte, keinerlei Auswirkungen zu haben. Cassie trank nur gelegentlich einen Schluck von dem herben Rotwein. Sie machte sich lieber ein paar Kannen starken Kaffee und sorgte dafür, dass genügend Holz im Ofen war. Die Hitze des Feuers und die wärmende Wirkung des Alkohols waren Balsam für ihre schmerzenden Glieder. Ihre Muskeln waren von der Kletterei des vergangenen Tages immer noch matt und steif, und gleichzeitig steckte ihr die eisige Erinnerung an ihre Unterkühlung in den Knochen.

»Dann ist das hier also, was du den Sommer über machst?«, fragte sie und ließ den Blick über die spärlichen Habseligkeiten gleiten, die in der Hütte herumlagen. »Oder lebst du das ganze Jahr über hier oben?« Sie beobachtete seine Reaktion.

»Das habe ich nur einmal versucht«, antwortete er mit einem bedächtigen Lächeln. »Aber der Winter war lang … Zu lang.«

»Und wahrscheinlich ziemlich einsam. Im Winter kommt hier ja sicher kaum jemand vorbei.«

»Einsam?« Er wirkte überrascht. »Nein, einsam war ich hier oben nie. Aber es war eine lange Zeit, und es war kalt – und traurig.«

»Der Winter oder du?« Sie runzelte die Stirn, als sie sah, dass er wieder seine ernste Miene aufsetzte.

»Der Winter ist eine traurige Zeit, findest du nicht?«

»Dann bist du also nur im Sommer hier? Und wohin gehst du im Winter? Nach Hause?«

»Jetzt reicht's aber!«, rief er aus und hob abwehrend die Hände. »Du fragst einem ja Löcher in den Bauch!«

»Entschuldige bitte, tut mir leid. Das ist wirklich nicht besonders höflich.« Sie machte die gleiche Geste wie er, die Handflächen ihm zugewandt, die Finger gestreckt. Beide verharrten sie für eine Weile in dieser Haltung, bis sie schließlich gleichzeitig ihre Hände auf den Tisch sinken ließen. »Sieht so aus, als würden wir hier noch eine ganze Weile ausharren müssen. Was spricht also dagegen, sich ein bisschen zu unterhalten?« Sie ignorierte sein Stirnrunzeln. »Komm schon, Patrick, erzähl mir was von dir. Immerhin hast du mir das Leben gerettet. Da ist es nur recht und billig, wenn ich weiß, wer du bist. Sag es mir.«

»Und wer bist du?«, konterte er und hielt ihrem Blick stand.

»Nein«, entgegnete sie mit Nachdruck. »Ich habe dich zuerst gefragt. Sag du es mir: Wer ist dieser Patrick McCarthy? Bist du Ire? Ich hätte dich eher für einen Engländer gehalten.«

»Ich bin Engländer«, sagte er. »Meine Mutter hat diesen Namen ausgesucht.«

»Vielleicht war sie ja mal in einen Iren verliebt?«, meinte Cassie.

»Vielleicht bin ich ja sein Sohn. Meinem Vater habe ich tatsächlich nie besonders ähnlich gesehen«, sagte er ein wenig zu schnell. Schweigend starrten sie in die züngelnde Flamme der Kerze.

Nach einer Weile war Patrick die Stille, die sich zwischen ihnen breitgemacht hatte, unangenehm, und er begann zu erzählen. Der Weinbrand tat sein Übriges, ebenso die Tatsache, dass Cassie ihm schweigend zuhörte, nur gelegentlich nickte und ihn so reden ließ, wie er es seit vielen, vielen Jahren nicht mehr getan hatte.

Zunächst erschienen die Dinge, von denen er sprach, eher zusammenhanglos. Willkürlich sprang er von einem Thema zum nächsten, bis er, von Cassie dazu ermuntert, damit begann, die Stationen seines Lebens aufzuzählen. Doch mehr als eine reine Auflistung von Ereignissen war es nicht. Die meiste Zeit über klang sein Bericht formelhaft und seltsam unbeteiligt, als habe er sich irgendwie von seiner eigenen Vergangenheit distanziert – als erzähle er vom Leben eines anderen. Cassie sagte jedoch nichts, sondern hörte einfach nur zu und nahm die seltsame Gefühllosigkeit und Widersprüchlichkeit wahr, die in seinen Worten aufschien.

Währenddessen ging der Sturm in eine andere Phase über. Vor dem Fenster wehten dichte Schneeschwaden vorbei, und als Cassie aufstand, um den Docht der Sturmlaterne zu kürzen, sah sie, wie hoch der Schnee auf der Veranda lag. Sie hatte den Inhalt der Kiste durchstöbert, der über den gesamten Tisch ausgebreitet war. Patrick hielt den Schädel irgendeines kleineren Tieres in der Hand, besah ihn sich von allen Seiten und studierte das feingliedrige Profil. Vor ihm lag eine ganze Sammlung von Knochen und Schädeln, nachlässig verstreut über die Fotos, die Cassie aus der Kiste genommen hatte. Sie zeigten längst verwehte Fußspuren im Schnee, im Schlamm einer Flussmündung, im Glimmerschutt eines Gletscherrinnsals – Spuren eines früheren, vergessenen Lebens. Zwischen mehreren Fossilien – manche davon unversehrt, andere an der Stelle zerbrochen, wo einst der gewundene Rücken eines vor Ewigkeiten verendeten Meerestiers gewesen war – fand sich eine halbe Steinkugel, in deren hohlem Innern rauchgraue Quarzzacken schimmerten. Auf der empfindlichen Oberfläche eines weiteren Fotos lag ein kleiner Geologenhammer.

Cassie griff nach dem kleinen schwarzen Samtbeutel, der noch in der Ecke der Kiste lag. Als sie die Zugschnur löste, fielen ihr zwei kleine Knochen in die Hand – jedenfalls nahm sie an, dass es sich um Knochen handelte. Der größere der beiden, ein etwa zehn Zentimeter langes Stück, war sanft gebogen und an beiden Enden zersplittert und schartig. An der glatten Innenseite des Knochens waren dunkle Flecken zu sehen, außen war er porös, ausgebleicht und weiß wie Elfenbein. Der kleinere Knochen hatte eine Form, die ihr irgendwie bekannt vorkam. Sie drehte und wendete ihn, um herauszufinden, woran er sie erinnerte. Er war gleichmäßig geformt, in seiner ganzen Länge leicht gerieft und in der Mitte deutlich schlanker als an den beiden abgerundeten, unversehrten Enden. Cassie hielt den Knochen zwischen Daumen und Zeigefinger und rückte ein wenig näher zum Licht. Sie merkte nicht, dass Patrick den kleinen Tierschädel hatte sinken lassen und sie anstarrte.

»Leg das zurück!«, sagte er mit tiefer, strenger Stimme. Cassie zuckte zusammen und schaute hoch. Für einen kurzen Moment blitzte in seinen Augen ein unerbittlicher Zorn auf, den er jedoch rasch verbarg, indem er den Blick abwandte. »Leg das zurück, bitte«, sagte er mit sanfterer Stimme, und Cassie tat, was er verlangte, vermied es dabei jedoch, ihn anzusehen. Beschämt, aber auch irritiert von seinem plötzlichen Wutausbruch verstaute sie das Beutelchen wieder in der Kiste. Nur zu gern hätte sie gewusst, was sie falsch gemacht hatte. Dass es etwas mit den Knochen in dem Beutel zu tun hatte, war ihr klar, doch noch bevor sie ihn fragen konnte, hatte er sämtliche Schädel und Steine, Fossilien und Fotografien zusammengeschoben und wieder in die Kiste geworfen. Sie zuckte zusammen, als zuletzt auch noch der Geologenhammer polternd auf den Fotos landete und auf einer zarten Lichtstudie mit bereiften, in der Sonne glitzernden Zweigen einen hässlichen Kratzer hinterließ.

Während Patrick die Kiste unter dem Tisch verschwinden ließ, begann er zu reden, als wollte er damit jede weitere Diskussion vermeiden. Er starrte durch Cassie hindurch und erzählte ihr aus seinem Leben, aber es klang eher, als spreche er von irgendwelchen Besitztümern, die er einmal erworben hatte. Es war, als hätte er seine Vergangenheit ebenso weggepackt wie die Dinge in der Holzkiste, als hätte sie so gut wie keine Relevanz mehr für ihn. Völlig gleichmütig hielt er einen Monolog, der sie unendlich traurig stimmte. Es war die Geschichte eines anderen – nicht die seine.

Als Sohn wohlhabender Eltern aus der Mittelschicht – der Vater Zahnarzt, die Mutter Krankenschwester – war sein Leben ziemlich ereignislos verlaufen. Ins Detail ging Patrick zwar nicht, aber aus seiner Stimme war eine gewisse Verachtung herauszuhören, als schäme er sich dafür. Er sagte, er komme aus dem Norden, verriet aber nicht, woher er genau stammte. Geschwister hatte er keine. Eine Schwester war gestorben, noch bevor man sie hatte taufen können, und tauchte in seiner Schilderung nur noch einmal auf, als er erzählte, dass seine Mutter an Brustkrebs gestorben sei, als er zwölf war.

An dem Tag, an dem sie beigesetzt wurde, hatte sein Vater ihm eine teure Kamera mit mehreren Objektiven und einer robusten Schultertasche aus Leinen geschenkt. Was ihn plötzlich zu dieser Anschaffung motiviert hatte, hatte Patrick sich nie erklären können. Er hatte zuvor nicht das geringste Interesse an Fotografie gezeigt und sein Vater ebenso wenig. Vielleicht war es auch die Idee seiner Mutter gewesen; jedenfalls fand er es nie heraus. Er fragte aber auch nicht nach. Schon einen Monat später war er wieder zur Schule gegangen, in eine kleine, familiengeführte Privatschule im Nachbarort, die er als Internatsschüler besuchte, weil sein Vater meinte, das sei gut für ihn. An den Wochenenden durfte er nach Hause, aber meistens blieb er lieber bei seinen Freunden an der Schule, als seinem eigenbrötlerischen, schweigsamen Vater Gesellschaft zu leisten.

In den folgenden Jahren hatte sein Vater mehrere neue Beziehungen. Die Begegnungen mit den fremden Frauen in der steifen Atmosphäre des Wohnzimmers waren fast immer irgendwie peinlich und für Patrick letztendlich bedeutungslos. Als er allmählich erwachsen wurde, trennten sich ihre Wege, und nachdem er ausgezogen war, um zu studieren, herrschte mehr oder weniger Funkstille – abgesehen von der alljährlichen eher ungemütlichen Weihnachtsfeier mit irgendwelchen unbekannten Menschen und der obligatorischen, stets verspäteten Glückwunschkarte zum Geburtstag, begleitet von einem förmlichen Brief und einem schnell noch ins Kuvert gestopften Geldschein.

Sein Medizinstudium brach Patrick schon nach kurzer Zeit ab. Die akademische Welt hatte ihn nie besonders gereizt. Der Formaldehydgeruch der Leichen und die Verzweiflung der Patienten waren ihm zuwider. Schließlich erwachte in ihm die Faszination für die Berge und für die Fotografie, mit der die Medizin nicht mithalten konnte. Mit dem Kletterklub der Universität verbrachte er ganze Wochenenden im Gebirge – angeblich, um seiner Leidenschaft für die Landschaftsfotografie nachzugehen – und entdeckte sein bis dahin verborgenes Talent für das Klettern. Je obsessiver seine Anstrengungen wurden, seine Fähigkeiten in der Welt der Vertikale zu perfektionieren, desto öfter blieb seine Kamera im Rucksack.

In der Hoffnung, sich eine Existenz als Fotograf aufbauen zu können, ging Patrick schließlich nach London und nahm eine Stelle als Assistent von Peter Fellows an, einem Hochzeitsfotografen mit ausschweifendem Lebenswandel und einem Alkoholproblem. Von seinem Lehrer lernte er die Grundlagen des Metiers, gewann durch ihn aber auch jede Menge bitterer Erkenntnisse, die ihm sein Leben lang als mahnendes Beispiel dienten. Die Technik der Fotografie erschloss sich ihm schnell, und schon bald brauchte er nicht mehr in der Dunkelkammer zu arbeiten, sondern übernahm seine ersten eigenen Projekte –

vor allem dann, wenn sein Chef wieder einmal besinnungslos unter dem Leuchttisch lag, alle viere von sich gestreckt und zu betrunken, um einen Film einzulegen, geschweige denn eine Hochzeitsgesellschaft zu fotografieren.

Trotz seiner Schwächen war Peter Fellows einmal ein ausgezeichneter und bekannter Fotograf gewesen. Er weihte Patrick in die Feinheiten dessen ein, was er als seine »dunklen Künste« bezeichnete. Patrick nahm seinen fachlichen Rat mit demselben brennenden Interesse an, mit dem er auch die vielen Bücher über Kunst und Fotografie verschlang, die sich im Studio angesammelt hatten. Er durfte Fellows zu Ausstellungen begleiten, um den Einsatz von Licht zu studieren, aber auch zu alkohollastigen Mittagspausen in verrauchten Pubs, wo er die Wechselfälle des Lebens kennenlernte. Beides hatte seinen Reiz.

Während er erzählte, hatte Patrick unter den Tisch gegriffen, einen Packen Fotos aus der Kiste gezogen und sie vor sich ausgebreitet wie überdimensionale Spielkarten. Wenn ihm eines davon ins Auge fiel, nahm er es in die Hand und betrachtete es eine Weile. Dann legte er es vor Cassie auf den Tisch und erklärte ihr, wie die Lichteffekte zustande kamen. Cassie bemerkte, dass die Leidenschaftlichkeit, mit der Patrick vom Licht sprach, seine Stimme sanfter werden ließ. Er zeigte ihr bei jedem Foto, wie er mit seiner Kamera das Licht eingefangen und festgehalten hatte und wie es durch die Anordnung der Motive wieder sichtbar gemacht und auf perfekte Weise wiedergegeben wurde. Geduldig erklärte er ihr die Bedeutung der richtigen Blendeneinstellung, den Zusammenhang zwischen Filmempfindlichkeit und Verschlusszeit und seine Notizen auf der Rückseite des Fotos. Dann ließ er es wieder zwischen den Tierschädeln in der Kiste unter dem Tisch verschwinden und fuhr mit seiner Geschichte fort.

Bei seinen Bemühungen, sich finanziell über Wasser zu halten, hatte sich Patrick irgendwann von Peter Fellows und dem etwas zweifelhaften Metier der Porträt- und Hochzeitsfotografie verabschiedet und war in die Welt der Modefotografie vorgedrungen. »Glamour in Klamotten«, so hatte Fellows seine Entscheidung verächtlich kommentiert. Doch auch Patrick fand nie wirklich Zugang zur Welt der Mode. Sie erschien ihm oberflächlich, aufgeblasen und narzisstisch. Hier war alles so kurzlebig wie die Titelseite eines Magazins – die Kleidung selbst, aber auch die Bedeutung der Models und der Fotografen. Es war eine unbarmherzige Welt des künstlichen Lichts und der falschen Versprechungen, eine Welt voll ungebremster Egomanie und demonstrativer Verschwendung. Schon bald begriff Patrick, weshalb Fellows dem Alkohol verfallen war.

Die Models waren hübsch und einschüchternd zugleich. Gelegentlich hatte Patrick sich während eines Fotoshootings mit einem Mädchen verabredet. Sie waren zusammen ins Kino gegangen, hatten eine passable Liebesnacht miteinander verbracht, hatten versucht, die Leere in ihrem Leben zu verdrängen. Keine der Beziehungen hatte länger gehalten.

Eines Tages hatte Patrick ein großes Paket erhalten. Die Handschrift, mit der sein Name und seine Anschrift auf dem schäbigen braunen, mit ausgefranstem Bindfaden umwickelten Packpapier notiert waren, war unverkennbar. In dem Paket befand sich eine Hasselblad 1000 F, eine alte, klassische Mittelformatkamera aus der V-Serie – ein unbezahlbares Stück. Mit seinem renommierten, von Dr. Bertele für die Firma Zeiss entwickelten 38-Millimeter-Biogon-Objektiv war sie der Traum jedes Sammlers. Schon bald liebte Patrick die Kamera wegen ihres ästhetischen Äußeren und schätzte sie, weil er damit alles fotografieren konnte, selbst unter den schwierigsten Bedingungen. In jenem Moment hielt er sie jedoch einfach nur überrascht und voller Ehrfurcht in seinen Händen.

Tief vergraben unter etlichen, nur nachlässig verpackten Objektiven, fand er außerdem eine Leica M3, noch in der Originalverpackung aus den Fünfzigerjahren, auf deren Seite der berühmte Werbespruch *Man bleibt ein Leben lang bei Leica* aufgedruckt war. Das war das Arbeitsgerät eines Profis: Es genügte den höchsten Ansprüchen, war präzise und hervorragend verarbeitet, lag gut in der Hand und kostete mehr, als

Patrick sich jemals hätte leisten können. Patrick liebte die Kameras. Von jenem Tag an war seine Leidenschaft für das Fotografieren vollends entfacht.

Aus dem beigefügten Schreiben eines Nachlassverwalters erfuhr Patrick sowohl vom Tod Peter Fellows' als auch vom Nachtrag in dessen Testament, in dem die Schenkung festgehalten war. Von nun an verbrachte Patrick immer weniger Zeit damit, sein Geld in der Modebranche zu verdienen. Neuerdings hatte es ihm die Landschaftsfotografie angetan, und er zog sich immer öfter in die reizvolle Abgeschiedenheit der Berge oder der Küste zurück. Einige seiner Bilder verkaufte er an Foto- und Outdoor-Magazine. Obwohl er sich weitgehend aus der Modewelt zurückgezogen hatte – vielleicht aber auch gerade deshalb –, entwickelte er sich zu einem äußerst gefragten Fotografen. Je mehr Fototermine er ablehnte und je weniger Interesse er gegenüber den abzulichtenden Kleidern – und auch den Models – bekundete, umso höher stiegen die Honorare, die man ihm anbot. Er aber setzte seine Experimente mit dem Licht und der Landschaft fort, und es entstanden unverwechselbare, fast surreal anmutende Aufnahmen, die in der ebenso surrealen Welt der Modefotografie große Beachtung fanden. Das amüsierte ihn, und zugleich fühlte er sich herabgesetzt.

Die Kamera hatte ihn, wie er jetzt merkte, gelehrt, richtig hinzusehen, alles zu beobachten, was um ihn herum vorging. Entscheidend war nicht, was er sah, sondern was er sehen durfte. Und immer ging es dabei um das Licht. Ihm wurde bewusst, dass sich die Landschaften ständig veränderten, ihn immer wieder aufs Neue herausforderten. Am Morgen mochten sie noch kühl und abweisend wirken, doch schon am Abend desselben Tages, wenn sich die Dämmerung über sie legte, erstrahlten sie in kraftvoller Wärme. Alle Formen oder Gegenstände waren nichts anderes als Träger des Lichts, Kompositionen des Lichts inmitten des Lichts. Selbst jetzt, während er um sich blickte, komponierte er ganz automatisch Aufnahmen, wobei ihm seine Augen als Sucher dienten.

In seinen Bedürfnissen war Patrick anspruchslos. Er war seit jeher ein Einzelgänger gewesen, selbst in jungen Jahren. Schon früh war seiner Mutter aufgefallen, dass er in seiner ganz eigenen Welt zu leben schien. Er war ein frühreifes, hochintelligentes Kind, das seine Lehrer mit seiner gleichgültigen und desinteressierten Art ratlos machte. Bereits als kleines Kind war er irgendwie anders gewesen als die anderen, als wäre er in Gedanken an einem Ort, von dem andere nur träumen konnten, und das verunsicherte die Erwachsenen. Er verschlang Bücher, versenkte sich in Abenteuer- und Reisegeschichten und blieb meist für sich.

Schon als Kind hatte er eine besondere Liebe zu Wörtern entwickelt: Sie entführten ihn in ferne Welten, waren für ihn fast greifbar, und wenn er laut redete, konnte er sie in seinem Mund regelrecht spüren. Er liebte es, wie sich seine Lippen und seine Zunge anfühlten, wenn er seine Lieblingswörter aussprach. Und er lernte, dass der Klang der Dinge – ebenso wie das Licht – unendlich viele Nuancen in sich barg.

Patrick erzählte von den wenig erfüllenden Jahren, die gefolgt waren und in denen er sich auf die Suche nach der großen, freien und leidenschaftlichen Liebe begeben hatte. Cassie musste über seine Worte lächeln, die nicht ihn zu beschreiben schienen, doch er bemerkte es nicht. »Und jetzt habe ich doch nur mich selbst«, sagte er leise, »und irgendwie bin ich damit auch ganz zufrieden – obwohl ich schon immer das Gefühl hatte, mehr verloren zu haben, als ich jemals besaß.«

»Klingt, als wäre das aus irgendeinem Lied.«

»Ist es auch«, antwortete er. »Diese Worte haben mir schon immer gefallen, aber ich konnte mir nie merken, wie das Lied heißt. Meine Mutter mochte es so gern.« Er schaute ein wenig verlegen. »Das ist es nun mal, was die Worte mit einem machen«, erklärte er. Als er ihren wenig überzeugten Blick bemerkte, fuhr er fort: »Geschichten, Sagen, Biografien, sie werden alle in Form von Worten festgehalten. So wie man mit einer Kamera das Licht einfängt, hält man beim Schreiben die Wörter fest, verleiht ihnen Kraft, gibt ihnen Bestand, verleiht einem Gefühl eine Bedeutung. Als Kind haben die Worte meine Träume bestimmt, und als ich ihnen folgte, wurden sie wahr. Das ist doch etwas Einzigartiges, findest du nicht?«

Er war immer seiner eigenen Wege gegangen, aber nach dem Tod seiner Mutter hatte er ein noch zurückgezogeneres Leben geführt. Er sah sie noch vor sich, wie sie in ihrem Bett gelegen hatte, blass, mit dunklen Haaren und Augen, die einen scharfen Kontrast zum hellen Kopfkissen bildeten. Sie hatte seine Hand gehalten, da sie bereits zu schwach zum Sprechen gewesen war. Dieses Bild hatte sich ihm ins Gedächtnis eingeprägt wie eine Fotografie. Er hatte es sich so angewöhnt, ständig die Lichtverhältnisse zu prüfen, dass seine Erinnerungen aus Lichtstudien zu bestehen schienen – »Erinnerungsblenden« nannte er sie.

Nachdem er auch seinen Vater beerdigt hatte, ließ er die Welt der Mode endgültig hinter sich. Dieser war an einem verregneten Wintermorgen jäh aus dem Leben gerissen worden, als er an einer Kreuzung zwischen ein metallenes Absperrgitter und einen ebenso unnachgiebigen Betonmischer geraten und zerquetscht worden war. Er hatte im toten Winkel gestanden, hieß es später. Der Fahrer konnte ihn nicht schreien hören, sodass die riesige, tonnenschwere Trommel sich unerbittlich weitergedreht und ihm das Leben aus dem Leib gepresst hatte. Wahrscheinlich sei sein Vater gerade auf dem Weg zur Arbeit gewesen und habe es eilig gehabt, meinten sie.

Dieses Ereignis veränderte Patricks ganzes Leben, wenn auch nicht so, wie man erwarten würde. Da er seines Wissens keine weiteren noch lebenden Verwandten hatte, war er von nun an auf sich allein gestellt, doch das machte ihm nicht weiter zu schaffen. Es hatte für ihn auch keine tiefere Bedeutung, dass er nun der Letzte seiner Familie war und dass er vermutlich kinderlos sterben würde. Was seine Situation jedoch veränderte, war die Tatsache, dass er plötzlich reich war.

Er fand sich in einer muffigen Anwaltsstube wieder und hörte zu, wie ein verstaubtes Männchen in nüchternen, knappen Worten das Testament seines Vaters verlas. Zwischen ihm und dem Anwalt fiel ein Strahl der tief stehenden Wintersonne durch den Raum, in dem die Staubflöckchen tanzten. Am liebsten hätte Patrick seine Kamera hervorgezogen, doch er hielt sich zurück und lauschte mit trockenem Mund, während er ganz allmählich begriff, dass er mit einem Mal ein steinreicher Mann war.

Der plötzliche Wohlstand hatte Patrick ziemlich unvorbereitet getroffen, mehr noch als die Nachricht vom Tod des Vaters. Von jetzt an würde er nie mehr arbeiten müssen. Nie hatte er daran gedacht, dass sein Vater möglicherweise ein vermögender Mann war. Doch im Grunde hatte er schon kurz nach dem Tod seiner Mutter an alles andere häufiger gedacht als an seinen Vater – und er war davon ausgegangen, dass es diesem ebenso ergangen war. Eigentlich war immer klar gewesen, dass der Besitz seines Vaters automatisch auf ihn als einzigem Kind seiner Eltern und einzigem noch lebenden Verwandten übergehen würde, doch erstaunlicherweise enthielt das vergleichsweise umfassende Testament keinerlei Ratschläge, wie er die florierende Zahnarztpraxis und das Aktienportfolio veräußern sollte. Dafür erfuhr er Details über den Treuhandfonds, den sein Vater eingerichtet hatte, um all seine anderen Anlagen, Aktien, Investmentfonds und Kapitalbestände zu verwalten.

Schon kurze Zeit später hatte Patrick die erfolgreiche Praxis mithilfe des Anwalts seines Vaters an einen von dessen ehrgeizigsten und ungeliebtesten Konkurrenten verkauft. Auch das große, verwinkelte Haus mit dem weitläufigen Garten im Peak District in der Grafschaft Derbyshire wurde veräußert, ebenso wie das alte Stadthaus, in dem Patrick zur Welt gekommen war. Damit wuchs das Volumen des Treuhandfonds beträchtlich. Mit derselben Entschlossenheit ließ Patrick auch seine Karriere als Modefotograf endgültig hinter sich. Sie befriedigte ihn ohnehin nicht und ließ seinem künstlerischen Ausdruckswillen keinen Spielraum. Irgendwie hatte diese Tätigkeit immer ein Gefühl der Erniedrigung in ihm hinterlassen, als müsste er sich dafür prostituieren. »Du bist, was du gestaltest« war sein Motto, und da er in dieser Branche nichts gestalten konnte, begab er sich auf neue Wege und widmete sich von da an ganz dem Reisen, dem Bergsteigen und der Fotografie.

Sein rastloses Leben bekam eine Richtung, als er aufgrund seines bergsteigerischen Talents das Angebot erhielt, ein Jahr in der Antarktis zu verbringen. Der British Antarctic Survey beauftragte ihn, die an dem Forschungsprogramm beteiligten Wissenschaftler zu betreuen und bei ihren Erkundungen zu begleiten. Ein Karrieresprung war das zwar nicht, aber der Aufenthalt bot Patrick die Möglichkeit, die in das unvergleichliche Südlicht getauchten Landschaften der Antarktis zu fotografieren. Die langen, dunklen Wintermonate in diesem Winkel der Erde waren extrem rau und trostlos und wurden nur gelegentlich vom phantastischen Farbenspiel der Aurora australis, des Südpolarlichts, aufgehellt. Nie würde er das Licht dieses außergewöhnlichen Kontinents vergessen. Hier schärfte sich sein Blick für das Motiv seiner Aufnahmen mehr als irgendwo zuvor. Er begriff, dass alles, was er fotografisch festhielt, lediglich dazu diente, das Licht zu reflektieren.

Seine »Schnappschüsse« – wie er die Bilder nannte, die vor ihm auf dem Tisch lagen – wurden in einigen unbekannteren Outdoor-Magazinen veröffentlicht, bis er eines Tages einen Anruf von der Redaktion der *National Geographic* erhielt und einen Profivertrag angeboten bekam. Er fühlte sich sehr geschmeichelt, dass diese renommierte Zeitschrift Interesse an seiner Arbeit bekundete, und war auch mit dem ganzseitigen Abdruck seiner Antarktisbilder in der Weihnachtsausgabe ausgesprochen zufrieden. Dennoch lehnte er den Vertrag ab. Er hatte kein Bedürfnis, sich an irgendjemanden oder irgendetwas zu binden.

In der folgenden Zeit unternahm Patrick mehrere lange Auslandsreisen. Er fuhr durch die Türkei und den Iran bis zum Hindukusch in Afghanistan und zum Karakorum in Nordwestpakistan, immer auf der Suche nach dem Licht. Es schlossen sich Touren nach Indien, Nepal und Bhutan an. Drei Monate in einem birmanischen Gefängnis nach seiner Festnahme in der gebirgigen Grenzregion zwischen China und Birma dämpften Patricks Reiselust für eine Weile, und er zog sich in die Alpen zurück, um sich zu erholen und wieder zu Kräften zu kommen. Er kaufte ein kleines, baufälliges Chalet, das er im Lauf der Zeit zu einem Fotostudio mit Dunkelkammer ausbaute und schon bald mit den Trümmern seines unsteten Lebens angefüllt hatte.

Erneut wurden einige seiner Fotografien in verschiedenen auflagenstarken Zeitschriften abgedruckt, und es entstand die Idee, seine inzwischen weithin geschätzten Arbeiten in Form eines Bildbands zu veröffentlichen, doch Patrick bedeuteten Ansehen und Bestätigung nicht viel, sodass er von dem Vorhaben Abstand nahm. Er brauchte weder das Geld noch den Ruhm. Die folgenden Jahre waren eine ruhelose, aber dennoch befriedigende, glückliche Zeit. Patrick war kräftig und gut in Form, jung genug, um sich über das Älterwerden noch keine Gedanken machen zu müssen, reich genug, um unabhängig von anderen leben zu können, und alt genug, um ein gesundes Selbstbewusstsein entwickelt zu haben. Doch dann traf er diese Frau, und mit einem Mal war alles anders. Sie hatte kastanienbraunes Haar und unglaublich faszinierende Augen. Es sei Liebe auf den ersten Blick gewesen, sagte er, und in seiner Stimme schwang eine gewisse Schroffheit mit, als wäre ihm die Liebe reichlich ungelegen gekommen.

Und es war bestimmt auch der einzige Mensch, den er je geliebt hat. Bei seinen Worten war ihr ganz flau im Magen. *Er hat ein wirklich außergewöhnliches Leben geführt, und doch klingt es so unbeteiligt, so gleichgültig, wenn er davon erzählt.* Wenn Patrick von Ortschaften und Gebirgen sprach, vom Licht oder von Fotografien, dann tat er das in einer Weise, wie sie es noch nie erlebt hatte, mit Worten, wie sie nur jemand verwenden konnte, der all diese Dinge wirklich durchdrungen und gelebt hatte. Er hatte in ihre Gedanken Löcher eingebrannt, doch warum, konnte sie sich nicht erklären. Er schilderte unbelebte Dinge so, als hätten sie eine Seele. Er sprach über die Berge, als wären sie heilige Stätten des Lichts, als könnten sie durch ihre Farben, Strukturen und Schatten dem Lauf der Zeit Ausdruck verleihen. In ihren Augen waren Berge nichts weiter als gewaltige Formationen aus Stein und Eis, kalt und hoch aufragend. Für ihn waren sie eine poetische Offenbarung. Sie verstand seine Worte, doch seine Gefühle konnte sie nicht ergründen. Das irritierte sie ungemein.

»Dann hattest du eigentlich alles, was man sich nur wünschen kann«, sagte sie schließlich. Patrick schaute verwundert auf. »Aber wo ist das alles hin?«

»Wer sagt denn, dass es nicht mehr da ist?«

»Na ja … Hier ist es jedenfalls nicht, oder?« Sie deutete vage in den Raum. »Und du redest nun mal nicht wie jemand, der alles hat.«

»Wieso, wie würde denn so jemand reden?«, erwiderte Patrick scharf und runzelte gereizt die Stirn.

»Jedenfalls anders als du.«

»Wie rede ich denn?« In Patricks Stimme schwang Verärgerung mit. Er griff nach seinem Tabakbeutel.

»Du redest, als hätte nichts in dem Leben, von dem du eben erzählt hast, mit dir zu tun. Alles ist in irgendwelchen Kisten verstaut: deine Kindheit, deine Eltern, deine Reisen, deine Liebe – dein ganzes Leben. Du klingst, als würde dich das alles nichts mehr angehen, als würdest du nichts mehr dafür empfinden.«

»Empfinden? Was haben denn meine Empfindungen damit zu tun?«

»Sehr viel. Du beherrschst die Kunst, völlig unbeteiligt zu wirken, perfekt. Es ist, als würdest du etwas verbergen.«

»Bestimmt nicht.«

»Aber du klingst so distanziert. So als hätten dir diese Dinge früher einmal etwas bedeutet und als hättest du sie irgendwann verloren. Aber wie kann so etwas geschehen?«

»Erinnerungen kann man nicht verlieren«, entgegnete Patrick schroff und zündete sich die Zigarette an, die er sich während Cassies Ausführungen geschäftig gedreht hatte. Er tat so, als amüsierte ihn Cassies Verhör, doch sein Blick war völlig ernst.

»Was man verlieren kann«, antwortete Cassie, »ist das, was all diesen Erinnerungen ihre Bedeutung verleiht, die Leidenschaft, die man dafür empfunden hat. Man kann seine Liebe zu dem Vergangenen verlieren.«

Patrick zuckte die Achseln und griff nach der Flasche, um sich nachzuschenken, als hätte er ihre Worte nicht gehört. Cassie konnte seine Anspannung spüren. Er mochte es nicht, wenn ihn jemand ausfragte. Sie erklärte ihm, dass er eine andere Sprache spreche als alle anderen Menschen, die sie kenne, eine wunderschöne, poetische Sprache, doch ohne jede Bedeutung, dass er Worte verwende, die einmal wahr gewesen sein mochten, ihm aber jetzt nur noch dazu dienten, etwas zu verbergen. Dann hatte sie plötzlich das Gefühl, zu weit gegangen zu sein, und verfiel in ein trotziges Schweigen. Patrick stieß den Rauch aus und beobachtete sie wortlos.

Cassie griff kopfschüttelnd nach dem Tabak, um sich selbst eine Zigarette zu drehen, und fuhr dann fort. Sie erklärte ihm ruhig, dass sie seine Welt nicht verstehe, weil sie die Dinge nicht so sehen könne wie er, weil die Berge nie dieselben Gefühle in ihr geweckt hatten wie in ihm. Sie vermied es, ihn dabei anzusehen, denn sie wollte nicht, dass er sie unterbrach. Sie sagte ihm, dass er die Berge, das Licht, die Kunst so beschreibe, wie es nur jemand könne, der diese Dinge wirklich begriff, der sie liebte, dass dies seine Seelenlandschaften seien, und er dennoch gefühllos wirke. Patrick schwieg.

Vielleicht hatte er sie ja übertrieben dargestellt, erfunden, etwas darin gesehen, was niemals da gewesen war? Vielleicht dienten seine Worte nur dazu, von seiner Angst vor einer Bindung oder von seiner emotionalen Distanz abzulenken?

»Bindung zu was? Distanz zu was?«, erwiderte er scharf. Cassie schaute auf und sah ihm direkt in die Augen. Es war der Blick eines Fotografen, dem nichts entging, mit dem er sie ganz und gar umfing. Und dann fragte sie ihn ganz unumwunden nach der Liebe, für die es in seinen Bergen keinen Platz zu geben schien. Jeder sei doch in seinem Leben einmal der Liebe begegnet, fügte sie leise hinzu, und zum ersten Mal sah sie, wie sich ein Lächeln über sein Gesicht zog – ein breites, echtes, wissendes Lächeln. Sie wusste, dass er nun die Wahrheit sagen würde.

Und so war es auch. Patrick sprach langsam und ruhig und wählte seine Worte sehr bedächtig. Dabei hielt er ihrem Blick die ganze Zeit über stand, um sicherzugehen, dass sie ihm zuhörte. Er sprach vom Verlust und vom Scheitern, von Trauer, Aufruhr und einer langen Zeit des Leidens, und sie lauschte schweigend. Mit leiser Stimme erzählte er ihr eine Geschichte, die sie lieber niemals gehört hätte, die er vermutlich noch nie jemandem erzählt hatte – und diesmal glaubte sie ihm.

Es komme ihm so vor, sagte er, als wäre er seit jener Begebenheit ein Gefangener dieser Landschaft, als wären die Berge nun die Wächter seines Gefängnisses. Er hatte aufgehört, sich vorzustellen, was jenseits davon liegen mochte, und erwartungsvoll zum Horizont zu schauen. Die dichten Reihen der Gipfel, die sich vor ihm erstreckten, waren für ihn nicht länger ein Symbol der Verlockung und der Hoffnung, sondern nur mehr eine Barriere, die ihn von seinen Träumen fernhielt. Was ihn früher immer wieder angetrieben hatte, war der Wunsch, die Dinge mit eigenen Augen zu sehen, die Begegnung mit dem Unbekannten, dem Ungewöhnlichen, dem Unvergesslichen, die ein solches Abenteuer bedeutete. Die Berge hatten ihn mit einer gespannten Erwartung erfüllt, einer hoffnungsvollen Neugier auf das, was es zu entdecken gab, was er in sich selbst finden würde. Doch jetzt waren die Sehnsucht und das Vermögen, ihre Schönheit zu empfinden, dahin, und an ihre Stelle war das Gefühl des Gefangenseins getreten. Jetzt haderte er mit den Bergen.

Sie waren für ihn lebendig gewordene Poesie gewesen, von der jeder seiner Gedanken durchdrungen war. Ihnen hatte etwas fast Heiliges innegewohnt, das zwar nur selten, dann aber deutlich genug zu sehen war, um ihm die Gewissheit zu geben, dass es dort noch eine andere Realität gab, die zu suchen sich lohnte. Früher war er davon überzeugt gewesen, dass diese poetische, spirituelle Welt in der konkreten Struktur – dem Fels und Eis – der Berge zutage trat und man sie nur dann erfahren konnte, wenn man eins war mit den eisigen Höhen.

Inzwischen hatte sich sein Blick auf die Berge verändert, und seine Sinne funktionierten im Einklang mit einer Welt, die ihm längst fremd geworden war. Es schien, als würde er die Landschaft, in der er früher einmal ganz und gar aufgegangen war, nur noch leidlich ertragen. Einst hatte sie etwas Erhabenes und Unerschütterliches in ihm zum Vorschein gebracht, doch nun erniedrigte sie ihn. Er fühlte sich in den Bergen verloren.

Als er die Liebe kennengelernt hatte, war er davon überzeugt gewesen, dass es die ursprünglichste und reinste Form der Liebe war – und dass die Berge der Grund gewesen waren, weshalb er sie verloren hatte. Es war ein solcher Verlust, dass er die Berge weder verlassen noch sie neu für sich entdecken konnte. Er war in ihnen gefangen. Das Einzige, was ihm erträglich schien, war, hier auszuharren. Patrick war mit seiner Geschichte am Ende, und Cassie saß regungslos da.

»Es tut mir so leid. Das ist furchtbar traurig«, sagte sie schließlich. »Du musst sie sehr geliebt haben.«

»Sie war meine Frau«, sagte er und nickte. Das Wort ließ Cassie erstarren.

»Es gibt so viele Frauen, die nach der Liebe suchen, Patrick.«

»Sie war mein Ein und Alles«, sagte er. Sofort bereute Cassie ihre Bemerkung. Patrick klang müde und wirkte so erschöpft, als hätte er in seinem ganzen Leben noch nie etwas Anstrengenderes getan, als diese Geschichte zu erzählen. Mit dem Anflug von Enttäuschung, den sie empfand, stiegen auch unerfreuliche Gedanken und frostige Gefühle in ihr auf. Dennoch hatte Patrick zweifellos etwas an sich, das sie fesselte und ungeheuer beschäftigte. Dass er einmal verheiratet gewesen war, war sein volles Recht, sagte sie sich. Ihr war aufgefallen, dass er keinen Ring trug, was sie freute, aber schon im nächsten Moment schämte sie sich dafür. Er war nicht mehr verheiratet. Dann fragte sie sich, warum sie sich überhaupt Gedanken darüber machte.

Die Geschicklichkeit, das Selbstvertrauen und die Souveränität, mit der er sie aus der Gefühllosigkeit ihrer Unterkühlung wieder zurück ins Leben gezwungen hatte, waren eine nur allzu verführerische Illusion. Ihr war aufgefallen, dass alles, was er tat, schnell und fast ohne eine sichtbare Anstrengung vonstattenging. Er vergeudete keine Energie. Seine zielstrebige Art hatte etwas Faszinierendes. Und dennoch geschah das alles völlig automatisch, ohne irgendeine innere Regung. Sie musste an das denken, was er ihr über sein Leben erzählt hatte, und an die Worte, die er dafür gewählt hatte. Sie waren Teile eines Ganzen, die sie zu einem stimmigen Bild zusammenfügen konnte, bildeten Geschichten, die ihn so zeigten, wie er wirklich war: seine seltsam kindliche Befangenheit und die naive Verletzlichkeit, mit der er reagierte. Er erweckte den Eindruck, als lebte er ohne jede Hast und ohne Ziel in den Tag hinein, hatte zugleich aber etwas Hilfsbedürftiges, Argloses an sich, das ihm selbst nicht bewusst war. In seinen Worten schwang stets ein Anflug von Reue mit, als habe es in seinem Leben eine verpasste Gelegenheit gegeben, einen Augenblick, den er achtlos hatte vorübergehen lassen. Es brachte ihn aus dem Konzept, wenn er mit etwas Unvorhergesehenem konfrontiert wurde oder wenn er eine Situation nicht unter Kontrolle hatte und es ihm nicht gelang, die Ruhe auszustrahlen, die er sich selbst auferlegt hatte. Sie dachte darüber nach, wie er die Geschichte seines Lebens erzählt hatte, zusammenhanglos und so, als verberge er etwas, als sei sein Leben eine Reise, von der er wusste, dass er sie niemals würde zu Ende bringen können; eine endlose Erzählung über die Wiedergutmachung, die der Grund für den unausgesprochenen, aber alles beherrschenden Zustand war, in dem er verharrte, für sein Leben des Verzichts. Hier lag die Ursache für seine selbst auferlegte Isolation, dachte Cassie. Die Trauer, die er so mühelos zu ertragen schien, war aus seinen Worten so deutlich herauszuhören, dass sie selbst jemand Fremdem nicht verborgen blieb und diesen in ein verunsichertes Schweigen verfallen ließ, sobald ihm bewusst wurde, dass er einen Menschen vor sich hatte, der sein Leben nur halb gelebt hatte.

Es passte alles zusammen: die voller Verbitterung heruntergeschluckte Wut, die trügerische Trauer, die verlorenen Gefühle. Seine Trauer mochte eine aufrichtige Empfindung sein, doch zugleich lähmte sie ihn. Und seine Gefühle? Die hatte er weit von sich geschoben. Er hatte versucht, sie zu unterdrücken, um herauszufinden, was er wirklich empfand, doch wirklich verstanden hatte er sie nie. Er hatte sich mit seiner eigenen Verbannung, dem Verlust seiner Identität abgefunden. Cassie erkannte, dass ihm gerade dies sein emotionales Schweigen ermöglichte, seine Erinnerungen zum Teil verschwimmen ließ. Er war außerstande, das, was geschehen war, zu begreifen, war unfähig, es zu akzeptieren. Wie ein Ertrinkender hielt er an jener unbeschreiblichen Erinnerung an seine große Liebe fest, veränderte nichts und rührte sich nicht, um sie keinesfalls zu verlieren. Und aus diesem Grund blieb er hier oben und harrte aus, dachte Cassie, als könne er die Erinnerung an sie dadurch für immer lebendig halten. Doch genau das war der Punkt, in dem er sich irrte, hierin lag die Tragik seiner Situation. Und es war das, was auf Cassie gleichermaßen faszinierend wie beunruhigend wirkte.

Patrick starrte auf seine Hände – die eine bandagiert, die andere verstümmelt. »Sie war meine Frau, und ich habe sie fallen lassen. Das werde ich nie vergessen, mir nie verzeihen können. Könntest du das?«

Irgendetwas in ihr schien sich plötzlich zu drehen, und sie schaute verwirrt weg. Sie war verlegen, hatte das Gefühl, als verlangsame sich in seiner Gegenwart ihr ganzes Denken und Tun. Doch auch er schien irgendwie irritiert zu sein, denn er betrachtete ratlos die Flamme der Kerze, die ihr Licht auf seiner lädierten Hand tanzen ließ. Vielleicht glaubte er, zu viel gesagt zu haben, und bereute es nun. Immerhin hatte er eben mehr erzählt als den ganzen Tag über. Cassies Verwirrung und Verlegenheit flauten ab. Sie verstand ihn jetzt.

Ohne zu begreifen, was sie tat, beugte sie sich zu ihm und küsste ihn auf den Mund – ganz schnell, damit er nicht zurückweichen konnte.

»Nein, wahrscheinlich nicht«, antwortete sie dann und spürte, wie die Verwirrung erneut in ihr aufstieg. Jetzt, da sie ihn verstand, konnte sie die Mauern, die er so mühsam um sich errichtet hatte, mühelos durchschauen, und ihre Gefühle kamen ihr plötzlich indiskret vor.

Patrick lauschte dem Flüstern des Sturms jenseits der Fensterscheiben und beobachtete Cassie in ihrer Verlegenheit. Er kam sich vor, als hätte er gestanden und wäre nun überführt. Ihr Kuss hatte ihn völlig überrascht. Es war lange her, dass er zum letzten Mal eine solche Geste der Vertrautheit erfahren hatte, und es war auch lange her, dass er über den Tod seiner Frau nachgedacht hatte. Wahrscheinlich machte das die unerwartete Anwesenheit einer Frau in seinem Leben, dachte er sich. Er sah den Kerzenschein, der auf ihre Wange fiel: Es war ein warmes Licht, fand er – und ein hübsches Gesicht. Er fragte sich, wodurch sich das anfängliche Gefühl der Fremdheit zwischen ihnen so plötzlich verflüchtigt hatte, was ihn zum Reden gebracht hatte – und sie dazu, ihn zu küssen.

»Du glaubst, dass du sie losgelassen hast?«, fragte sie schließlich und schaute ihm in die Augen. Er nickte und starrte vorwurfsvoll auf die Fingerstummel seiner linken Hand.

»Hast du die damals verloren?« Sie lehnte sich vor und umfasste seine Finger.

»Ja«, antwortete er. »Ich hatte Glück, dass mir wenigstens die hier geblieben sind.«

»Und wenn es doch anders war?«

»War es aber nicht«, erwiderte er leise und zog seine Hand langsam aus der ihren, als sei ihm die Berührung unangenehm.

»Es war nicht an dir, über Leben und Tod eines anderen zu entscheiden. Dafür blieb dir keine Zeit. Die meisten würden sagen, es war ein reines Wunder, dass du sie überhaupt noch zu fassen bekamst. Es war nicht deine bewusste Entscheidung, sie loszulassen. Es ist einfach passiert. Das ist nun mal so im Leben.«

»Es ist nur … Ich habe immer das Gefühl, ich hätte sie … Ich hätte es schaffen müssen, sie festzuhalten.«

»Aber es ging doch alles so schnell, Patrick, viel zu schnell.«

»Ja, das stimmt, aber ich kann mich trotzdem noch genau an alles erinnern. Die Bilder sind alle noch in meinem Kopf«, sagte er tonlos.

»Man kann immer schneller sehen, hören oder denken, als man handeln kann. Aber ich glaube, hier lässt du dich von deiner Erinnerung täuschen.«

»Täuschen?« Er sah sie völlig verständnislos an.

»Vielleicht hat sie ja auch deine Hand losgelassen, Patrick«, sagte Cassie mit sanfter Stimme. »Hast du noch nie daran gedacht?«

»Nein.« Er schüttelte energisch den Kopf.

»Ist dir denn noch nie der Gedanke gekommen, dass sie das für dich getan haben könnte? Vielleicht hat sie sich bewusst dafür entschieden, um dein Leben zu retten. Hast du noch nie darüber nachgedacht?«

»Nein. So war es nicht.« Seine Worte klangen hart und endgültig.

Sie wechselte schnell das Thema. »Wann ist das eigentlich passiert, Patrick?«

»Vor fünfundzwanzig Jahren. Das ist lange her, Cassie«, antwortete er matt und hob resigniert die Hände.

»Und wo?«

»Wo?« Die Frage schien ihn zu überraschen. »Hier. Oben am Berg.« Er deutete vage in Richtung Fenster. »In der Nordwand. Im Winter.«

»Im Winter?« In ihrer Stimme schwang Respekt mit. Sie starrte zum Fenster hinüber, in dessen Ecken sich Schnee aufgehäuft hatte. Der Berg selbst war nicht zu erkennen, doch in der Ferne sah man die Sturmwolken. Sie schaute Patrick an und dachte daran, wie viele Jahre er hier ausgeharrt und gewartet hatte, an die lange Zeit der Einsamkeit und Verzweiflung. Sie hatte nie darüber nachgedacht, dass es auf diesem Berg geschehen sein könnte. Jetzt begriff sie. Als sie sich vorbeugte, um ihn erneut zu küssen, wich er nicht zurück, aber er erwiderte ihren Kuss auch nicht. Dann saßen sie schweigend da, während sich über der Kerze der blaue Rauch kringelte, der Wind gegen die Fensterscheiben drängte und die Berührung ihrer Lippen noch lange in der Stille hing. Sie wussten beide, was der andere dachte, aber sie sprachen kein Wort.

»Du hast mir noch gar nicht erzählt, woher du das hier hast.« Diesmal zuckte Patrick nicht zusammen, als sie den kleinen goldenen Anhänger berührte, der ihm vom Hals baumelte, während er sich vorbeugte und nach seinem Glas griff. Auf ihrer Fingerspitze drehte er sich, sodass sie das zartrosa und cremefarbene Innere einer goldgefassten Meeresschnecke sehen konnte. »Wie hübsch! Das ist etwas ganz Besonderes. Fast ein bisschen feminin.« Sie sah ihm direkt in die Augen.

»Das habe ich schon lange«, gab er zurück. Seine Antwort befriedigte Cassie nicht.

»Seit fünfundzwanzig Jahren, oder?«, hakte sie nach. »Du brauchst nicht zu antworten.« Er schwieg. Als sie sich erneut nach vorne lehnte, und die Kerze gefährlich nah an ihren Haaren züngelte, streckte er seine Hand aus, um ihre Wange zu berühren und sie vor der Flamme abzuschirmen. Diesmal erwiderte er ihren Kuss, sodass sie es war, in deren Augen die Überraschung zu lesen war.

18

Mit einem jähen, peitschenden Schlag schnalzte das letzte verbliebene Verankerungsseil gegen die Außenwand der Hütte
und ließ diese fast einen Meter zur Seite rutschen. Die Sturmlaterne im Fenster pendelte wild hin und her, die Kerze flackerte, und Patrick war weg.

Einen Moment später hörte man das tiefe Ächzen von bers-
tendem Holz, das dem Druck nicht mehr standhielt, und dann
stürzte am anderen Ende der Stube die Decke herab. Sie befanden sich auf einmal mitten im tosenden Sturm, und in dem
Chaos aus Brettern, Balken und Staub wirbelte der Schnee. Die
Kerzenflamme erlosch, am Fenster baumelte wie trunken die
Lampe. Noch während der Boden bebte, hatte Patrick sich umgedreht, mit einem Blick erfasst, was gerade geschah, und sich
dann in einer raschen, fließenden Bewegung Cassie zugewandt
und sie am Arm gepackt. Im nächsten Moment hatte sie bereits
unter dem Tisch gelegen, von Patricks Körper bedeckt, und gehört, wie die Decke herunterkrachte. Um sie herum erzitterte
alles, und Patrick, der den Schlag offenbar abbekommen hatte,
stöhnte vor Schmerz. Die eine Seite des Tisches über ihnen war
völlig zerschmettert. Cassie wollte schreien, konnte aber nur
nach Luft ringen. Patricks Gewicht schien sie zu erdrücken.
Eingekeilt und im Dunkeln lag sie da und versuchte den Kopf
zu drehen, um sein Gesicht zu sehen, doch sie konnte sich nicht
rühren. Verzweifelt kämpfte sie gegen die in ihr aufsteigende
Panik an. Sie atmete ein paarmal flach, hielt dann die Luft an
und lauschte auf seinen Atem. War er überhaupt noch bei Bewusstsein? Wo war er getroffen worden? Dann spürte sie, wie
sich seine Brust hob und senkte. Wenigstens atmete er noch.

»Patrick?«, flüsterte sie. Keine Antwort. »Patrick?«, versuchte sie es noch einmal, nun etwas lauter. Ihre Stimme drang schrill durch die Dunkelheit.

»Schhh!«, kam es zurück. Ihre Panik ebbte ab. »Sei still. Ich lausche.« Sein schroffer Befehlston ließ sie verstummen, und sie lauschte ebenfalls. Der Sturm heulte ohne Unterlass und übertönte alles. Sie spürte, wie Schneeflocken auf ihren Wangen schmolzen. Gelegentlich knackte es laut, dann durchdrang plötzlich ein lang gezogenes, markerschütterndes Bersten das Lärmen des Sturms.

»Jetzt hat sich das Dach endgültig gelöst«, hörte sie Patrick sagen. »Ich glaube, es ist überstanden.« Sie spürte, wie er sich regte und das Gewicht seines schützenden Körpers von ihr wich. Der Tisch rutschte ein Stück zur Seite, und direkt neben ihnen krachten zwei Holzbalken mit zersplitterten Enden auf den Boden. »Bleib so liegen und rühr dich nicht von der Stelle«, befahl er ihr, doch ihr war ohnehin nicht danach zumute. Ihr war ein Rätsel, weshalb er so erleichtert war, dass das Dach weg war.

Inzwischen hatte sich Patrick offenbar hingekniet und versuchte ächzend, den Tisch mit dem Rücken anzuheben. Weitere Teile der Deckenverkleidung polterten zu Boden. Beißender Rauch drang Cassie in die Augen, dann spürte sie, wie ihr etwas Flüssiges über das Gesicht rann und von den Lippen tropfte. In ihrem Mund schmeckte sie Wein und Staub. Dann wurde der Tisch plötzlich krachend zur Seite geschoben, und Patrick stand vorsichtig auf. Cassie blickte hoch. Die Sturmlaterne brannte noch. Sie hing an einem Nagel in einem der Fensterrahmen, der erstaunlicherweise unversehrt geblieben war. Cassie sah den Schnee darüber hinwegfegen und starrte dann benommen in die endlose Dunkelheit des Nachthimmels hinauf. Als sie den Kopf hob und um sich blickte, war da nur ein wirrer Haufen von Holzbalken und Brettern. Kreuz und quer lagen sie über dem Unterschlupf, den Patrick unter dem Bett eingerichtet hatte. Die ganze Stube war seltsam rautenförmig verzerrt. In der hinteren Ecke der Hütte fehlte ein

Teil des Daches, und durch das große dreieckige Loch drang der Schnee. Offenbar hatte der Sturm das Dach angehoben, teilweise fortgerissen und dann wieder auf die gefährlich verzogenen Wände gesetzt. Der Ofen stand noch, nur dass das Ofenrohr nun zwischen den dramatisch verbogenen Brettern der Holzdecke in den Himmel ragte. Darüber schien nichts mehr zu sein, und Cassie fragte sich, ob der Wind nicht doch das gesamte Dach mit sich fort in die Nacht gerissen hatte.

Dann sah sie den grellen weißen Lichtstrahl einer Stirnlampe und hörte, wie sich Patrick vorsichtig einen Weg durch die Trümmer bahnte. Das Geräusch von Brettern und Balken, die zur Seite geschoben wurden, war trotz des tosenden Windes deutlich zu hören, und Cassie fröstelte, als sie mit einem Mal die beißende Kälte spürte. Ob das Dach noch da war, konnte sie nicht mit Bestimmtheit sagen – die Wärme jedoch, die eben noch in der Hütte geherrscht hatte, war zweifellos verschwunden. Cassie richtete sich langsam auf, bis sie mit dem Kopf an die zerbrochene Tischplatte stieß.

»Bleib liegen!«, herrschte Patrick sie an. Er klang verärgert.

»Ich brauche aber eine Jacke. Mir ist eiskalt.« Sie hörte, wie ein paar weitere Holzbalken quietschend zur Seite geschoben wurden, dann blitzte der Lichtstrahl direkt neben ihr auf und verdrängte für einen Augenblick die Dunkelheit. Sie spürte ein Stück Nylonstoff an ihrer Hand. Es war die gelbe Daunenjacke, die Patrick ihr unter dem Tisch zuschob.

»Da, zieh das an«, sagte er knapp. »Aber bleib, wo du bist. Ich muss hier erst mal nach dem Rechten sehen.« Dann entfernte sich das Licht der Stirnlampe wieder, und Cassie zwängte sich in der engen Nische zwischen den tanzenden Schatten mühsam in die Jacke. Wenn sie sich streckte, konnte sie die Sturmlaterne gerade eben erreichen. Vorsichtig nahm sie die Lampe vom Haken und stellte sie neben sich auf den Boden. Ihr schwefelgelbes Licht vermittelte den Eindruck von Wärme, doch gleichzeitig blendete sie Cassie so, dass sie nicht mehr sehen konnte, was dahinter, zwischen den traurigen Überresten der Hütte, geschah.

Immer wieder sah Cassie Patricks Stirnlampe in der Dunkelheit aufblitzen. Sie lauschte den Geräuschen, die er machte, während er in der Hütte herumwerkelte. Erstaunt stellte sie fest, dass sie jetzt völlig ruhig war. Er hatte gewusst, dass dies hier passieren würde, und er hatte rechtzeitig Vorsorge getroffen.

Sie wischte sich den Staub von den Lippen. Dabei fiel ihr der Kuss wieder ein, und sie musste kichern. Als Patrick einen Moment später zu ihr unter den Tisch lugte und sie dabei kurz mit seiner Stirnlampe blendete, lag eine Mischung aus Erheiterung und Besorgnis in seinem Blick.

»Jetzt dürfte alles sicher sein«, sagte er schließlich und streckte ihr die Hand hin, um ihr aufzuhelfen. Sie bemerkte, dass der Verband um seine Hand blutgetränkt war, und fragte sich, ob die Naht aufgeplatzt war. Zuerst reichte sie Patrick die Sturmlaterne, dann drehte sie sich auf die Knie und kroch auf allen vieren unter dem Tisch hervor. Der Boden war von einer dünnen Schneeschicht überzogen, und als sie sich aufrichtete, sah sie, wie die weißen Flocken am Ofen mit einem Zischen verdampften.

»Tja«, sagte Patrick, der ihrem Blick gefolgt war. »Sieht ziemlich wüst aus, was? Aber vielleicht ist es ja besser, wenn das Dach gleich ganz davonfliegt. Dann bleiben wenigstens die Wände stehen.«

Hastig zog Cassie den Reißverschluss der Daunenjacke hoch und setzte sich fröstelnd die Kapuze auf.

»Komm mit!« Patrick nahm sie am Ellbogen und führte sie am Ofen vorbei. »Ich hab's uns richtig gemütlich gemacht.« Er lenkte den Strahl seiner Stirnlampe in die Richtung, in der das Bett stand. Die Balken und Bretter der teilweise heruntergestürzten Holzdecke lagen quer darüber, mit dem einen Ende auf den Vorratskisten, mit dem anderen ein gutes Stück weit davon entfernt, auf dem Rand des Ofens. Ihr Gewicht hielt die alte Zeltplane nun straff gespannt. An einer Stelle befand sich eine kleine Öffnung, und Patrick schlug den Nylonstoff zur Seite und bedeutete Cassie, in den Unterschlupf zu kriechen. Sobald sie darin verschwunden war, warf er die angeschaltete

Stirnlampe hinterher, blies die Sturmlaterne aus und schob sich dann, mit den Füßen voran, zu ihr in den beengten Raum unter dem Bett.

Cassie sah Patricks Beine in der Öffnung auftauchen, und für einen kurzen Moment wurde es im Innern des Unterschlupfs dunkel. Sie rutschte zur Seite, damit er neben sie kriechen konnte. Er klemmte die Nylonplane hinter sich wieder fest, was die Geräusche des Windes schlagartig dämpfte. Dann drehte er sich auf die Seite und wandte sich ihr zu, den Kopf auf den Ellbogen gestützt. Das Dach des Unterschlupfs war so niedrig, dass er den Kopf schief legen musste.

»Hier drin sind wir sicher«, sagte er. »Der Ofen ist bis oben hin voll mit Brennholz – das sollte bis zum Morgen reichen. Und wir haben die Decken, den Schlafsack, Thermoskannen mit heißem Wasser, Essen und natürlich was zum Rauchen.« Mit einem triumphierenden Grinsen hielt er seinen Tabakbeutel in die Höhe. »Das war das Erste, worum ich mich gekümmert habe.«

»Warte mal«, sagte Cassie und griff nach seiner Hand. »Lass mich das mal anschauen.« Sie zog den blutgetränkten Verband zu sich her und wickelte langsam die schmutzige Bandage ab.

Während sie vorsichtig die letzte Lage der Gaze von der Wunde entfernte, zog Patrick mit der anderen Hand den blauen Erste-Hilfe-Beutel und ein Fläschchen mit Verbandsalkohol hervor.

»Du denkst wirklich an alles«, sagte sie und schraubte die Flasche auf.

»Ich versuche es zumindest«, erwiderte er. Als sie den Alkohol über seine zerschnittene Handfläche laufen ließ, sog er scharf die Luft ein.

»Hm, wie es aussieht, habe ich mich gar nicht so dumm angestellt«, sagte Cassie. »Die Stiche haben alle gehalten, auch wenn du dich noch so sehr bemüht hast.« Dann wickelte sie um die Hand mit der frischen Wundauflage straff einen sauberen Verband. »Und was machen wir jetzt?«

»Jetzt geht es ins Bett«, antwortete er. »Zieh die Jacke aus und leg sie hier über den Schlafsack. Ich glaube nicht, dass wir frieren werden.«

Und tatsächlich war ihnen schon bald warm – zu warm. Es dauerte nicht lange, bis sie den Schlafsack und die Decken zur Seite geschoben hatten. Die äußersten Kleiderschichten zogen sie aus und stopften sie sich als Kissen unter den Kopf. Während sie so dalagen, hörten sie, wie sich irgendein weiterer Teil der Hütte verabschiedete und vom Wind fortgerissen wurde. Dann beobachteten sie die flackernde Kerze, die in einer Blechbüchse stand, damit sie von den Böen, die die Reste des Gebäudes erschütterten, nicht gelöscht wurde.

Ganz allmählich und unabsichtlich kamen sie sich immer näher. Sie lagen eng nebeneinander auf dem Bauch, den Kopf in die Hände gestützt, und unterhielten sich leise. Cassie spürte die Wärme seines Körpers neben sich. Sein Oberschenkel berührte ihr Knie, und sie konnte seine Muskeln fühlen. Die Wärme strömte an ihrem Bein hinauf und breitete sich in ihrem ganzen Körper aus, ohne dass sie sich dagegen sträubte. Noch Jahre später würde sie sich immer wieder an die Hitze erinnern, die in jenem Moment in ihr aufwallte und zusehends stärker wurde. Dann würde sie wie angewurzelt stehen bleiben und vor sich ins Leere blicken, während vor ihrem inneren Auge alles wieder lebendig wurde und ihre Gefühle sie mit derselben Heftigkeit überwältigten wie all die Jahre zuvor. Sie würde an die Hütte denken, die mit einem einzigen scharfen Ruck fortgerissen worden war, an die berstenden Holzbalken, die Berührung seiner Lippen und an das, was danach geschah, und die Bilder besäßen noch immer eine unglaubliche Klarheit und Wahrhaftigkeit. Sie würde sich nicht wehren, wenn diese Bilder durch all die Jahre ihrer Erinnerung hindurch in sie eindrangen und die Intensität und Hitzigkeit des Augenblicks sie immer wieder aufs Neue mit ungebändigter Macht durchströmten. Eigentlich hätte seine eigenartige Kraft ihr Angst einjagen müssen, doch als er über ihr war, wurde ihr plötzlich klar, dass sie diesen Moment hatte kommen sehen, seit sie sich zum ersten Mal begegnet waren. Sie glaubte, das, was dann zwischen ihnen geschah, später einmal beiseiteschieben zu können – irgendwann würde es nicht mehr sein als eine von vielen Erinnerungen an eine längst vergangene Zeit, die einen festen Platz behielt, ihr aber auch erlaubte, sie zu verdrängen. Doch sobald sie Patricks Kraft und Intensität spürte, verlor sie mit einem Schlag die Kontrolle über sich, und zwar so ganz und gar, als hätte er in jeder Hinsicht Besitz von ihr ergriffen. Es gab überhaupt keine Möglichkeit, irgendetwas beiseitezuschieben.

Auch Patrick hatte sich kaum mehr im Griff. Cassies Erinnerungen an jenen Moment waren so klar und deutlich wie das Licht in seinen Fotografien. Sie hatte noch das rauschhafte Zerren an den Kleidern vor Augen, spürte noch die Hitze des Ofens, die über sie hinwegströmte, und seine Hand, die unablässig über ihren katzenartig angespannten Körper strich. Doch es ging weit über das rein Körperliche hinaus – es war, als versuchten sie das perfekte Licht einzufangen.

Er zügelte seine Kraft, solange er konnte, ließ seine Lippen behutsam über ihren Nacken streifen, während sein Bauch sanft gegen den ihren drängte, wieder und immer wieder. Es war ein uralter Tanz, als er seinen Kopf beugte, um ihre Lippen zu küssen und mit der Zunge den Schwung ihres Nackens nachzufahren – und das Feuer brannte immer heißer und hinterließ auf ihren glühenden Körpern einen klebrigen Schweiß.

Er liebte sie unermüdlich, überraschte sie immer wieder aufs Neue, und seine nicht nachlassende Selbstbeherrschung erstaunte sie. Manchmal hielt er in einer zärtlichen Umarmung inne, bremste sich und wartete, bis das drängende Gefühl nachließ, und während sein groß gewachsener, hagerer Körper über ihr wieder zu Kräften kam, konnte sie in seinen Augen seinen inneren Kampf sehen. Manchmal zog er sich zurück und schaute sie einfach nur an. Allein das heftige Heben und Senken seines Brustkorbs verriet dann, wie viel Anstrengung es ihn kostete, seine Leidenschaft zu bändigen. In jenen Momenten flutete ihr Keuchen wie ein Strudel um sie und ihre wortlos drängenden Körper.

Und dann war er wieder ganz nah bei ihr, murmelte etwas, und auch sie war plötzlich atemlos, ließ ihn tief in sich ein, den Arm um seine Taille geschlungen, eng an ihn gepresst. Er klammerte sich fest an sie, und seine Augen glänzten dunkel im Schein der Kerze. Er beugte sich zu ihr, um sie zu küssen, und sie erwiderte seinen Kuss. Sie wölbte ihren Körper dem seinen entgegen, und leise, unverständliche Laute drangen aus ihrem Mund, in einer Sprache, die er mühelos zu verstehen schien, während sich seine Kraft erschöpfte. Schließlich lag er ruhig auf ihr.

Der entwaffnete Ausdruck, den sie in diesem Moment in seinen Augen sah, offenbarte ihr alles über ihn: seine Kraft und Heftigkeit, sein warmes, gütiges Wesen und die Tragik seiner Situation, die ihm anhaftete wie Rauch. In jenem kurzen Augenblick des Loslassens zeigten sich alle seine unterdrückten Gefühle, da ihm die Kraft fehlte, sie zurückzuhalten.

Dann lagen sie still und schweigend nebeneinander, und als ihr Atem wieder etwas ruhiger ging, fragten sie sich, was da eben mit ihnen geschehen war, warum sie es hatten geschehen lassen. Cassie wusste, dass Patrick von nun an einen Platz in ihren Gedanken haben würde, dass er sie in der dunklen Peripherie ihrer Erinnerungen auf ewig begleiten würde. Später würde es Augenblicke geben, in denen sie an all das zurückdachte und es nahezu lächerlich fand, dass eine so flüchtige Begegnung derartige Gefühle in ihr hervorrufen konnte. Dann versuchte sie sich einzureden, dass es wegen des unablässig tosenden Windes und der klaustrophobischen Beengtheit des Unterschlupfs geschehen war, dass es nichts weiter gewesen war als ein plötzliches Aufflammen der Lust nach der hochemotionalen Zeit, die sie auf engstem Raum miteinander verbracht hatten. Doch letztendlich wusste sie, dass sie sich damit nur etwas vorgaukelte. Von da an hatte sie nie mehr das Gefühl, allein zu sein.

Über ihre Gefühle sprach Cassie nicht, und der Lauf der Ereignisse fegte das hinweg, was in Patrick vorgehen mochte, und ließ auch ihn schweigen. Es war die außergewöhnliche

Wetterlage, sagte sie sich später, die Tollheit des Föhnsturms – nicht Liebe. Dafür kannten sie sich nicht lange genug. Außerdem war ihr der Gedanke, dass sie sich möglicherweise täuschte, unerträglich. Sie war sich nicht sicher, wie sie das hätte überleben sollen.

Schweigend blieb Patrick neben Cassie liegen, als habe sich etwas zwischen sie geschoben, und kam ihr von diesem Moment an nicht mehr richtig nahe. Er schaute auf, und als sie seinem Blick begegnete, sah sie in seinen Augen dieses hintergründige Lächeln, das ihr mittlerweile so vertraut war. Keiner der beiden bewegte sich, als verharrten sie in einem Augenblick des wortlosen Abschieds, verwundert über das, was da eben geschehen war.

Die absolute Stille ließ Cassie aufwachen – nicht das geringste Geräusch war zu hören: kein Ächzen des Windes, kein Eis, das scharf gegen die Fensterscheiben prasselte, kein plötzliches Zersplittern herabstürzender Holzbalken, nur eine vollkommene Ruhe und das sanfte Strömen von Patricks Atem. Dann fiel ihr alles wieder ein. Eine Zeit lang hatten sie schweigend dagelegen und geraucht. Danach hatten sie sich, weil der Schweiß zwischen Bauch und Rücken langsam abkühlte, verschämt die halb ausgezogenen Kleider wieder übergestreift und waren unter die Decken geschlüpft.

Es war dunkel, und für einen Augenblick lag Cassie orientierungslos in dem engen, niedrigen Unterschlupf. Die Kerze in der Blechbüchse war längst erloschen. Cassie spürte einen kühlen Lufthauch an ihrem Rücken, denn die Decken waren zur Seite gerutscht, und vom Ofen her schien keine Wärme mehr zu kommen. Sie griff mit der Hand nach oben, um die Bretter über sich wegzuschieben. Als sie die Plane an einer Ecke anhob, drang graues Licht herein. Sie schob sich durch die Lücke, stand auf und streckte sich.

Als sie die Ofenplatte beiseiteschob, sah sie, dass in der weißen Asche noch etwas Glut war, die bernsteinfarben glimmte. In dem Korb neben dem Ofen fand sie zwei Scheite Brennholz sowie etwas Kleinholz und Späne. Mit beiden Händen schöpfte sie Späne und Rindenstücke heraus und ließ sie durch die Luke in den Ofen fallen. Eine kleine Aschewolke stieg auf, und die trockene Rinde entzündete sich rasch. Als sie das Kleinholz und die Scheite hineinwarf, züngelten bereits die ersten Flammen empor. Sie öffnete die Lüftungsklappe, und schon loderte das Feuer. Funken stoben empor, als sie die Luke schloss.

Sie zog den Reißverschluss der Daunenjacke bis zum Kinn zu und besah sich in der fahlen Morgendämmerung den Schaden, den der Sturm in der Hütte angerichtet hatte. Alles war mit einer feinen Schneeschicht bedeckt. In den beiden Ecken der Stube, die unter freiem Himmel lagen, hatten sich kleine Schneeverwehungen gebildet. Der Tisch lag zerstört am Fenster: Sämtliche Beine waren gebrochen. Vor den Fenstern türmte sich der Schnee so hoch auf, dass nur ein schmaler Spalt ganz oben an der Scheibe frei geblieben war, durch den ein schwacher Lichtschein drang. Die Sonne war noch nicht aufgegangen. Die Hütte ähnelte einer Ruine. Cassie sah das verzogene Dach, die breiten Risse in allen vier Ecken, den Pulverschnee, der hereinwirbelte und über dem Bett herabsank, und lauschte der Stille. Der Sturm hatte sich gelegt.

Sie griff nach dem leeren Brennholzkorb und ging zur Tür hinüber. Es erstaunte sie, dass der Lärm, den sie beim Anheizen gemacht hatte, Patrick noch nicht aufgeweckt hatte. Dann fiel ihr wieder ein, dass er bereits in der Nacht zuvor, als er sie gesund gepflegt hatte, fast kein Auge zugetan hatte. Als sie die Tür aufgestemmt hatte, musste sie erst einmal blinzeln. Dann stapfte sie los, die Veranda entlang. Jeder ihrer Schritte war begleitet von einer Woge aus Pulverschnee, der ihr bis zum Oberschenkel heraufschwappte. Am Geländer blieb sie stehen, schirmte die Augen mit der Hand gegen das gleißende Weiß ab und schaute zu den Gipfeln hoch. Die mit Schnee überzuckerten Felstürme und Pfeiler oben am Grat waren gerade noch zu erkennen. Auf ihrem Weg zur Brennholzkiste am Ende der Veranda strich Cassie im Vorbeigehen mit der Hand über die Schneeverwehung an der Fensterscheibe. Kaum hatte sich die weiße Masse auf den Boden ergossen, flutete das Licht in die Hütte.

Sie musste ein paarmal mit dem Korb über den Deckel der Kiste wischen, bis sie unter dem Schnee das Schloss gefunden hatte. Dann stellte sie ihn neben sich ab und schob den Riegel zur Seite. Mit einem Ruck stemmte sie den Deckel hoch, dass der bis dahin unberührte Pulverschnee nur so aufwirbelte, und beugte sich nach vorn, um den Korb aufzuheben. Es dauerte den Bruchteil einer Sekunde, bis sie erkannte, was sie da vor sich hatte. Sie hatte mit ihrer freien Hand in die Kiste gegriffen, in der Erwartung, ein Holzscheit zu fassen zu bekommen, als sie das wächserne Gesicht sah, das sie durch den Faltenwurf einer hauchdünnen Schneedecke unverwandt anglotzte. Die weißen Konturen der Schultern, die an die Seitenwände der Kiste stießen, und die gefalteten, unter einem dünnen Schleier aus Frost verborgenen Hände hatten für sie auf den ersten Blick nichts von einem menschlichen Körper. Starr vor Entsetzen sah sie auf das Gesicht hinunter, in dessen leeren Augenhöhlen der abstoßende Ausdruck eines ewigen, überraschten Grauens stand.

Cassie merkte nicht, dass sie schrie, sondern nur, dass alles plötzlich ganz schnell ging. Begleitet von einer gewaltigen Schneewolke, krachte der Deckel der Kiste herunter, während sie schreiend rückwärtsstolperte. Sie rutschte auf den Holzplanken aus und landete auf allen vieren im Schnee. In wilder Panik kroch sie in Richtung Tür, fort von dem entsetzlichen Anblick, und nachdem sie in einer Woge aus Schnee und Schluchzern und Schreien in die Hütte getorkelt war, warf sie die Tür hinter sich ins Schloss, kauerte sich am Ofen auf den Boden und stieß immer wieder Flüche aus, während sie nach Luft rang und ihr das Herz bis zum Hals schlug.

19

Die tief stehende Nachmittagssonne durchbrach das zerborstene Dachgebälk und warf lange Schattenfinger auf den Schnee. Wie ein elender Säufer kauerte die Hütte zusammengesunken inmitten von Drahtseilen, Wellblechplatten und verstreut herumliegenden Holzbalken. Aus dem schwarzen Ofenrohr, das mitten aus den mageren Überresten des Daches herausragte, stieg ein dünner schwarzer Rauchfaden auf. Von der Stelle am Grat aus, wo Patrick stand, konnte er durch die wenigen verbliebenen Balken bis in die Hütte hineinschauen. Auf den Regalbrettern direkt unter dem zum Teil fortgerissenen Dach konnte er einige vertraute Gegenstände erkennen. Die Kochtöpfe neben dem Ofen waren bis zur Hälfte mit Schnee gefüllt, und oberhalb des Tisches, der von den herabgestürzten Dachbalken zertrümmert worden war, standen mehrere Reihen weiß überzuckerter Vorratsdosen. Am Boden lag eine fast leere Weinbrandflasche. Beim Anblick seines zerstörten Zuhauses empfand er eine Trostlosigkeit, die ihn düster einhüllte wie eine vorüberziehende Wolke. Er wandte sich ab und richtete seinen Blick auf den nördlichen Teil des Gletschers.

Wie der Rücken eines Drachens wand sich der Gletscher hinunter ins Tal, das im grellen Weiß des Neuschnees gleißte, obwohl es bereits zu dämmern begann. Von Felsmoränen bedrängt, schwangen sich Gletscherspalten wie Rippen zu einer sanften Erhöhung auf, schlängelten sich dann hinab und verschwanden schließlich in der Ferne. Es war ein windstiller, wolkenfreier Tag und ungewöhnlich warm. Nur die zerstörte Hütte und der Verband um Patricks Hand zeugten von dem, was sich in den vergangenen Tagen hier abgespielt hatte. Patrick stand in der Scharte am Grat. Über seiner linken Schulter ragte die gewaltige Nordwand empor, die überall dort von grauem Eis durchzogen war, wo sich der Schnee gelöst hatte. Er nahm den Hauch ihrer eisigen Kälte an seiner Wange wahr.

An Tagen wie diesem konnte er den Berg spüren, seinen wortlosen, allgegenwärtigen Auftrag, ihn immer wieder an das zurückdenken zu lassen, was geschehen war, den Rhythmus seiner Erinnerungen wachzurufen. Patrick hielt seinen Blick starr auf den Gletscher gerichtet und betrachtete ihn genau, suchte nach jenen Orientierungspunkten, die ihm so vertraut waren. Jetzt, wo die Hütte zerstört war, gab es keinen Grund, noch länger zu warten. Es war so weit. Es kam alles zusammen – sie würde kommen. Er spürte, dass ihn dieser finstere Ort nun würde gehen lassen, und musste erst einmal langsam und tief ausatmen, um sich zu sammeln und sich mit dem Gedanken anzufreunden.

Von der Hütte her drangen laute Stimmen und Gelächter an sein Ohr, und er warf einen Blick über seine Schulter. Mehrere Männer hievten lachend und ziemlich unsanft einen jungen Burschen über den geschlossenen Deckel der Brennholzkiste auf die Brüstung am Ende der Veranda. Einen Augenblick lang hing er in dieser Position, dann stürzten die Männer johlend und schreiend auf ihn zu, und der Bursche, ein junger Bergführer, kippte rückwärts, fiel über das hölzerne Geländer und verschwand in der tiefen Schneewehe unter der Veranda, dass es nur so staubte. Die anderen taumelten prustend die Treppe hinunter, krümmten sich vor Lachen und klatschten sich auf die Schenkel. Patrick musste grinsen, als er sah, wie ausgelassen die Männer waren. Obwohl sie sich eben mehrere Stunden lang vom Dorf durch den Tiefschnee heraufgekämpft hatten, schienen sie noch voller Energie zu stecken.

Sie versammelten sich um die zweirädrige Tragbahre. Von den Metallschienen an beiden Seiten der Bahre baumelten fünf Stoffriemen mit metallenen Schnallen an ihrem Ende. Die steif gefrorene Leiche lag zu Füßen der Männer im Schnee. Ein dunkler Stoffsack umhüllte die untere Hälfte des Körpers. In der Mitte dieser Hülle verlief im Zickzack eine weiße Schnur, von den Füßen bis zur Hüfte hinauf, wo die Schnürung aufklaffte. Das Ganze verlieh dem Toten etwas Insektenhaftes. Mit den angewinkelten Ellbogen und den wie halb entfaltete Flügel auf dem Körper liegenden Unterarmen wirkte er wie eine überdimensionale Larve. Selbst die mit schwarzem Blut gefüllten Augenhöhlen ähnelten dem leeren, stieren Blick riesiger, unbeweglicher Insektenaugen, die blindlings in die Sonne starren.

Neben der Leiche stand Peter, der alte Bergführer, und runzelte nachdenklich die Stirn. Die Hände des Toten waren immer noch steif gefroren und auf dem Bauch überkreuzt. Patrick sah, wie Peter sich über den Körper beugte, um die Spanngurte der Bahre zu kontrollieren, und hörte seine schroffen Anweisungen. Währenddessen zappelte der jüngste der Bergführer immer noch wie wild in der tiefen Schneewehe hinter der Veranda, wo er von seinen Kameraden mit Schneebällen und Spötteleien überhäuft wurde.

Ein Stück abseits stand Callum. Er wirkte selbst aus der Entfernung trotzig wie ein verzogenes Kind. Irgendetwas stimmt mit dem Kerl nicht, dachte sich Patrick. Unwillkürlich ballte sich seine bandagierte Hand zur Faust, bis die Stiche der Naht am Verbandsmull kratzten. Er musste an das Knirschen von Knorpeln denken, das er gespürt hatte, als er Callum einen Schlag auf die Nase versetzt hatte. Als ihm das kleine Handgemenge an der Hüttentür nur drei Tage zuvor wieder einfiel, grinste er voller Genugtuung. Jetzt, wo er das übellaunige Bürschchen wieder sah, wünschte er sich, er könnte es noch einmal tun. Ihm missfiel die besitzergreifende Art, mit der Callum am Nachmittag Cassie gegenübergetreten war, als er gemeinsam mit den Bergführern wieder bei der Hütte aufgetaucht war. Sie hatte ihn einfach ignoriert, als gebe es ihn gar nicht, als sei er aus ihrem Bewusstsein schlichtweg ausgemerzt worden. Patrick hatte ihre Begegnung mitverfolgt und Callums Irritation bemerkt, die sich schnell zu einer extremen Gereiztheit gesteigert hatte. Als Callum zu der Gruppe gestoßen war, hatte er Patrick einen zornigen Blick zugeworfen. Dieser jedoch hatte den streitlustigen Callum einfach links liegen lassen und war an ihm vorbeigestapft, um Peter zu begrüßen, den Männern etwas Heißes zu trinken anzubieten und sich dafür zu entschuldigen, dass er keinen Wein mehr hatte. Er spürte den wutentbrannten Blick in seinem Rücken, und als Peter ihn fragend ansah und dann mit den Schultern zuckte, musste er grinsen. Auch ohne Worte war damit klar, dass der alte Bergführer sich genauso wenig um Callum scherte wie Patrick. Die beiden liefen erst einmal um die Hütte und begutachteten den Schaden. Wo es die Hütte verschoben hatte, kam die darunterliegende Bodenplatte aus Beton zum Vorschein. Später saßen sie dann auf den Stufen vor der Hütte, tranken bitteren Kaffee mit einem letzten Rest Weinbrand aus großen Schalen, und Patrick berichtete, wie die Verankerungsseile sich gelöst hatten und das Dach in der dunklen Nacht verschwunden war. Nachdenklich betrachtete Peter den Mann, der neben ihm saß und den er im Lauf der Jahre schätzen gelernt hatte und bewunderte.

In aller Ruhe besprachen sie, was mit der Leiche geschehen sollte, und als Patrick erzählte, wie entsetzt Cassie am Morgen beim Anblick des Toten gewesen war, schmunzelte Peter und schaute amüsiert zu der jungen Frau hinüber.

»Eine hübsche Frau«, sagte er und kippte den Kaffeesatz neben sich in den Schnee.

»Ja. Und ganz schön kompliziert.«

»Das sind die besten«, entgegnete Peter mit einem Lachen. »Du weißt, dass die Hütte nicht wiederaufgebaut wird, oder?«, fuhr er unvermittelt fort.

Patrick war sichtlich überrascht. »Nein? Und warum nicht?«

»Sie wollen nächstes Frühjahr eine neue heraufbringen«, antwortete Peter. »Mit dem Hubschrauber«, fügte er hinzu und verzog das Gesicht.

»Na ja«, meinte Patrick und warf einen Blick auf das, was von der Hütte übrig geblieben war. »Irgendwann musste es ja damit zu Ende gehen.«

»Du hast ziemlich lang hier oben ausgehalten, mein Freund, findest du nicht?« Peter schaute ihn unverwandt an, und Patrick nickte zustimmend.

»Ja, hat lange gedauert«, murmelte er.

»Was hast du jetzt vor? Du könntest dich doch als Hüttenwart für die neue Hütte bewerben, falls –«

»Nein«, unterbrach ihn Patrick entschieden. »Nein, es ist Zeit. Im Grunde war mir das schon den ganzen Sommer über klar.«

»Kann ich dir denn irgendwie weiterhelfen?«, fragte Peter und sah seinen Freund mit verständnisvollem Bedauern an, als dieser den Kopf schüttelte.

»Nein, darum muss ich mich selbst kümmern. Das weißt du doch.«

»Ja, das verstehe ich«, antwortete der alte Bergführer. Beim Aufstehen stützte er sich auf Patricks Schulter. »Komm, ich muss zusehen, dass sich meine Leute in Bewegung setzen, wenn wir vor Einbruch der Dunkelheit wieder unten sein wollen.«

Er wies die Männer an, die Bahre zu holen. Als die Bergführer an die geöffnete Brennholzkiste getreten waren, um den steif gefrorenen Toten herauszuholen, hatte Cassie sich schützend davorgestellt, doch Patrick hatte sie am Ellbogen gefasst und sanft zur Seite geschoben. Wütend hatte sie sich aus seinem Griff befreit und war von der Veranda gestapft. Das befriedigte Grinsen in Callums bleichem Gesicht war Patrick nicht verborgen geblieben. Er hatte die Gruppe sich selbst überlassen, sich mit einem Nicken von Peter verabschiedet und dann zu der Scharte im Grat zurückgezogen.

Von hier oben konnte er das Geschehen weiter beobachten. Er sah, wie Cassie besorgt zu der Leiche hinüberging und – ein Stück abseits von den anderen – eine Weile steif danebenstand. Dann drehte sie langsam den Kopf und starrte zu Patrick hoch, als sei sie sich seines forschenden Blicks bewusst. Patrick versuchte den Ausdruck in ihrem Gesicht zu erkennen, doch die Entfernung zwischen ihnen war zu groß. Callum, der ihren starren Blick bemerkt hatte, baute sich vor ihr auf und sagte etwas, und Patrick konnte den drängenden Ton seiner Stimme aus dem heiteren Plaudern der anderen Männer deutlich heraushören. Wortlos wandte Cassie sich von ihm ab und kauerte sich neben den Toten, als wollte sie ihn vor Callum abschirmen. Ihr Blick blieb dabei die ganze Zeit über auf Patrick gerichtet. In einer Geste der Ungeduld und Ratlosigkeit hob Callum hinter ihrem Rücken beide Hände, die Finger weit gespreizt, drehte sich dann um und stapfte wütend davon. In der Nähe der Hütte, wo der von den Bergführern gespurte Trampelpfad durch den Tiefschnee endete, trat er mit unübersehbarer Frustration gegen einen Schneehaufen. Die Männer deuteten zu ihm hinüber, und er quittierte ihr amüsiertes Tuscheln mit einem wütenden Blick.

Peter beugte sich über die Leiche. Als er die anderen mit ein paar schroffen Worten zur Ordnung rief, verstummten sie augenblicklich. Cassie legte ihm die Hand auf die Schulter und sagte leise etwas zu ihm. Peter blickte kurz zu ihr hoch, nickte dann zustimmend und trat mit einem Schulterzucken zur Seite. Cassie kniete nieder, legte ihre Hand sanft auf die Brust des Mannes und wischte mit der anderen den Schnee von seinem entstellten Gesicht. Patrick sah, wie sie ihre Jacke öffnete, ein Seidentuch hervorzog, das sie um den Hals getragen hatte, und die grässlich leeren Augenhöhlen damit bedeckte. Sie schob ihre Hand unter den Kopf des Toten, hob ihn leicht an und verknotete das Tuch, damit es nicht verrutschen konnte. Einen Augenblick lang ließ sie ihre Hand auf dem ergrauten, gefrorenen Fleisch seiner aufeinanderliegenden Hände ruhen. Dann zog sie den Stoff über den Kopf des Mannes und straffte langsam und sorgfältig die weiße Schnur von seiner Hüfte an aufwärts. Patrick musste daran denken, mit welcher Ruhe und Gelassenheit sie die Schnittwunde an seiner Hand genäht hatte und wie aufgebracht sie am Morgen gewesen war, als sie den toten Mann in der Brennholzkiste entdeckt hatte. Jetzt, wo er ihre gütige Geste mit dem Seidentuch beobachtete, schämte er sich fast dafür, wie grob er selbst mit der Leiche umgegangen war.

Auch die anderen Bergführer waren inzwischen schweigsam geworden. Callum dagegen, der mit den Händen in den Hosentaschen und trotzig hochgezogenen Schultern dastand und ins Tal hinunterstarrte, schien die plötzliche andächtige Stille nicht einmal wahrgenommen zu haben. Cassie stand auf und klopfte sich den Schnee von den Hosenbeinen. Mit einer kaum merklichen Geste gab sie Peter zu verstehen, dass sie den Toten nun wegbringen konnten. Während die jungen Bergführer die Leiche mit routinierter Sorgfalt hochhoben und auf die Tragbahre legten, schaute Cassie auf und blickte Patrick direkt an. Dieser machte einen Schritt nach vorne und hob langsam seine bandagierte Hand. Cassie nickte, und Patrick glaubte sogar, ein Lächeln auf ihrem Gesicht zu sehen.

In tiefes Schweigen gehüllt, zurrten die Männer den dunkelblauen Kokon am Metallrahmen der Bahre fest. Peter überprüfte jeden einzelnen Knoten mit einer Fürsorglichkeit, wie er sie nicht einmal während ihres mühsamen Abstiegs vom Grat drei Nächte zuvor gezeigt hatte. Auf ein paar schroffe Kommandos hin setzten sich die Männer in Bewegung und begannen, die Tragbahre zwischen sich balancierend, mit dem Rückweg ins Tal. Callum ging der Gruppe voraus, Cassie bildete das Schlusslicht.

Als die Hütte schon fast nicht mehr zu sehen war, drehte sie sich noch einmal um und schaute zurück. Patrick stand noch immer oben am Grat, die Hand zu einem Winken erhoben, das wie eine Entschuldigung wirkte. Es war eine Geste des Abschieds, aber zugleich auch des Bedauerns. Als Cassie zu der Gestalt in der Ferne hinaufsah, bemerkte sie hoch über ihm eine Lawinenwolke, mit der sich die Gipfelhänge von der Schneelast des überstandenen Sturms befreiten. Lautlos wallte die weiße Masse über die eisdurchzogene Felswand und stürzte dann auf die darunterliegenden Eisfelder. Cassie sah, dass Patrick reagierte, als die Schallwelle ihn endlich erreicht hatte. Im selben Moment setzte sie sich in Bewegung und war schon bald hinter der ersten Wegbiegung verschwunden.

Als die Lawine über den Bergschrund glitt und sich dann fächerartig über den Gletscher ergoss, drehte Patrick sich wieder talwärts. Langsam ließ er seine immer noch erhobene Hand sinken. Cassie war fort. Er hockte sich auf den Boden und schaute traurig und nachdenklich auf die gewaltige weiße Eisfläche in der Ferne. Unten im Tal erhob sich ein kühler Wind, strich über den Gletscher und drang schließlich bis zu ihm herauf, wehte ihm den Zigarettenrauch von den Lippen und zerzauste ihm das Haar. Patrick schaute zur Hütte hinunter. Die Rauchfahne stand im Fünfundvierzig-Grad-Winkel über dem Kamin. Am Himmel war nach wie vor keine Wolke zu sehen, doch über das Gerippe des Gebäudes krochen die ersten Schatten. Es wurde Nacht.

Patrick stand auf, schnippte den Zigarettenstummel in den Schnee und marschierte mit großen Schritten in Richtung Hütte. Es war höchste Zeit aufzubrechen. Im Grunde hatte er längst mit dem gerechnet, was Peter ihm mitgeteilt hatte. Die Hütte würde nicht instand gesetzt werden – weder in diesem noch im nächsten Jahr. Stattdessen würden sie eine neue Berghütte heraufschaffen, mit einem Hubschrauber. Unten in der Dorfwirtschaft hatte die Vorstellung von einer größeren, besser ausgestatteten Hütte die jungen Bergführer offenbar in helle Begeisterung versetzt. Umso mehr Kunden, die sie auf die Gipfel hinaufführen könnten, hatten sie sich überlegt. Und umso mehr Tote, die sie wieder herunterbringen müssten, hatte Peter schroff erwidert, doch sie hatten ihn nicht ernst genommen. Schon immer waren in den Bergen Menschen verunglückt – Bergführer natürlich nicht –, hatten sie einstimmig dagegengehalten, was Peter nur einen mitleidigen Blick entlockt hatte. Sie würden sicherlich gut verdienen, würden sich im Winter keine andere Arbeit mehr suchen müssen, um über die Runden zu kommen, und die Touristen würden in Scharen ins Dorf strömen – die Wirtsstube vibrierte vor Euphorie, als sich die jungen Männer ihre Zukunft in den schillerndsten Farben ausmalten. Die neue Berghütte war ihre große Chance, sagten sie sich voller Zuversicht. Peter zuckte nur mit den Schultern und murmelte etwas Unverständliches. »Und umso mehr Mädels!«, rief der jüngste der Bergführer aus, und prompt fielen seine Zechkumpanen über ihn her, verpassten ihm übermütig ein paar Ohrfeigen und ließen derbe Sprüche los. Als auch die junge Frau hinter dem Tresen zu prusten begann und ihn amüsiert angrinste, lief er dunkelrot an und verstummte.

Etwas später setzte er sich neben Peter und wies ihn darauf hin, dass auch seine neue Tragbahre öfter zum Einsatz käme, wenn es mehr Verunglückte zu bergen gäbe, und dass er ein Vermögen damit machen könnte. Peter grummelte jedoch nur, rutschte an einen anderen Tisch hinüber und bestellte sich noch ein Bier. Missmutig hatte er dagesessen, die Hände um das Glas mit dem schäumenden Bier gelegt, und finster vor sich hin gestarrt, sodass nicht einmal der vorlaute Bursche es wagte, ihn zu stören. Peter wusste, wie nützlich die Bahre mit den Rädern war. Doch die Idee, die hinter der Konstruktion stand, war ebenso alt und unzeitgemäß wie derjenige, der sie ersonnen hatte. Mit dem Einsatz von Hubschraubern wären beide überflüssig. Die Bemerkung des angetrunkenen jungen Mannes war also entweder gut gemeint oder töricht gewesen, wahrscheinlich beides.

Am Ende der Saison würde man die alte Hütte endgültig abreißen, hatte er Patrick erklärt, als sie den letzten Schluck Kaffee getrunken hatten. Mit einem Hubschrauber, hatte er mit einem Anflug von Bitterkeit in der Stimme hinzugefügt. Dann hatten die beiden Männer noch einen Moment schweigend in der Sonne gesessen und an die vielen anstrengenden Aufstiege gedacht, die nötig gewesen waren, um das Baumaterial für die Hütte in die Abgeschiedenheit der Berge hinaufzuschleppen.

Als Patrick nun die Stufen zur Veranda hochging und die Tür aufstieß, wusste er, dass es seine letzte Nacht hier oben in der Hütte sein würde, in der er fünfundzwanzig Jahre seines Lebens verbracht hatte. An der Treppe lehnte sein Rucksack, den er schon am Morgen gepackt hatte. Er betrat die Hütte, und nachdem er ein paar Deckenbalken beiseitegeschoben hatte, holte er die Kiste mit den Fotos, Fossilien und Knochen unter dem Tisch hervor und trug sie nach draußen. Dann ging er noch einmal hinein, stand eine Weile zwischen seinen Habseligkeiten und den zerborstenen Balken und betrachtete die Überreste seines einstigen Zuhauses. Langsam ließ er den Blick über die Dosen und Töpfe in den Regalen schweifen, über das Kochgeschirr am Herd und den provisorischen Unterschlupf unter dem Bett, den er gebaut hatte. Zwischen all den anderen vom Schnee überzuckerten Dingen fand er noch ein Stück Hartkäse mit bereits wachsiger Rinde und schob es in seinen Rucksack. Außerdem packte er den Flachmann ein, den Peter ihm zugesteckt hatte, als seine Männer gerade nicht hingeschaut hatten.

Die Wetterlage stabilisierte sich, und der Himmel war wolkenlos, sodass mit einer kalten Nacht zu rechnen war. Doch Patrick brauchte jetzt kein Dach über dem Kopf mehr. Er griff unter die Zeltplane, zog seinen Schlafsack hervor und warf ihn zur Eingangstür hinüber. Kurz darauf hatte er auch die Matratze unter dem Bett hervorgezerrt und auf dem Boden der Hütte Platz dafür gemacht, indem er den Tisch und die Deckenbalken mit dem Fuß zur Seite schob. Er füllte den Ofen bis oben hin mit zersplitterten Regalbrettern und zerbrochenen Balken und setzte dann mit einem metallischen Klappern den Deckel der Feuerluke wieder darauf. Am Fenster sah er die Sturmlaterne baumeln, und als er sie in die Hand nahm, merkte er an ihrem Gewicht, dass Cassie den Petroleumbehälter am Morgen noch einmal aufgefüllt haben musste. Beim Durchstöbern der Regale stieß er auf ein paar Kerzen, zwei Feuerzeuge und seine Vorräte an Tabak und Zigarettenpapier. Während er sich, auf der Matratze sitzend, eine Zigarette drehte, ließ er den Blick über das Innere der verwüsteten Hütte schweifen, von der nichts mehr übrig war als ein trauriger, zurückgelassener Haufen zerbrochener Erinnerungen.

Erst in diesem Augenblick fielen ihm die Holzkisten wieder ein, die er verwendet hatte, um die Zeltplane zu fixieren. Ungeduldig zerrte er die Plane und die Deckenbalken zur Seite, zog die nächstbeste Kiste heraus und klappte den Deckel hoch. Im Knien kramte er darin, bis er fand, wonach er gesucht hatte: Halb verborgen unter ein paar zerfledderten Taschenbüchern lag eine kleinere, längliche Holzkiste, auf deren Deckel und Seiten in großen, weißen Lettern der Name und das Wappen irgendeines längst leer getrunkenen Weines prangten. Mit fast andächtiger Sorgfalt hob er die alte Weinkiste heraus, legte sie auf die Matratze und öffnete langsam den Deckel. Er griff hinein, holte einen Beutel aus weichem Leinen hervor und löste die Schnur, mit der dieser verschlossen war. Zum Vorschein kamen zwei sorgfältig in Seidenpapier eingewickelte und in deckellosen Kartons verstaute Kameras sowie vier Objektive in gepolsterten Taschen. Patrick nahm eine der Kameras in die Hand, drehte sie im weichen Abendlicht hin und her, und die Erinnerungen überrollten ihn. Es war eine Leica aus der M3-Serie, deren jahrelange Benutzung an dem klassischen schwarzen Gehäuse und den verchromten Metallteilen ihre Spuren hinterlassen hatte: An den Ecken war die Farbe abgewetzt, die geriffelten Einstellringe waren vom Drehen mit Daumen und Zeigefinger ganz abgegriffen, und auf der Rückseite war eine tiefe Einkerbung zu erkennen, wo Patrick einmal versehentlich seinen Eispickel hatte darauffallen lassen.

»Man bleibt ein Leben lang bei Leica«, murmelte er, als ihm der alte Werbespruch wieder in den Sinn kam. Dann legte er die Kamera vorsichtig auf ihr Bett aus Seidenpapier zurück. Er zog die Schnur wieder zu, nahm den Beutel mit nach draußen und verstaute ihn in der Kiste mit den Fotos und den Fossilien. Der Deckel schloss sich mit einem leisen Klicken über den beiden Kameras, und Patrick verriegelte die Kiste mit dem Holzzapfen.

Die Schatten auf dem Schnee wurden immer länger. Hin und wieder, wenn ein sanfter Windstoß durch das skelettartige Dach der Hütte fuhr, wirbelten ein paar Flocken auf und ließen sich auf seinen Haaren und Schultern nieder. Am Morgen würde er früh aufbrechen, beschloss er, spätestens um vier. Er zündete sich die Zigarette an. Es würde höchstens noch eine

Stunde hell sein. Er stand auf und lehnte sich an den Türpfosten, den Blick auf die Spuren geheftet, die den tiefen Schnee um die Hütte aufgewühlt hatten. Mit etwas Glück würden sie das Dorf noch vor Einbruch der Nacht erreichen.

20

Cassie ging hinter der Bahre her und beobachtete, wie sie auf dem mit langen Stangen markierten Pfad, den die Bergführer sich bei ihrem mühseligen Aufstieg durch den Tiefschnee gebahnt hatten, hüpfte und ruckelte. Erst kurz bevor sie das Dorf erreichten, das sich an die eine Seite des Tals schmiegte, kamen sie etwas leichter voran, und sie hatte nicht länger das Gefühl, nach dem eingehüllten Körper greifen und ihn festhalten zu müssen. Hin und wieder hatte Peter ihr einen aufmunternden Blick zugeworfen und die Männer zur Ruhe ermahnt, als der Anblick der funkelnden Lichter im Tal ihre Lebensgeister aufs Neue weckte. Dankbar für die Rücksichtnahme des alten Mannes hatte sie ihm zugelächelt. Ein Stück weit vor Peter und knapp zweihundert Meter vor den Männern mit der Bahre stapfte Callum forschen Schrittes durch den Schnee. Bei seinem Anblick erstarb das Lächeln auf ihren Lippen.

Dann fiel Cassie der Name wieder ein: Karl. Er hieß Karl. Es war wichtig zu wissen, wie er hieß, dachte sie sich, als ihr Blick für einen Moment an der mumienartigen Gestalt auf der Bahre hängen blieb. Sie musste an jenen schrecklichen Augenblick denken, als sie die Brennholzkiste geöffnet und die augenlose Leiche sie angestarrt hatte. Auf allen vieren war sie zurück in die Hütte gekrochen und hatte die Tür hinter sich ins Schloss geworfen, hatte geschrien und geflucht und am Herd nach Atem gerungen, mit dem Arm hilflos in Richtung Veranda deutend, doch Patrick hatte sie nur völlig perplex angeschaut. Nach einer Weile hatte sie sich wieder etwas beruhigt und gesehen, wie Patrick wortlos aus dem Unterschlupf hervorgekrochen und auf die Veranda hinausgestapft war. Kurz darauf

hatte sie den Deckel mit einem lauten, hölzernen Krachen zu-
fallen hören, das sie zusammenzucken ließ. Dann war Patrick
zurückgekommen und hatte sich auf eine der Aufbewahrungskisten gesetzt. Ihre Auseinandersetzung war kurz, hitzig und
letztendlich sinnlos gewesen. »Es war der einzige geeignete
Platz für ihn«, war alles gewesen, was er dazu zu sagen hatte,
und sein nüchterner Pragmatismus hatte sie nur noch mehr in
Rage gebracht. »Du bist so was von gefühllos!«, hatte sie ihn
immer wieder angeschrien. »Aber er ist doch tot, er spürt doch
nichts mehr«, hatte er entgegnet, und sie hatte geschimpft und
geflucht und den Kopf geschüttelt.

Dann war ein angespanntes Schweigen eingetreten. Patrick
hatte mit den Schultern gezuckt, sich eine Zigarette gedreht
und so getan, als versuche er völlig gleichgültig, das Ausmaß
der Zerstörung in der Hütte einzuschätzen. Sie hatte sich den
Schnee von den Beinen geschüttelt und ein paarmal tief durch-
geatmet, war dann langsam auf die Veranda hinausgegangen
und hatte sich vor die Brennholzkiste gestellt. Während sie den
Deckel zögernd öffnete, bemühte sie sich, nicht in das Gesicht
zu schauen. Sie griff nach einer der fahlen, eiskalten Hände,
hielt aber noch für einen kurzen Augenblick inne, bevor sie sie
berührte. Eine diffuse Angst aus Kindertagen durchfuhr sie,
die Befürchtung, die Leiche könnte plötzlich ihre totenbleiche
Hand nach ihr ausstrecken. Doch sie war hart und hölzern, ein
lebloser grauer Klumpen.

Cassie spürte, wie ihre Lippen unkontrollierbar zuckten,
während sie an den eingefrorenen Reißverschlüssen der Anorak-
taschen zerrte. Sie waren leer. Vorsichtig tastete sie den Oberkörper ab, um herauszufinden, ob sich in den Innentaschen
der Jacke etwas befand. Es war eine seltsam intime Angelegenheit, doch sie hatte ihre Abscheu schnell überwunden. Schließlich nahm sie unter ihren Fingerspitzen die scharf umrissene
Kante eines Gegenstands wahr. Um den Reißverschluss der
Brusttasche öffnen zu können, musste sie den steif gefrorenen
Ellbogen des Toten etwas anheben. Zwischen den Plastikzäh-
nen des Reißverschlusses brach knackend das Eis, und ein fei-

ner Regen glasiger Splitter landete auf seinem knallroten Woll-pullover. Mit der nervösen Anspannung, die wohl jeder emp-finden würde, der einen schlafenden Fremden auszieht, wischte Cassie ihm das Eis vom Pullover. Am liebsten hätte sie sich bei ihm entschuldigt. Dann endlich konnte sie den Saum des Anoraks zur Seite schieben und in die tiefe Brusttasche grei-fen. Sie fühlte die harte, gerade Kante eines Heftchens, und darunter wölbte sich der Stoff über einer ledernen Brief-tasche.

Sie blätterte den Reisepass mit übertriebener Sorgfalt durch, als könnte er auseinanderfallen und sich zwischen ihren Fin-gern zu Staub auflösen. Auf dem Farbfoto war ein lächelndes Gesicht zu sehen – was für ein Ausweisfoto eher ungewöhnlich war –, eingerahmt von einem zerzausten blonden Schopf, mit einer kantigen Kinnpartie, ausgeprägten Wangenknochen und einer markanten Nase. Ziemlich attraktiv, dachte sie sich, und ließ ihre Augen nervös zu dem Gesicht hinüberwandern, das sie noch einen Moment zuvor so geflissentlich gemieden hatte. Beim Anblick der entsetzlich glotzenden Löcher erschrak sie so, dass sie scharf die Luft einsog und zurückwich. Beinahe hätte sie den Pass fallen lassen. Sie zwang sich, das wächserne, aschfahle Gesicht genau anzuschauen, und betrachtete dann wieder das Foto.

»Karl Brandler, deutsch. Aha.« Sie sprach leise, wandte sich direkt an den Toten. »Gut«, sagte sie und blickte ihm ins Ge-sicht. »Dann wissen wir ja jetzt, wer du bist, Karl.«

Sie öffnete die Brieftasche. Sie enthielt mehrere Kreditkar-ten in ledernen Fächern, ein Bündel mit Banknoten, das in der Mitte mit einer Messingklammer zusammengehalten wurde, und als sie die Scheine zur Seite klappte, sah sie hinter einer Plastikfolie ein zerknicktes, verblichenes Farbfoto. Es zeigte Karl, der hinter einer etwas kleineren, dunkelhaarigen Frau stand; er beugte sich gerade ein wenig nach vorne, als wollte er sie küssen, und sie drehte sich halb zu ihm um und sah zu ihm auf. Cassie schaute Karl an, dessen blinde Augen die Decke der Veranda fixierten, während sein Gesicht von einer hauchdünnen Schneeschicht überzogen wurde. Sie legte ihre Hand auf die seine.

»Wir bringen dich heim, Karl. Wir bringen dich heim«, flüsterte sie ihm zu.

Bevor sie den Deckel der Kiste wieder zuklappte, vergewisserte sie sich ein letztes Mal, dass sämtliche Reißverschlüsse und Taschen geschlossen waren und seine Hände genau so auf der Brust ruhten wie zuvor. Dann schloss sich der Deckel, und sein verunstaltetes Gesicht versank wieder in der Dunkelheit. Als Cassie langsam die Hütte betrat, steckten das Ledermäppchen und der Pass in ihrer Tasche. Patrick sagte sie nichts davon. Er wusste, dass sie noch einmal zu der Kiste gegangen war, warf ihr aber nur einen kurzen Blick zu und schwieg.

Später hatte sie mit einem Becher Kaffee in der Sonne gesessen, um über Karl nachzudenken – und über Patrick. Eine seltsame Schwermut hatte sie befallen. Sie wusste kaum etwas über Karl Brandler, nur dass er Deutscher war und dass es eine Frau in seinem Leben gab. Die glückliche Szene auf dem kleinen Farbfoto hatte zugleich etwas unendlich Trauriges an sich gehabt. Und Patrick? Über ihn wusste sie inzwischen ziemlich viel – und dennoch gar nichts, dachte sie mit Bedauern.

Es waren die Augen. Bei Karl war es ihr Fehlen – ein Anblick, der sich tief in ihr Gedächtnis eingebrannt hatte –, bei Patrick ihr unvergessliches, elektrisierendes Funkeln. Seine Augen waren außergewöhnlich, hatten etwas Eigentümliches, sehr Eindringliches. Er selbst war sich ihrer hypnotischen Wirkung nicht bewusst. Wenn man ihm gegenübersaß, dann starrte er einen unverwandt an, als wäre man der einzige Mensch, dem er jemals begegnet war – eine ziemlich nervenaufreibende Angewohnheit. Die meisten hielten seinem Blick nicht stand und schauten lieber weg. Es muss seltsam sein, wenn so viele Menschen ihren Blick von einem abwenden, dachte sie sich. Anfangs war es auch ihr schwergefallen, ihm lange in die Augen zu schauen, und wenn sie dann wegsah, erkannte sie in seinem Blick keine Spur von Triumph, sondern nur einen vagen, kaum verhohlenen Ausdruck der Niederlage und des schmerzlichen Verlusts. Es war der Verlust, den Menschen empfinden, die zu viele Jahre ihres Lebens allein verbracht haben, und nachdem ihr das klar geworden war, zwang sie sich, seinem Blick standzuhalten. Wenn er etwas erzählte, tat er das mit derselben Direktheit. Wie unhöflich das auf andere wirkte, merkte er überhaupt nicht. In seiner selbst auferlegten Einsamkeit schien ihm jedes Gespür dafür abhandengekommen zu sein, was eine normale Unterhaltung ausmachte – ein weiterer Grund, weshalb sich andere von ihm abwandten.

Dennoch fühlte sie sich auch jetzt noch verunsichert, wenn er sie ansah. Es waren seine Augen und seine Stimme, bedächtig und schroff zugleich, die geschmeidige Art, wie er sich bewegte, und seine Selbstsicherheit, stets begleitet von einem Anflug von Einsamkeit. All das hatte etwas in ihr für immer verändert. Er zog sie an und verwandelte sie und sprengte ihre inneren Barrieren auf eine merkwürdige, unterbewusste Art und Weise, mit nichts als einem Flüstern. So hatte es begonnen – in dem Moment, als er ihr in die Augen gesehen hatte.

Es hatte nur wenige Sekunden gedauert, bis er sie für sich gewonnen hatte, auch wenn er nichts davon ahnte. Immer wenn sie an seine Augen dachte, konnte sie ihn deutlich vor sich sehen, auch noch Jahre später, trotz der vielen Erinnerungen, die das Geschehene seitdem überlagert hatten – diese blaugrauen Augen, die immer das Licht suchten, die ihr den Atem verschlugen und sie magisch anzogen. Wenn er sie ansah, war ihr, als würden lauter kleine Bläschen in ihr aufsteigen. Sie musste lächeln, wenn sie daran dachte. Seine Augen würden ihr all die Jahre über in Erinnerung bleiben, selbst dann noch, als er längst tot war.

Als die Gruppe mit Karls Leiche nicht mehr weit vom Dorf entfernt war, schreckte Cassie plötzlich aus ihren Gedanken auf. Aus der Ferne war ein fröhliches Rufen zu hören. Als sie aufschaute, sah sie mehrere Gestalten, die ihnen entgegenkamen. Unten im Dorf waren inzwischen die Lichter angegangen, und als sie zurückblickte, waren nur noch die Bergspitzen in das zarte rosarote Licht der untergehenden Sonne getaucht.

Callum machte eine abschätzige Handbewegung in Richtung der Männer und marschierte an ihnen vorbei. Sie blieben stehen und starrten ihm mit unverhohlener Abneigung hinterher, bevor sie das Rufen und Johlen der Bergführer erwiderten und mit großen Schritten auf sie zugingen.

Später am Abend fand Cassie Peter in der Dorfwirtschaft, wo er am offenen Kamin über einem Bier saß. Sie legte den Reisepass und das Ledermäppchen neben sein Glas auf den Tisch.

»Er heißt Karl Brandler«, sagte sie, während der alte Bergführer nach dem Pass griff. »Eigentlich wollte ich dir das schon oben bei der Hütte geben.«

»Danke. Wir hatten tatsächlich Schwierigkeiten, ihn zu identifizieren. Er war allein, als er hierherkam, und blieb auch nicht über Nacht, sondern ging gleich los Richtung Gipfel. Daher hatte er nirgends seinen Namen hinterlassen.«

»Na, jetzt wisst ihr ihn ja«, sagte Cassie mit einem Lächeln. »Danke für alles, für dein Verständnis …«

»Ach was. Eigentlich müsste ich mich bei dir bedanken.« Peter hielt sein Glas in die Höhe, als wollte er einen Trinkspruch ausbringen. »Wir sehen so was nur viel zu oft«, erklärte er und zögerte dann, um die richtigen Worte zu finden. »Manchmal fehlt es uns dann am nötigen Respekt. Du hast uns gezeigt, wie wir ihn zurückgewinnen können.«

»Und was passiert jetzt?«, fragte Cassie. Peter zuckte vielsagend die Schultern.

»Ein Haufen Papierkram, Benachrichtigung der Angehörigen, falls er welche hat, und dann sind die Behörden an der Reihe, die Polizei und so weiter.« Cassie hörte zu und nickte.

»Und was ist mit Patrick? Warum ist er eigentlich nicht mit uns gekommen? Was hat er vor?«

Peter erzählte ihr von dem Hubschrauber, der im Frühjahr kommen würde, und von den Plänen für eine neue Berghütte.

»Er wird fortgehen«, fügte er hinzu. »In ein paar Tagen, nehme ich an.«

»Fortgehen? Aber warum ist er dann nicht mit uns abgestiegen?«

»Er wollte noch etwas erledigen, und dann wird er runterkommen.«

»Etwas erledigen? Was gibt es dort oben noch zu erledigen?«

»Er hat lange dort oben gelebt.«

»Fünfundzwanzig Jahre«, präzisierte Cassie, und Peter sah sie nachdenklich an.

»Ja, fünfundzwanzig Jahre. Das ist schon eine ziemlich lange Zeit, findest du nicht?« Er nahm einen tiefen Schluck aus seinem Glas und wischte sich dann den Schaum von den Lippen. »Er wird schon kommen, wenn er so weit ist.«

Im Zimmer im Untergeschoss des Wirtshauses war es heiß, stickig und laut. Ständig sprang der Boiler an, irgendwelche Rohrleitungen schepperten, und das uralte Holzgebälk knarrte und ächzte. An Schlaf war nicht zu denken, sodass Cassie sich schließlich aus dem Stockbett schwang und das Licht anschaltete. Das Zimmer war spartanisch eingerichtet, und die Wände waren in einem so hellen Weiß gekalkt, dass sie blinzeln musste. Es war niemand da, den das Licht hätte stören können. Callum hatte das Dorf verlassen, kurz nachdem sie angekommen waren. Er war immer noch wütend gewesen. Irgendwie würde er wohl immer wütend sein, hatte Cassie sich gedacht, als sie ihn dabei beobachtet hatte, wie er mit hastigen, fast brachialen Handgriffen seinen Rucksack packte. Dann hatte sie ihm nachgesehen, als er zur Bushaltestelle marschierte. Dort war er in einen hypermodernen Bus eingestiegen, der in dem malerischen alten Dörfchen wie ein Fremdkörper wirkte. Nicht ein einziges Mal hatte er sich umgeschaut oder ihr zugewinkt, und letztendlich war sie froh darüber gewesen.

Es dauerte nicht lange, bis sie die wichtigsten Dinge in ihrem Rucksack verstaut hatte. Auch die Flasche Weinbrand, die sie der Bedienung abgekauft hatte, nachdem Peter das Wirtshaus verlassen hatte, packte sie ein. Sie drehte sich um, schaltete das Licht aus und tastete im Dunkeln nach der Türklinke. Sie ging ins Freie hinaus, und es dauerte eine ganze

Weile, bis ihre Augen sich nach der Helligkeit im Zimmer an das trübe Licht der frühen Morgenstunden gewöhnt hatten. Sie zog die Tür hinter sich zu, presste beide Daumen und Zeigefinger auf ihre Augenlider, blinzelte und schaute sich dann irritiert um. Vor ihren Augen flackerte es immer noch in allen möglichen blassen Farben. Vorsichtig ging sie die paar Schritte vom Torbogen des Kellereingangs zu der Steintreppe hinüber, die zur Straße hochführte. Als sie oben war, zog es ihren Blick zum Himmel hinauf. Was sie sah, ließ sie abrupt innehalten und nach Luft schnappen.

Der nächtliche Himmel bewegte sich. Cassie hielt mitten im Gehen inne, verlor das Gleichgewicht und wäre beinahe gestürzt. Im nächsten Augenblick stand sie wieder fest auf beiden Beinen, konnte aber ihren Blick nicht vom Himmel abwenden und war immer noch ganz benommen. Ein Gefühl von Leere überkam sie, eine Art atemlose Unsicherheit, als würde sie jeden Moment fallen. Die Farben, die über den Himmel wogten, riefen bei ihr einen plötzlichen Schwindel hervor. Nach ein paar weiteren schwankenden Schritten stand sie mitten auf der Straße.

Sie starrte das Tal entlang nach Norden, in die Richtung, wo die Hütte lag. Die schemenhaften Umrisse des Gipfels, der sich schimmernd gegen den Himmel abhob, schienen über den Konturen seiner Grate zu schweben. Von hinten brandete das Mondlicht an den Berg, sodass es aussah, als rage er aus einem Meer aus silbernen Wogen auf.

»Schön, nicht wahr?« Als Cassie Peters Stimme hörte, zuckte sie zusammen. Sie drehte sich um. Der alte Bergführer stand an der Eingangstür des Wirtshauses.

»Was ist das? Was passiert da im Himmel? Was hat das zu bedeuten?«, fragte Cassie. Sie merkte, wie ihre Stimme bebte.

»Was das zu bedeuten hat?« Er lächelte und kam zu ihr herüber. »Es bedeutet gar nichts – es sei denn, man glaubt an das Altweibergeschwätz, das besagt, dass es verlorene Seelen sind, die in den Himmel aufsteigen.«

»Verlorene Seelen?«, flüsterte Cassie, während sie zum Himmel hinaufstarrte. Alles dort droben schien in Bewegung zu sein. Hinter wabernden Schlieren aus buntem Licht funkelten die winzigen Punkte der Sterne.

»Die Seelen von Ermordeten, sagen sie«, fügte Peter mit gedämpfter Stimme hinzu. Cassie merkte, dass auch er von dem Anblick verzaubert war. »Es heißt, dass die Lichter ihre Fackeln sind, die sie aus dieser Welt geleiten. Wenn man genau hinhört, soll man sogar ihr Klagelied hören können.«

Cassie aber hörte nichts. Stattdessen spürte sie, wie eine sanfte, lautlose Ruhe sie umfing, eine tiefe Stille, und ein Gefühl hilfloser Verletzlichkeit und Ergebenheit. Sie sah die Farben pulsieren, als wären es tiefe Atemzüge.

»Phantastisch«, flüsterte sie. »Das ist wunderschön …«

»Ja, und sehr selten«, ergänzte Peter leise. »Ich habe es erst ein einziges Mal gesehen, vor vielen Jahren.« Er hielt inne und betrachtete den Himmel nachdenklich. »Das war auch nach so einem verheerenden Sturm.«

»Was ist das?«, fragte Cassie. Sie konnte ihren Blick einfach nicht von dem himmlischen Spektakel wenden.

»Das nördliche Polarlicht. Aurora borealis ist der wissenschaftliche Ausdruck dafür, glaube ich«, sagte Peter und zündete sich einen Stumpen an. Das Aufflammen des Streichholzes ließ die Lichterscheinung am Himmel für einen kurzen Augenblick verblassen. Cassie blinzelte und beobachtete, wie die pastellfarbenen Lichter langsam wieder deutlicher sichtbar wurden.

»Aber wir sind doch hier gar nicht im Norden.« Als sie flüchtig auf das orangefarben glimmende Ende von Peters Stumpen blickte, sah sie ihn zustimmend nicken. »Ich dachte, Nordlichter kann man nur in der Arktis sehen.«

»Jetzt sind sie jedenfalls hier. Und ich habe sie auch schon einmal von hier aus gesehen. Warum das so ist, weiß ich auch nicht. Freu dich doch einfach, solange sie da sind. Willst du auch mal?« Er reichte ihr einen silbernen Flachmann, und sie nahm einen Schluck. Der Pfirsichschnaps brannte ihr in der

Kehle, und sie musste husten. »Es passiert nur sehr selten, dass man so was zweimal im Leben zu Gesicht bekommt, das sag ich dir.« Er lächelte, als sie ihm die Flasche zurückgab. »Wer weiß, vielleicht ist das ja ein gutes Zeichen. Vielleicht haben die Jungs ja doch recht, und es wird sich alles für uns zum Guten wenden.«

Bei seinen Worten war in der Ferne plötzlich ein verhaltener Pfiff zu hören und dann ein Rufen. Nach und nach gingen sämtliche Türen und Fenster auf, und die Menschen streckten ihre Köpfe heraus und starrten in den Himmel. Schon einen Augenblick später drängte alles hinaus auf die Straße. Das aufgeregte Schwatzen verstummte jedoch sofort, als sie ehrfurchtsvoll aufschauten.

Es dauerte nicht lange, bis die Straße von einer euphorischen Menge bevölkert war. Die Menschen flüsterten, deuteten zum Himmel hinauf und boten einander etwas zu trinken an. Sie konnten ihren Blick kaum von dem farbenprächtigen Spektakel lösen, das sich über ihnen abspielte.

»Und, wohin soll es gehen?« Peter deutete mit einem Kopfnicken auf Cassies Rucksack und hob die Augenbrauen. »Ein bisschen früh, oder?«, fragte er herausfordernd. Sein Stumpen glimmte hell auf, als er daran zog. Er warf Cassie, die immer noch in den Himmel starrte, einen amüsierten, forschenden Blick zu.

Widerstrebend wandte sie ihre Augen von der Lichterscheinung ab und drehte sich zu ihm um. Als sie den grauhaarigen alten Bergführer ansah, wurde ihr plötzlich heiß, und sie spürte, wie sie rot wurde. Wenigstens würde es ihm in der Dunkelheit wohl kaum auffallen.

»Ach so, ja.« Flüchtig wandte sie sich zu ihrem Rucksack um und hob ihn mit den Schultern an. »Ich konnte nicht schlafen. Dachte mir, ich geh ein bisschen spazieren.«

»Spazieren?« Peter grinste. »Um drei Uhr nachts? Wo wolltest du denn um diese Zeit hin?«

»Sag ich doch, ich konnte nicht schlafen. Und außerdem ist Vollmond. Da dachte ich mir, ich geh eine Runde, und als ich rausgegangen bin, habe ich das hier gesehen …« Sie hielt einen Augenblick inne. »Weißt du, es ist komisch, aber irgendwie hatte ich das Gefühl zu wissen, dass das hier geschehen würde … Es war, als würde mich irgendwas nach draußen ziehen.« Sie verstummte und begann, am Hüftgurt ihres Rucksacks herumzunesteln.

»Als ob dich etwas rufen würde?«

»Ja. Klingt seltsam, oder?«

»Es gibt viele Dinge, die wir nicht erklären können«, gab Peter zurück, »viele Dinge, die wir nicht zu erklären brauchen. Sieh dir die Menschen hier an.« Er deutete auf die Menge, die sie umgab. »Sie werden noch wochenlang davon reden. Jeder von ihnen wird seine eigene Theorie dazu haben. Woran sie aber glauben werden, sind die alten Geschichten, die sie seit ihrer Kindheit gehört haben und die von irgendwelchen Geistern erzählen. Das sind die Geschichten, die sie hören wollen, weil sie sie als tröstlich empfinden, weil sie sich wünschen, dass sie wahr sind.«

»Aber ich glaube nicht, dass es Geister sind. Und da war auch nichts, was mich gerufen hätte. Es war nur so ein Gefühl …«

»Und? Was ist so falsch an Gefühlen?« Er nahm einen Schluck aus dem Flachmann und sah Cassie von der Seite an. »Die Leute wissen, dass es nicht wahr ist, aber trotzdem – na ja, sie leben immerhin schon seit Ewigkeiten hier im Dorf, und die Geschichten sind sehr alt, also behaupten sie, dass sie daran glauben. So ist das halt auf dem Dorf. Manche Dinge gelten nur deshalb als unveränderlich oder wahr, weil die Leute es so wollen. Manchmal muss man sich einfach in das Unvermeidliche fügen. So sind die Menschen nun mal.« Er unterbrach sich für einen Augenblick. »Aber meine Frage hast du mir immer noch nicht beantwortet. Wo wolltest du denn hin?«

»Ach, irgendwohin«, sagte Cassie. Sein Blick machte sie nervös. »Vielleicht da hinauf.« Sie wies mit dem Kopf vage in Richtung des Gipfels, der in der Ferne schwebte. »Der Mond scheint heute Nacht hell, der Weg ist gut zu erkennen, und außerdem würde ich ganz gerne –«

»– Patrick wiedersehen?«, führte Peter den Satz für sie zu Ende. Cassie errötete. »Ich habe gesehen, dass dein Mann das Dorf verlassen hat«, fuhr er fort, noch ehe sie antworten konnte.

»Mein Mann?«

»Ja, Callum. So heißt er doch, oder?«

»Ach so, Callum. Ja, der ist fort. Und nein, er ist nicht mein Mann«, sagte sie mit Nachdruck und einem Anflug von Gereiztheit, was Peter nur noch breiter grinsen ließ.

»Na, das haben wir ja wohl alle mitbekommen.«

»Und was habt ihr noch so alles mitbekommen, Peter?«, wollte sie wissen. Ihre Wangen wurden immer röter.

»Dass du Patrick magst und er dich«, entgegnete er mit aufreizender Gelassenheit. »Er mag dich ziemlich.«

Schnell wechselte sie das Thema: »Du hast vorhin gesagt, dass du diese Lichter schon einmal gesehen hast, vor vielen Jahren. Wie lange ist das her?«

»Das mit den Lichtern? Ach, eine ganze Weile, sicher mehr als zwanzig Jahre. Es war im Winter –«

»Nach einem heftigen Sturm, so wie wir ihn gerade erlebt haben?«, fiel Cassie ihm ins Wort.

»Ja, es war nach einem Sturm.«

»Vor fünfundzwanzig Jahren?«, bohrte sie weiter.

Das Lächeln erstarb ihm auf den Lippen, und er sah sie ernst an. »Ja, es war vor fünfundzwanzig Jahren. Warum willst du das so genau wissen?«

»Er hat mir von dem Sturm erzählt. Er hat mir erzählt, was damals geschehen ist.« Für einen kurzen Moment senkte Cassie den Kopf, dann schaute sie hinauf zum Gipfel. »Und jetzt geschieht es wieder, und er ist allein dort oben. Ganz allein.« Sie merkte, wie ihr die Tränen in die Augen stiegen. Verärgert über sich selbst wischte sie sich über das Gesicht und schürzte trotzig die Lippen. »Ich wollte … Ich werde ihm«, korrigierte sie sich, »danken. Ich habe ein Geschenk für ihn.« Sie sah Peter an, der nickte und seinen glühenden Stumpen in den Schnee schnippte.

»Na klar, er hat dir bestimmt einiges erzählt.« Peter zog seine Jacke fester über die Schultern und den Reißverschluss hoch.

»Eigentlich eine ideale Nacht für einen kleinen Spaziergang. Gehen wir?« Als er ihr seinen Arm anbot, zögerte Cassie zunächst. »Keine Angst, ich werde dich nur bis kurz hinter das Dorf begleiten, damit ich auch sicher bin, dass du den richtigen Weg nimmst. Ist manchmal gar nicht so einfach, in Nächten wie dieser, weißt du, mit all den Geistern und so …«

Cassie hakte sich bei ihm unter, und gemeinsam schoben sie sich durch die Menschenmenge. Schon bald lag das Dorf mit seinen funkelnden Lichtern unter ihnen, und sie stiegen langsam bergauf. Unter den Sohlen ihrer Schuhe knirschte der Schnee. Sie sprachen kein Wort, und Cassie bedauerte es, als Peter schließlich stehen blieb. Er war viel weiter mit ihr gegangen, als er versprochen hatte – fast zwei Drittel des Weges zur Hütte hinauf. Schweigend standen sie da und betrachteten die schwächer werdenden Lichterscheinungen am Himmel. Immer noch überlagerten sich pulsierende Fahnen aus hellem Meergrün und verwässertem Blau, doch mit jeder Stunde waren sie blasser geworden. Als das Licht fahl zwischen dem knochenbleichen Mondlicht und dem erlöschenden Farbenspiel des Polarlichts oszillierte, war es, als verlangsame sich der Pulsschlag der Erde, als mache sie ihre letzten Atemzüge. Es fühlte sich an wie ein schmerzlicher Verlust.

Die nadelfeinen diamantenen Lichtpunkte der Sterne flackerten so grell wie ein Funkenregen, der über einem lodernden Feuer in den dunklen Nachthimmel stiebt. Der Vollmond verlieh den Bergen etwas Gespenstisches. Der Schnee knirschte unter ihren Schuhen, als Cassie und Peter schweigend hin und her schwankten, die Köpfe in den Nacken gelegt, und in den Himmel hinaufstarrten. Weit drüben im Osten war unter dem tiefschwarzen Saum der Nacht bereits ein dünner, himmelblauer Schimmer am Horizont zu sehen.

»Ich werde jetzt gehen«, sagte Peter. »Ich habe noch eine Menge zu erledigen.«

»Danke, Peter.« Zögerlich umarmte Cassie den alten Bergführer, und dieser klopfte ihr auf die Schulter. Dann schob er sie von sich und hielt sie auf Armeslänge fest.

»Pass auf dein Herz auf. Und auf seines. Vielleicht ist es ja auch schon zu stark beschädigt worden. Aber wer weiß, vielleicht geht es uns ja allen irgendwie so …« Er versuchte seinen Worten etwas Heiteres zu verleihen, doch Cassie konnte die Traurigkeit in seiner Stimme hören. Als sie ihre Hand hob, um ihm noch einmal zuzuwinken, hatte er sich bereits umgedreht und ging mit großen Schritten hinunter ins finstere Tal.

21

Die Dunkelheit umspülte die Hütte wie eine nächtliche Flut. Patrick streckte den Kopf durch die Tür und spähte zum verschneiten Gipfel hinauf. Während die Gipfelfelsen bereits in tiefschwarze Schatten getaucht waren, glühten die Unterseiten der hoch oben am Himmel dahinziehenden Wolkenbänder noch im rötlichen Widerschein der Abendsonne. Einen Augenblick später stand sein Entschluss fest. Er stand auf, griff nach seinem Rucksack und schnallte ihn sich auf den Rücken. Mit der einen Hand packte er die Matratze, mit der anderen warf er sich den Schlafsack über die Schultern. Dann stapfte er los, zu der Scharte am Grat hinauf. Dort angekommen, ließ er die Matratze in den Schnee fallen, das eine Ende so gegen die Felsen gelehnt, dass er, wenn er sich darauflegte, zum Gipfel hinaufschauen konnte.

Schon bald züngelte die blaue Flamme des Gaskochers zischend unter dem Kochtopf, und Patrick hatte es sich in seinem Schlafsack bequem gemacht. Oben am Gipfel war nun auch das letzte Licht des Tages versiegt, und während Patrick beobachtete, wie der Berg in der Dunkelheit versank, rauchte er die letzte Zigarette. Der Gedanke an den kommenden Tag ließ ihn frösteln. Ihm wurde bewusst, wie sehr er den blauen Himmel, die Weite des Horizonts und die langen hellen Sommernächte hier oben in den Bergen vermissen würde, auch wenn ihm die Jahre, die seit dem Tod seiner Frau vergangen waren, fast unerträglich erschienen waren. Mit einem Mal wurde ihm klar, dass er die ganze Zeit über mit ihr gelebt hatte, obwohl sie nicht mehr bei ihm war. Sie klammerte sich immer noch an ihn, wie ein verblassender Duft, der sich in der Erinnerung hielt. Vielleicht würde sie ihn ja morgen verlassen. Er zog sich die Kapuze seines Schlafsacks über den Kopf und kehrte dem eisigen Wind, der über den Gletscher heraufstrich und ihm durch die Knochen fuhr, den Rücken zu. Er wusste, dass es ein hoffnungsloses Unterfangen war. Betäubt vor Müdigkeit und mit ihrem Bild vor Augen glitt er in die Lichtlosigkeit des Schlafs hinüber.

In seinen Träumen schwebte er durch die Lüfte wie ein Vogel, der über der Erdoberfläche kreist. Links und rechts von ihm war ein riesiger Schwarm anderer Vögel, die mit weit ausgebreiteten Flügeln geisterhaft durch die unberührten Höhen segelten. Es hatte etwas Erhebendes, unbegreiflich Schönes, Teil dieses Ganzen zu sein, dachte er sich, stets auf der Suche nach dem Ende der Welt. Es waren himmlische, heilige Gefilde.

Dann trübte sich das Traumbild, und sosehr er sich auch bemühte, es wollte ihm nicht gelingen, die schwindelerregende Leichtigkeit seines Fluges noch einmal zu empfinden. Plötzlich schoss aus den Tiefen seiner Erinnerung der dunkle Schatten eines Raben hervor. Patrick zuckte zusammen. Der Aasgeruch und das unheilvolle Krächzen kamen unaufhaltsam näher, und schon waren die ausgefahrenen Krallen des Vogels direkt vor seinen Augen. Er sah tiefe, blutige Augenhöhlen, dann spürte er, wie der Rabe auf seiner Schulter landete und ihm die Krallen ins Fleisch bohrte. Patrick zappelte und wand sich, und als er ihr leichenblasses, verzerrtes Gesicht vor sich sah, stöhnte er laut auf. Ihre Lippen formten brüchige Laute, kaum vernehmbare, anklagende Worte, und ihr Schmerz umwogte ihn. Noch immer hockte der Vorbote des Todes auf seiner Schulter, fixierte ihn mit einem durchdringenden Blick aus seinen lidlosen Augen, schwang sich dann auf in den Winterhimmel und verschwand.

Zitternd und schreiend warf Patrick sich im Seidenkokon seines Schlafsacks hin und her, während er versuchte, das peinigende Gefühl abzuschütteln, dass ihn jemand verfolgte. Sein Traum war so real, dass er sich nicht dagegen wehren konnte. Dann schreckte ihn der Laut der Lichter im Himmel aus seinem ruhelosen Schlaf. Verzweifelt und in wilder Panik zerrte er an der Zugschnur seines Schlafsacks, um dem Albtraum zu entkommen. Dann endlich spürte er die kalte Luft um seinen Kopf wehen, atmete tief durch und wartete, bis sich sein rasender Puls etwas beruhigt hatte. Die Träume quälten ihn nun schon seit Jahren. Dass er diesmal nicht darauf vorbereitet gewesen war, schockierte ihn jedoch. Er hatte geglaubt, die ersten Anzeichen dafür inzwischen gut genug zu kennen, zu wissen, wann es so weit war, sodass er ihnen vielleicht noch entrinnen konnte oder wenigstens darauf gefasst war und sich die verheerende Wirkung, die sie auf ihn hatten, in Grenzen hielt. Diesmal aber war er nicht auf der Hut gewesen, und der Traum hatte ihn völlig unvorbereitet erwischt.

Sein Brustkorb hob und senkte sich, als hätte er gerade einen Hundertmeterlauf hinter sich. Der Schweiß lief ihm den Rücken hinunter und ließ ihn frösteln. Als er die Hände von den Augen nahm, sah er, dass sie zitterten wie die eines Trinkers. Er ballte sie zu Fäusten, bis sie schmerzten. Dann bemerkte er die sanfte Reflexion von Licht auf seinen Händen und schaute auf. Einen Moment lang war er innerlich ganz ruhig, während er die Lichterscheinungen betrachtete, die sich über den nächtlichen Sternenhimmel zogen. Es geschieht wieder, dachte er sich. Fast glaubte er noch zu träumen, doch der Schmerz der Fingernägel, die sich in seine Handflächen bohrten, belehrte ihn eines Besseren. Die Farben, die über ihm am Firmament waberten, versetzten ihn schlagartig in jene Nacht vor fünfundzwanzig Jahren zurück, als wäre das, was damals geschehen war, nur einen Augenblick her.

Während er in den Himmel hinaufsah, versuchte er, seine Gedanken zu ordnen und den Anflug von Hysterie zu unterdrücken, die in ihm aufstieg wie bittere Galle. *Wie konnte es sein, dass er von so etwas träumte, und dann, wenn er erwachte, geschah es tatsächlich wieder?* Verwirrt schaute er sich um. Die Hütte stand noch genauso da wie zuvor, und zwischen den tanzenden Schatten fiel das Licht des Mondes und der Sterne auf das Gerippe ihres ruinierten Daches. Auch sonst war alles unverändert, und doch fühlte er sich irgendwie haltlos, unerträglich leicht, wie ein Gasluftballon, der an der Hand eines Kindes zerrt. Plötzlich überfiel ihn die entsetzliche Vorstellung, dass das Kind jeden Moment loslassen könnte und er davonfliegen würde, taumelnd, unbarmherzig fortgetrieben.

Das Gefühl, vom Wind davongetragen zu werden, überraschte ihn immer wieder aufs Neue. Im Lauf der Jahre hatte er gelernt, die ersten Anzeichen dafür zu erkennen, und konnte sich so in gewisser Weise darauf vorbereiten: sich irgendwo festhalten, in Sicherheit bringen. Es begann immer mit einem schleichenden Gefühl der Verzweiflung, und jedes Mal wieder war er kurz davor, in Panik zu geraten. Doch selbst wenn es ihm gelang, sie rechtzeitig zu unterdrücken, blieb ein Gefühl der Unsicherheit, das ihn fast trunken machte, so als würde er jeden Moment losgelassen und triebe schlingernd und haltlos davon. Mal wurde das Gefühl stärker, dann ebbte es wieder ab. War der Himmel über ihm weit und der Horizont endlos, dann wusste er, dass dieses Gefühl ihn vollends überwältigen würde.

Auch jetzt war sie wieder da, diese quälende Leere, und seine Gedanken drifteten den langen Strom seiner Erinnerungen zurück, bis dorthin, wo alles begonnen hatte, und wieder war er allein am Berg. Diesmal war das Gefühl so stark, dass er glaubte, von der Flut mitgerissen zu werden. Es schien ihm, als ließe der Blick in den farbdurchfluteten Himmel die Strömung nur noch schneller fließen und als triebe sie ihn umso rascher mit sich fort, unbarmherzig und ohne jeden Halt.

Er spürte, dass etwas Unbegreifliches geschah, dem er nicht entrinnen konnte. Als er zu den Schleiern aus Licht hinaufsah, überrollten ihn die Erinnerungen und überschwemmten seinen Geist mit unzähligen Bildern – ihr lautloser Sturz in die Tiefe, der zerschmetterte Schenkelknochen, ihre graue, zu Eis erstarrte Haut. Und dann sah er all die Gesichter, all die Toten, sah sie an seinem inneren Auge vorüberwirbeln wie Blätter in der Strömung. Zunächst redete er sich ein, dass er in seinem Leben einfach zu viele Leichen gesehen hatte und das alles nichts weiter zu bedeuten hätte, doch ihr Anblick erfüllte ihn mit einer so abgrundtiefen Traurigkeit, dass er fürchtete, von ihr übermannt zu werden. Er zitterte beim Gedanken daran, dass andere ihm seine Angst ansehen könnten, sosehr er sich auch bemühte, sie zu verbergen und so zu tun, als hätte er alles unter Kontrolle.

Während der vielen Jahre als Hüttenwart hatte er nur allzu oft miterleben müssen, wie die zerschmetterten Körper verunglückter Bergsteiger ins Tal getragen wurden – manche von ihnen hatte er selbst nicht mehr retten können –, und jedes Mal, wenn sie von der Hütte abtransportiert wurden, hatte ihn dieses Gefühl des Davongetragenwerdens gepackt, sodass er sich irgendwo festklammern musste.

Der Tod, so seine Beobachtung, ließ die Menschen schrumpfen. Sie wirkten dann beinahe verdorrt und zugleich wie verjüngt – erwachsene Menschen glichen plötzlich traurigen, zerbrochenen Kindern, und Kinder sahen aus wie kaputte Puppen. Den irritierenden leeren Blick hatten beide. Die Brutalität des Todes reduzierte sie gewissermaßen, wenn sie dahinschieden. Und irgendwie schienen sie auch ihm etwas zu entziehen.

Er musste daran denken, wie Cassie am Morgen zuvor geschrien und ihn mit zornig funkelnden Augen angestarrt hatte, nachdem sie den Toten entdeckt hatte. Sie hatte sich nirgendwo festgehalten, hatte nicht Zuflucht bei sich selbst gesucht, sondern ihre Wut und Angst an ihm ausgelassen. Sie hatte nicht begriffen, dass er sich vor allem verschlossen hatte und nicht anders konnte, als ihren Zorn einfach über sich ergehen zu lassen.

Er verdrängte die Erinnerungen, starrte in den pulsierenden Himmel hinauf und ärgerte sich, dass es ihn so unvorbereitet getroffen hatte. Irgendwie hatte er seit jeher das Risiko gesucht. Nur wenige Gegenden waren bedrohlicher als die steilen Berge, in denen er sich aufhielt. Dennoch hatte er immer das Gefühl gehabt, die Gefahr zu wittern, bevor er sie sah. Beim ersten Anzeichen atmete er dann langsam und tief ein. Er konnte den Geschmack von Adrenalin regelrecht wahrnehmen. Es hatte eine leicht säuerliche, eigentlich kaum wahrnehmbare Note, doch er hatte gelernt, sie zu erkennen.

Auch jetzt deutete alles darauf hin: die aufgeladene Atmosphäre, das plötzlich verstummte Vogelgezwitscher, die unheimliche Stille, in der das Gewohnte mit einem Mal unerklärlich fremd erschien. Er verstand diese Zeichen und wurde dann innerlich ganz ruhig, war erfüllt von einer gespannten Erwartung, einer empfindlichen, durch einen Anflug von Angst ausgelösten Erregung. In jenen Momenten wusste er, dass gleich etwas geschehen würde. Er irrte sich nur selten, wenn er das Gefühl hatte, dass etwas schiefgehen würde. Er hatte gelernt, seinen Sinnen zu vertrauen, und war stolz auf diese erworbene Fähigkeit. Diesmal aber schien sie ihn im Stich gelassen zu haben.

Manchmal spürte er die Verbitterung in sich aufsteigen, wenn er an den Berg dachte und daran, was er ihm genommen hatte. Er hatte sich an die Regeln gehalten, aber auch die Anspannung und den Reiz der Gefahr genossen, sich an gewaltige Wände herangewagt und exponierte Grate überschritten. Und er hatte es geliebt, denn es verlieh ihm eine unglaubliche Stärke. Ähnlich wie beim Einfangen des Lichts und der Suche nach den richtigen Worten wohnte auch den Bergen etwas Flüchtiges inne, das ihn immer wieder magisch anzog, obwohl er wusste, dass er vielleicht irgendwann dem tödlichen Sturm ins Auge blicken musste. Dass ihn die Berge jedoch so teuer zu stehen kommen würden, damit hatte er nicht gerechnet.

Nach ihrem Absturz war er zunächst stark geblieben, hatte hart und tapfer gekämpft. Dennoch war ihm dabei immer klar gewesen, dass der Kampf irgendwann vorbei sein und der Moment kommen würde, wo er aufgeben und den Tod akzeptieren musste. Noch immer konnte er die Euphorie dieses Augenblicks des Loslassens, dieses ewigen Sichfügens, spüren.

Er hatte nicht länger kämpfen wollen, hatte sich gewünscht, in Ruhe sterben zu dürfen, und dennoch hatte er weitergeatmet. Dann war der Schlaf gekommen und hatte kurz und schmerzlos seinen letzten verbliebenen Lebenswillen gebrochen, jedes Aufbegehren niedergedrückt, ihn gezwungen, sich damit abzufinden, dass der Zeitpunkt gekommen war, da er endgültig zu atmen aufhörte. Fast unmerklich war der Tod in seine dumpfe Bewusstlosigkeit eingedrungen.

Doch dann hatte er die Farbenpracht des Polarlichts gesehen. Mit einem Mal war jeder Gedanke ans Aufgeben und Sterben gewichen, und er hatte nur mehr sprachlos vor Staunen in den nächtlichen Himmel hinaufgeschaut. Er hatte die pulsierenden Lichter vernommen, hatte ihnen gelauscht, als sie über den Himmel geschwebt waren. Er hätte beschwören können, dass er am Rand seines erlöschenden Bewusstseins ein schwaches Pochen, ein kaum wahrnehmbares Murmeln vernahm. Es hatte ihm die gefrorenen Augenlider geöffnet, und durch das Leichentuch aus Schnee, unter dem er hoch oben auf dem Felsabsatz gekauert hatte wie in einem Sarg, hatte er zu den sanft pulsierenden Pastellfarben hinaufgeblickt. In diesem Moment hatte sein Atem wieder eingesetzt.

Er erinnerte sich daran, wie er den ausgewaschenen Himmel betrachtet hatte, regungslos auf dem Absatz kauernd, eingeschüchtert von der Lawine, der er so knapp entronnen war. Es war ein fast animalischer Zustand gewesen, in dem er verharrt hatte, eine tiefe Verstörung und Wehrlosigkeit, eine ganz eigene Art von Tapferkeit, mit der er hoffnungsvoll emporgeblickt hatte. Am Ende des Horizonts hatte das Sonnenlicht begonnen, die Dunkelheit zu durchdringen. Als er sah, wie der dünne hellblaue Streifen über dem zurückweichenden schwarzen Faden der Nacht allmählich breiter wurde, wusste er, dass er weiterleben würde.

Und nun saß er wieder unter dem leuchtenden Himmel und wunderte sich, wie schnell die fünfundzwanzig Jahre verstrichen waren. Es war, als wäre er nach einer langen Nacht zurückgekehrt, zermürbt von den vielen Leben, die an ihm vorübergegangen waren, ohne den nötigen Trost zurückgelassen und wieder allein. Die ganze Zeit über glaubte er in der Menge der Gesichter eines zu sehen, das ihn fortwährend anschaute, das niemand außer ihm zu bemerken schien, das aber dennoch immer da war und ihn beobachtete, immer wartete. Vielleicht war sie es, die all die Jahre auf ihn gewartet hatte. Er starrte zurück, hinauf in den Himmel, rief leise ihren Namen. Dann merkte er, dass er weinte.

Er atmete tief durch und stieß das Gesicht weit fort von sich, an einen Ort, an dem er immer noch um sie und um all das, was er verloren hatte, trauerte. Er wusste, dass er es irgendwohin sperren musste, wo es ihn nicht mehr zerstören konnte – irgendwohin, wo er immer weinte. Und eines Tages würde er nicht länger trauern, zumindest nicht mehr ohne Unterlass. Irgendwann würde er sich nicht mehr so schrecklich haltlos und verloren vorkommen, wenn er nur an ihren Namen dachte, und mit der Zeit würde auch die Erinnerung an ihr Gesicht verblassen, das jetzt noch so deutlich vor seinem inneren Auge stand.

Jedes Mal, wenn ihn der Schmerz aufs Neue überrollt hatte wie eine eisige Flut und er versuchte sich wieder zu fangen, sagte er sich, dass es irgendwann vorbeigehen würde. Doch wann? Nichts zerfrisst die Trauer besser als die Zeit. Daran ist nun mal nichts zu ändern. Sie nutzt sich ganz allmählich ab wie das Gesicht auf einer Münze. Dennoch wusste er in jenem Moment: Selbst wenn die Zeit ihre Gesichtszüge verschwimmen und ihr Bild verblassen ließe, bis es irgendwann endgültig mit dem abgenutzten Stück Metall verschmolzen wäre, in den Tiefen seiner Erinnerung würde er immer noch ihre geisterhafte Gestalt vor sich sehen. Wenn die Trauer uns einhüllt wie ein Leichentuch, dann überdauert sie uns alle.

Patrick hatte die Jahre vorüberziehen lassen, hatte die wohltuende Distanz der Zeit begrüßt und versucht zu vergessen – starr und stumm vor Schmerz, mit gebrochenem Herzen, isoliert an einem einsamen Ort, den er sich selbst geschaffen hatte und wo er irgendwie existieren konnte. Das Einzige, worauf er hinlebte, war jener Tag, der irgendwann kommen würde und der nun gekommen war. Was danach geschehen würde, hatte er sich nie überlegt. Fest stand nur, dass er damit auch sein Zuhause verlieren würde, sein mühsam geordnetes Leben.

Manchmal redete er sich in einem schwachen Moment des trotzigen Aufbegehrens und des feigen Selbstschutzes ein, die Liebe sei ohnehin nichts anderes als ein schrecklicher Irrtum, die schlimmste Art der Enttäuschung. Er wusste, dass es nichts als ein Selbstbetrug war, doch an manchen Tagen brauchte er dieses Selbstmitleid einfach, brauchte die Möglichkeit, die Gedanken daran wenigstens für eine kurze Weile ausmerzen zu können.

Wie viele Stunden er so dagelegen und die immer schwächer werdenden Lichterscheinungen am Himmel beobachtet hatte, wusste er nicht. Er fühlte sich wie gefangen in einem endlosen Film aus Erinnerungen, während die Farben allmählich verblassten und der Himmel sich zurückverwandelte in einen sanften Schauer aus Diamanten vor der tintenschwarzen Tiefe des Alls.

22

Im ersten grauen Licht des neuen Morgens starrte Patrick immer noch zum hellen Himmelssaum hinüber, mit dem sich der nahe Sonnenaufgang ankündigte und mit ihm die Wärme und Verheißung eines neuen Tages. Mühsam und steif kam er auf die Knie und schwang sich den Rucksack auf die Schultern. Seinen Schlafsack ließ er, beschwert von einigen Felsbrocken, im Schnee liegen.

Einen Augenblick lang hielt er noch inne und versuchte, die Erinnerungen der Nacht aus seinem Kopf zu verbannen, doch die Trauer saß tief, und es gab keine anderen Gedanken, die sie hätten verdrängen können. Er drehte sich um und setzte sich in Bewegung, wortlos, ohne eine feste Richtung. Sein Weg führte ihn von der Scharte im Grat zum Rand des Gletschers hinunter. Die Morgendämmerung warf ein mattes, fahles Licht über den Gletscher. Leichtfüßig sprang Patrick von der felsigen Böschung auf das mit knietiefem Schnee bedeckte Eis hinab. Die Entfernungen waren nur schwer einzuschätzen, und es ließ sich kaum erkennen, ob unter den verräterischen Rissen im Schnee eine Gletscherspalte verborgen lag. Patrick verschwendete jedoch keinen Gedanken daran. Stattdessen watete er zielstrebig durch den frischen Tiefschnee und steuerte auf die Mitte des Gletschers zu. Dann schwenkte er um und stapfte den Gletscherrücken entlang, der sich ins ferne Tal hinunterschlängelte.

Als die Sonne aufging und sich ruhig über den umliegenden Gipfeln erhob, verflüchtigte sich das graue Licht, und plötzlich zeichneten sich vor ihm die Umrisse der ersten Steinmännchen ab, die er im Frühjahr errichtet hatte. Ein kleiner, verschneiter

Hügel, der noch wenige Augenblicke zuvor unsichtbar gewesen war, warf einen schwachen Schatten auf den Schnee. Ein Stück weiter unten auf dem Rücken des Gletschers, nur knapp hundert Meter von ihm entfernt, konnte er das nächste Steinmännchen ausmachen. Jedes Mal, wenn er an einer der Wegmarkierungen vorbeikam, zählte er die Jahre, so wie er es immer getan hatte. Fünfundzwanzig Mal hatte er sie wieder aufgebaut oder instand gesetzt, wenn die Schneeschmelze vorüber war.

Weiter unten wurde die Schneedecke auf dem Gletscher dünner, und zwischen dem Weiß schienen vereinzelte Flecken aus blankem, sanddurchsetztem Eis hindurch. Quer über den gekrümmten Rücken der eisigen Masse zogen sich deutlich sichtbare Streifen aus Steinen und Felsbrocken, die der Strom vor sich hergeschoben hatte. Je mehr Material zur Verfügung stand, desto kunstvoller, höher und vielfältiger wurden die Steinmännchen. Aus den fast schulterhohen Gebilden ragten zersplitterte Holzstangen auf, an deren Spitze ausgebleichte Stoffstreifen lustig in der leichten Brise des frühen Morgens flatterten – sie erinnerten Patrick an Gebetsfahnen und wirkten seltsam fehl am Platz.

Die Oberfläche des Gletschers war geädert von dünnen Rinnsalen, die tiefe, blaugrüne Furchen durch die grobkörnige Eisfläche zogen. Unter Patricks Schuhen knirschte es laut, als er ihnen folgte, bis sie schließlich in eine breitere Rinne mündeten, wo das Wasser schneller floss und mit seinem Gurgeln das Geräusch übertönte, das er beim Gehen machte. Der Strom mäanderte über den Gletscher, wand sich um einen riesigen Felsblock und beschleunigte seinen Lauf, als die Eisfläche zum Tal hin zunehmend steiler wurde. Kurz unterhalb des Felsblocks war aus dem Plätschern des Wassers ein gleichmäßiges Donnern geworden, und Patrick verlangsamte seinen Schritt, bis er die Gletschermühle erreicht hatte, ein kreisrundes, vom Wasser blank geschliffenes Loch aus blauem Eis, das nahezu senkrecht im Boden verschwand. Hier vereinigte sich das Schmelzwasser mehrerer Rinnen und strudelte als gewaltiger, weiß gischtender Strahl in die Tiefe des Gletschers. Durch das Tosen des Wasserfalls hindurch konnte Patrick unter seinen Füßen das unablässige Mahlen des Gletschers hören und von Zeit zu Zeit ein dumpfes Dröhnen.

Er lehnte sich nach vorn, um in den glitzernden Schacht zu spähen, der weit unten in der Dunkelheit endete. Das zunächst noch helle Blau des Eises wurde immer dunkler, und als er sich noch ein Stück weiter vorwagte, konnte er es tintenschwarz im finsteren Schlund verschwinden sehen. Er musste daran denken, wie er Jahr um Jahr am Rand dieser Gletschermühle gekauert hatte, mit Gedanken, so düster wie das Loch selbst. Das in die Tiefe stürzende Wasser hatte ihn magisch angezogen, er hatte seinen Blick kaum davon abwenden können. Fast hätte er dem Drang nachgegeben und einen Schritt nach vorn getan. Mit jedem Jahr war es ihm schwerer gefallen, der Verlockung zu widerstehen, weshalb er meist einem anderen Weg gefolgt war als dem entlang der Eisrinne.

Jetzt stand er erneut direkt am Rand des Schachts und starrte angespannt in die Tiefe. Er dachte an das Wasser unter sich, diesen eisigen schwarzen Styx, der – stetig anschwellend – hinab bis zur Gletscherzunge strömte. Gelegentlich konnte er die Umrisse von Steinen oder größeren Felsbrocken erkennen, die aus der glatten Eiswand ragten. Jahrzehnte zuvor hatten sie sich oben am Gipfel gelöst, waren auf ihrem langen Weg ins Tal bergab getragen worden und hingen nun instabil in dem eisigen Schlund. Während Patrick dastand und in das Loch hinunterblickte, löste sich ein mannsgroßer Felsbrocken und polterte in die Tiefe. Einige Male prallte er – begleitet von einem dumpf dröhnenden Echo – von den Eiswänden ab, dann war er verschwunden.

Patrick trat vom Rand der Gletschermühle zurück und sah zum Berg hoch. Das graue, geriffelte, felsdurchsetzte Eis der Flanke erhob sich in einem weiten Schwung über der unberührten Schneefläche des Gletschers. Mit zusammengekniffenen Augen ließ er seinen Blick senkrecht nach oben wandern bis dorthin, wo das Eisfeld gegen die Felsen des oberen Wandteils stieß. Die ausgeprägte kleine Felswand, die schräg aus der Wand ragte, war deutlich zu erkennen. Patrick drehte sich um und ließ seinen Blick über den sich zum Tal hin immer mehr in sein Bett zurückziehenden Gletscherrücken schweifen, bis er entdeckte, wonach er gesucht hatte. Tief unten, an der schmalsten Stelle der Gletscherzunge, saß auf einem Sockel aus schmutzigem Eis ein großer, flacher Felsen. Mitten darauf stand ein kleines Steinmännchen, an dessen Spitze ein roter, ausgebleichter Streifen Nylonstoff flatterte.

Patrick schob den Rucksack auf seinen Schultern zurecht, wandte sich von der Gletschermühle ab und ging los, zunächst noch mit zögerlichen Schritten und unstetem Blick. Dann aber erinnerte er sich an die vergangene Nacht mit ihren pulsierenden Farben, an das Gefühl, vom Wind davongetragen zu werden, und an den irritierenden Eindruck, es riefe jemand nach ihm, und er überwand sein Zögern. Er beschleunigte seinen Schritt, sprang über Schmelzwasserrinnen und schmale, schlammverschmierte Gletscherspalten, bis er schließlich fast rannte, ohne auf die Gefahren zu achten, die ihn umgaben.

Vor ihm erstreckte sich ein Labyrinth aus Wasserrinnen, Rissen und offenen Gletscherspalten. Wo der Rücken des Gletschers einen tief in seinem Innern verborgenen Felswall überwölbte, war seine Oberfläche aufgebrochen wie zersplitterter karamellisierter Zucker. Vierhundert Meter jenseits dieser Erhebung flachte das Eis mit einem sanften Schwung ab. Patrick kam zu einem kleineren, aber heimtückischen Eisfall, dem er eigentlich hätte vorsichtig ausweichen müssen, doch in seinem atemlosen Rausch rannte er mitten hindurch, raste den Gletscher hinunter, ergriffen von einem plötzlichen Anflug von Panik, einer kindischen Angst vor einem unheimlichen Schatten, der ihn verfolgte. Seine Schuhe droschen nur so auf das Eis, und immer wieder schlitterten Steine in die Gletscherspalten hinunter, wenn er sich von ihrem Rand abstieß, mit knapper Not auf der anderen Seite landete und gleich darauf wieder lossprang, um nicht von seinem eigenen Schwung in die Tiefe der Spalte gerissen zu werden.

Nach einer Weile ebbte seine Panik allmählich ab. Nun rannte Patrick in wilder Hast immer schneller den Gletscher hinunter und sprang über sämtliche Gletscherspalten, die sich vor ihm auftaten, ungeachtet dessen, was ihn auf der anderen Seite erwarten mochte. Das Adrenalin schoss ihm nur so durch die Adern, und die Nähe des Todes versetzte ihn in eine Erregung, die ihn berauschte und immer weiter antrieb. Schon bald war er so schnell, dass ihm klar war, er würde nicht stehen bleiben können, ohne hilflos in die nächste Gletscherspalte zu schlittern. Jedes Mal, wenn er hart auf dem Eis aufkam, stöhnte er, setzte aber gleich zum nächsten Sprung an. Über das dumpfe Dröhnen seiner Schuhe hinweg, das bei jedem Aufprall zu hören war, vernahm er ein seltsam abgehacktes Brüllen, bis er schließlich überrascht feststellte, dass es sein eigenes Schreien war. Doch er grinste nur irr und sprang erneut, war sich kaum des schwindelerregenden Abgrunds bewusst, der unter seinem dahinfliegenden Körper gähnte.

In der Nähe eines Steinmännchens bremste er abrupt ab. Auf der Hüfte schlitterte er auf den Schlund der nächsten Gletscherspalte zu, fand aber an den schweren Felsbrocken an der Basis der aufgetürmten Markierung Halt und kam zum Stillstand. Die losgetretenen Steine, die dicht neben ihm in die Tiefe donnerten, nahm er gar nicht wahr. Dann stand er langsam und mit zittrigen Beinen auf, klopfte sich Sand und Glimmer von der Hose und schaute sich um. Er war überrascht, als er feststellte, wie weit ihn seine wahnwitzige Jagd gebracht hatte. Vor ein paar Bäumen in einem knappen Kilometer Entfernung thronte auf seinem Eissockel der riesige, abgeflachte Felsen, den er von weiter oben gesehen hatte. Er befand sich also im unteren Bereich des Gletschers, der sich an dieser Stelle zu einer von schmutzigem Moränenschutt überzogenen Eisrampe verjüngte. Rund dreißig Meter weiter unten war bereits das steinige Gletscherbett zu sehen.

Als er sich dem Felsen näherte, spürte er, wie seine Erregung verebbte und eine bleierne Angst an ihre Stelle trat. Die Hände an den auf einem Eissockel ruhenden Gletschertisch gepresst, verharrte er einen Augenblick und lauschte seinem laut pochenden Herzschlag, bis sein Atem wieder etwas ruhiger ging, dann ließ er sich auf die Knie fallen. Er war erleichtert, als er weit hinten im kühlen Schatten des von Wind und Wetter zerfressenen Eissockels die Umrisse der Holzkiste ausmachen konnte. Tief gebückt kroch er unter den hervorstehenden Felsen. Er war sich des unglaublichen Gewichts bewusst, das – lediglich auf seinem Sockel aus schuttdurchsetztem, vor sich hin schmelzendem Eis ruhend – über ihm schwebte. Er streckte die Hand aus, bis er den um die Kiste gewickelten Lederriemen packen konnte, und zerrte sie hastig unter dem Felsen hervor, um schleunigst der klaustrophobischen Enge zu entrinnen.

An beiden Griffen hob er die Kiste ins grelle Sonnenlicht. Der Deckel war immer noch fest verschlossen. Patrick vergewisserte sich, dass der Holzzapfen noch im Schloss steckte, dann hob er die Kiste hoch, klemmte sie sich unter den linken Arm und hielt sie fest umklammert. Er erstarrte, als er hörte, wie das Holz knacksend barst und der Inhalt der Kiste mit einem dumpfen Geräusch von einer Seite zur anderen rutschte. Für einen kurzen Moment stockte ihm der Atem. Plötzlich drehte sich alles um ihn herum, und er musste sich an dem massiven Felsblock abstützen.

Eine Fläche aus schmutzigem Eis zog am Gletschertisch vorbei nach unten. Sie bildete eine leicht geneigte Rampe und war an einer Seite vom Schatten einer Gletscherspalte begrenzt. Am Ende der Rampe blieb Patrick stehen und betrachtete den Wasserstrahl, der am Fuß des Gletschers hervorschoss. Unterhalb der schmelzenden Gletscherzunge hatte er einen gewaltigen Tunnel von etwa sechs Meter Durchmesser ins Eis gefressen. Das Gletschertor schien das Tosen des Schmelzwassers, das mit aller Kraft hinaus ins helle Tageslicht drängte, noch zu verstärken. Vor dem Tor hatte sich ein kleiner See mit brackigem Wasser gebildet, auf dem brauner Schaum und Eisbrocken trieben. Patrick beobachtete, wie das Wasser an seinen Füßen vorbeiströmte und über einige verstreute Felsen hinabstürzte. Das kleine Wäldchen war nicht weit von ihm entfernt. Der schwache Wind trug den intensiven, leicht modrigen Geruch von Kiefernnadeln zu ihm herüber, und vom Tal her wehte ein würziger, erdiger Duft. Patrick starrte regungslos auf das graue, mit Glimmer durchsetzte Wasser hinab. Es gelang ihm nicht, seinen Blick davon abzuwenden.

Hier unten war der Gletscher auf seiner ganzen Breite mit hässlich schwarzem Eis überkrustet. Wie der Rücken eines Wals krümmte er sich bis zu einem von zerborstenen Felsbrocken übersäten Geröllfeld hinunter. Vereinzelte scharfkantige Blöcke und Splitter aus blauem Eis ließen erkennen, wo sich erst kurz zuvor ein Eisschlag ereignet hatte. Die dunklen, wasserlosen Spalten, die den Gletscher V-förmig zerfurchten, reichten bis auf seinen Grund hinab. Eine der breitesten führte hinter Patrick quer in das Eis hinein, weg von dem Tunnel mit dem schäumenden Schmelzwasser. Die beiden steilen Wände der Spalte ließen ihr Inneres in einer tiefen Dunkelheit verschwinden. Über die hinabgestürzten Steine auf ihrem Grund plätscherte ein dünnes Rinnsal, das weiter unten aus der Spalte hervorkam. Nach etwa fünfzig Metern, wo die beiden Eiswände nur noch eine Armlänge voneinander entfernt waren, steckte zwischen ihnen ein gewaltiger Felsblock.

Patrick setzte den Rucksack ab und ließ ihn auf einem markanten Felsen am Seeufer liegen. Dann drehte er sich zögernd um und betrat langsam den Schlund der Gletscherspalte. Sofort umfing ihn die eiskalte Luft. Die Wände zu beiden Seiten verdeckten die Sonne. Er blieb kurz stehen, damit sich seine Augen an die Dunkelheit gewöhnen konnten, dann presste er die Holzkiste unter seinem Arm fester an sich und drang mit hochgezogenen Schultern und gebeugtem Kopf tiefer in die bedrückende Enge der Gletscherspalte vor. Als er den Felsblock erreicht hatte, blieb er stehen, lehnte die Stirn an den vom Eis glatt geschliffenen Stein und atmete mehrmals tief durch. Er musste sich förmlich zwingen weiterzugehen. In seiner Brust spürte er eine dumpfe Beklemmung. Obwohl die Luft um ihn herum kalt war, hatte sie etwas Erdrückendes, Abgestandenes und Modriges, und die Schatten, die ihn umgaben, wirkten fast bedrohlich.

Plötzlich merkte er, wie ihn wieder diese Leichtigkeit erfasste, diese schwerelose Panik, das Gefühl, vom Wind davongetragen zu werden. Er stieß sich vom Felsen ab und starrte zu dem schmalen blauen Streifen Himmel empor, der sich dreißig Meter über ihm zwischen den gleißenden Eiswänden auftat. Das Rauschen des Sturzbaches war hier unten kaum mehr zu hören. Stattdessen vernahm er das Plätschern des unablässig herabtropfenden Wassers. Hin und wieder zuckte er zusammen, wenn aus der Gletscherspalte ein unheilvolles Grollen drang und zwischen den Wänden widerhallte. Es klang, als bewegte sich etwas tief in ihrem Innern. Dann hielt er inne und lauschte, den Kopf zur Seite geneigt, ständig darauf gefasst, dass die Gletscherspalte in sich zusammenstürzen könnte.

Und tatsächlich stieß das Eis, das ihn umgab, plötzlich ein lang gezogenes Stöhnen aus. Dann knallte es, als hätte jemand ein Gewehr abgefeuert. Patrick machte einen Satz zurück und drehte sich auf der Stelle um, fluchtbereit und mit hämmerndem Herzen. Hinter und über ihm krachte es dumpf, als wäre etwas ungeheuer Schweres irgendwo herabgestürzt und nun zum Stillstand gekommen. Patrick hörte das anschwellende Grollen einstürzender Eiswände, die sich von dem schmelzenden, sich zersetzenden Gletscher schälten. Dann wurde das Geräusch leiser, und er sah, wie sich von den Wänden über ihm kleine Wassertropfen lösten, herabtrudelten und platschend auf dem schuttübersäten Eis zu seinen Füßen landeten.

Er ging weiter, und nachdem er den Felsblock passiert hatte, folgte er mit extremer Vorsicht dem Verlauf der immer enger werdenden Gletscherspalte. Besonders weit reichte seine Sicht nicht, doch trotz der Düsternis konnte er kurz darauf die Stelle sehen, an der die beiden Wände aneinanderstießen. Der metallische Geruch nach Eis und zermahlenem Gestein war einem üblen Gestank gewichen. Patrick verzog das Gesicht, als er ihm die Kehle hinunterströmte und einen ekelhaften Nachgeschmack in seinem Mund hinterließ. Es war der süßliche

Geruch von Verwesung. Als er schließlich stehen blieb, streifte er mit den Schultern bereits die Wände. Er hielt die Augen starr auf die Stelle gerichtet, wo sich die Eiswände schlossen, und wartete, bis sie sich besser an das Halbdunkel gewöhnt hatten. Noch brachte er es nicht fertig, seinen Blick zu senken. Der widerwärtige Gestank hing ihm nun scharf im Rachen.

Er blickte zurück zu dem Felsblock und betrachtete aufmerksam das mit Geröll gefüllte Bett des dünnen Rinnsals. Erleichtert stellte er fest, dass es – wie schon im Frühjahr – so gut wie unmöglich war, dass irgendetwas an dem Felsen vorbeigeschwemmt wurde. Er entdeckte einige verräterische weiße Splitter, beugte sich hinunter und musste abermals schlucken, als er spürte, wie gleichzeitig Übelkeit und Trauer in ihm aufstiegen. Er setzte die Kiste ab, zog den hölzernen Zapfen aus dem Schloss und öffnete langsam den Deckel. Vor ihm lagen die ausgebleichten Überreste des Klettergurts, zerrissenes, ausgefranstes Nylon und eine glänzende Metallschnalle. Sie ruhten auf einer Schicht weißer Splitter wie ausgewaschenes Treibholz auf Muschelscherben. Auf einer Seite der Kiste lagen ein paar zerknautschte, verwaschene Stofffetzen. Nur notdürftig verbargen sie die Knochen eines menschlichen Arms. Ein fauliger Geruch schlug Patrick entgegen, als er den Deckel ganz aufklappte. Er warf den Kopf in den Nacken, das Gesicht zu einer Fratze verzogen, die Zähne entblößt, und würgte und schluckte, tränenüberströmt. Es dauerte lange, bis er sich wieder einigermaßen gefasst hatte und sich der geöffneten Kiste erneut zuwenden konnte. Er schaute hinein, und plötzlich fiel ihm etwas ins Auge, das golden glitzerte. An einem besonders weißen Knochen, der für sich in einer anderen Ecke der Kiste lag, steckte immer noch der Ehering. Zögernd streckte Patrick die Hand aus, um den Knochen vorsichtig herauszuholen, und eine irritierende Mischung aus Ekel und Liebe durchfuhr ihn. Während er den goldenen Ring von dem ausgebleichten Fingerknochen zog, merkte er, dass er leise vor sich hin murmelte. Dann legte er den Knochen behutsam zurück und drehte sich zum Ende der Gletscherspalte um.

Auf den Knien kroch er weiter und nahm dabei weder das kalte Wasser noch die scharfkantigen Steine wahr, die sich ihm ins Fleisch bohrten. Seine Augen hatten sich inzwischen an die Finsternis gewöhnt. Er hockte sich auf seine Fersen und sah sich genauer an, wie sich das Tauwetter der vergangenen vier Monate ausgewirkt hatte. Es hatte sich weniger verändert als erwartet, und so ließ er seine Finger über die Eiswände gleiten, um nach irgendwelchen Schatten im Eis zu suchen, hinter denen sich möglicherweise mehr verbarg. Als er nichts fand, war er erleichtert, aber auch traurig. Das Geröll, das von oben herabgestürzt war, lag – zu Schutt zerborsten und ins Eis eingebacken – am Grund der Gletscherspalte, von dem es sich dunkel abhob. Patrick nahm sich den nächstgelegenen Brocken vor und kratzte Sand und Steine weg, bis er ein Stück davon freigelegt hatte und greifen konnte. Mit einem schmatzenden Geräusch löste er sich, gefolgt von einem Schauer aus Eissplittern, die auf seinem Schoß landeten.

Auf den ersten Blick unterschied sich der Brocken kaum von dem Felsschutt, aus dem er ihn eben befreit hatte. Er hielt ihn in der Hand und drehte und wendete ihn, ohne zu begreifen, was es war.

Als er ihn vorsichtig schüttelte, löste sich ein weiterer Kiesklumpen, und darunter kam etwas Glattes zum Vorschein. Quer über den Knochen verlief eine gezackte Linie, die wie eine Naht aussah. Sofort war Patrick klar, dass er ein Stück des Schädels in Händen hielt. Knapp unter seinen Fingern baumelte an einer dünnen, knorpeligen Sehne ein teilweise zerschmetterter Oberkiefer. Patrick hörte, wie seine eigenen beschwichtigenden Worte die Dunkelheit durchdrangen. Sorgfältig legte er den Knochen in die Kiste zu all den anderen jämmerlichen Fundstücken, die er dem Gletscher so mühsam abgerungen hatte.

Im Grunde hatte er die ganzen Jahre, die er oben am Berg ausgeharrt hatte, gewusst, dass so gut wie keine Chance bestand, noch irgendetwas zu finden. Er hatte deshalb auch jeden Gedanken daran verdrängt – bis zu jenem Frühlingsmorgen vor vier Monaten. Wie schon so oft hatte er den ganzen Tag erfolglos versucht, im zerklüfteten Zehrgebiet des Gletschers fündig zu werden, hatte in unzählige enge Spalten gespäht, war unter gefährlich wacklige Felsblöcke gekrochen, hatte den grauen Glimmersand durchsiebt, der unter dem schmelzenden Eis hervorgeschwemmt und an den Rand des Gletschersees gespült wurde, und mit jeder Stunde, die verging, war seine Hoffnung geringer geworden, so wie mit jedem Jahr, das verstrichen war und in dem er ein weiteres Steinmännchen errichtet hatte.

Immer wieder hatte er auf seinem beschwerlichen Weg über den Gletscher die Meter gezählt und Steinmännchen als Markierungen gebaut, hatte sich ausgerechnet, wie viele Jahre es noch dauern würde, bis sie zum Vorschein kommen könnte. Und dann, eines Tages, als er sich gerade enttäuscht umdrehen und zurückgehen wollte, hatte er im hintersten, finstersten Winkel ebendieser Gletscherspalte einen weißen Splitter entdeckt, der sich vor dem dunklen Grund des Rinnsals abgehoben hatte. Seine Finger fest um den Knochen gekrallt, war er ins Freie getaumelt, hatte es kaum glauben können, dass er tatsächlich fündig geworden war. An jedem der folgenden Tage war er zurückgekehrt, um ein weiteres Stück zutage zu fördern: einen ausgebleichten Fetzen eines Kleidungsstückes, die quer über das Eis verstreuten Splitter gebrochener Rippen, eine metallene Sicherungsschnalle des Klettergurts, eingebacken in einer gläsernen Wand. Inmitten von Steinen und Knochenresten hatte Patrick auf dem Eis gekniet und mit seinem Pickel die Wände bearbeitet, mit in der Enge der Gletscherspalte verkrampften Armen. Und endlich, nach vielem Zerren und Ziehen, hatte er das Hüftband des Klettergurts sowie einen Teil der Beinschlaufe aus dem Eis holen können. Ein Schauer aus gläsernen Splittern war auf ihn niedergeprasselt, sobald er die Nylonstücke herausgelöst hatte. Es hatte eine weitere Stunde gedauert, bis er die zerrissene Sicherungsschlaufe freigelegt hatte. Als sie schließlich auf seinem Schoß lag, sah er, dass sich der Schraubkarabiner immer noch dort befand, wo er hingehörte. Er war nicht zugeschraubt.

Er war sich in jenem Moment völlig darüber im Klaren gewesen, wie viel Glück er gehabt hatte, überhaupt etwas zu finden, nachdem er wie ein Wahnsinniger die Wände um sich herum nach verdächtigen Schatten abgesucht hatte. Ein Jahr später würde es diesen Ort vielleicht schon nicht mehr geben, hatte er gemutmaßt. Er wäre weggeschmolzen und mitsamt dem, was er möglicherweise noch barg, von dem grauen, reißenden Strom ins Tal hinuntergeschwemmt worden. Aber vielleicht befanden sich die weiteren Überreste ihres Körpers ja auch schon längst dort, zermahlen zu tausend kleinen Splittern, vom Fluss fortgespült in Richtung Meer. Nein – diese kläglichen Überreste mussten reichen.

Mit bloßen Händen durchwühlte Patrick den Gesteinsschutt und sammelte alle Stofffetzen und Knochenstückchen auf, die er im Schneematsch und Schlamm finden konnte. Als er sie in die Kiste fallen ließ, klapperten sie wie Pokerchips, und die Wände zu beiden Seiten warfen das Echo zurück. Er glaubte schon, alles gefunden zu haben, was es noch zu finden gab, als er plötzlich ganz hinten in der Gletscherspalte etwas seltsam Langes, Dunkles erspähte. Zunächst hielt er es für die Kante eines Steins, der aus dem Eis ragte, doch als er es berührte, gab es nach. In Form und Farbe ähnelte es einem Ast mit Rinde, hatte aber eine weiche, beinahe breiige Konsistenz. Voller Anspannung griff er danach, zog daran und drehte es um.

Im trüben Licht der Gletscherspalte wirkten die sieben Wirbel so bleich, dass sie fast zu leuchten schienen. Patrick starrte darauf. In ihm begann sich etwas zu drehen, als würde sich eine unendliche Traurigkeit entspinnen. Er nahm das Fragment der Wirbelsäule in die Hände, und ein paar Steinchen und Stoffreste fielen auf den Boden. An der Unterseite des Knochenstücks baumelten mehrere Knorpel und Fetzen einer gelatineartigen braunen Masse, die feucht gegen seine Hände schlugen. Er spürte etwas Glitschiges an seinen Fingern, dann verbreitete sich ein säuerlicher, fauliger Geruch. Blind vor Tränen und mit geschlossenen Augen legte er sie behutsam in die

Holzkiste, sprach leise mit ihr wie mit einem Kind, sprach mit sich selbst. Dann überkam ihn das plötzliche Bedürfnis, der Gletscherspalte zu entfliehen, sich davontragen zu lassen. Um ihn herum begann sich alles zu drehen. Er musste hier raus. Auf allen vieren und mit eingezogenem Kopf kroch er los. Hier gab es nichts, was ihn noch halten konnte.

Nun war er wieder hier. Seine Augen hatten sich allmählich an die Dunkelheit gewöhnt, und der Gestank, der ihn umgab, störte ihn nicht länger. Er schaute in die Kiste, und beim Anblick der formlosen Häufchen darin krampfte sich sein Magen zusammen, doch er blieb innerlich zumindest einigermaßen ruhig. Die bleichen Knochenstücke, die hier und da im fahlen Licht schimmerten, waren vertrocknete, leblose Bruchstücke eines Puzzles, das er zusammensetzen und deuten konnte. Als er jedoch die zerfetzten Kleider und das verrottete Fleisch betrachtete, schaffte er es nur mit Mühe, sich zusammenzureißen. Zum Glück war es rings um ihn dunkel.

Er zwang sich, seinen Blick nicht von ihren vermoderten sterblichen Überresten abzuwenden, als könnte er ihr damit eine letzte Ehre erweisen, doch der Ekel schnürte ihm die Kehle zu. Er schloss die Augen und ließ sich treiben, bis er in Gedanken wieder unten in der Gletscherspalte war. Stundenlang hatte er bei ihr gekauert und sie in seinen Armen gehalten, hatte sich neben sie gelegt, mit ihr gesprochen und ihr geschworen, dass er zurückkommen werde. Für einen langen, nicht enden wollenden Augenblick hatte er das Gefühl, über seinem eigenen Körper zu schweben, auf sich hinunterzuschauen, abwesend alles zu beobachten, verloren zwischen dem Damals und dem Heute. Er sah sich daknien, in Büßerhaltung, wie ein Mönch, mitten im schlammigen Schutt und Eis dieses Gletschers, der alles auswusch. Ihre Stimme rief seinen Namen, schien an den Wänden der Eiskammer widerzuhallen. Aus der Ferne hörte er dumpfe, schluchzende Seufzer, die wie ein Echo von allen Seiten zu kommen schienen, und spürte plötzlich ihre Nähe. Wie von Weitem, durch all die vergangenen Jahre hindurch, vernahm er sein eigenes leises Weinen.

Als er sie damals entdeckt hatte, hatte sie friedlich dagelegen, auf der Seite, gespenstisch mit einer dünnen Schneedecke überzogen. Erst hatte er geglaubt, sie schlafe nur, bis er ihre vom Eis zerfetzten Fingernägel gesehen hatte, die Reste ihrer zerschundenen Finger und das verstümmelte, grob nach hinten verdrehte Bein. Hastig hatte er alles mit Schnee zugedeckt, um den Anblick des blanken Knochens nicht länger ertragen zu müssen. Dann hatte er sich neben sie gelegt und sich eingeredet, sie schlafe nur tief und habe gewartet, bis er komme und sie wecke. Er flüsterte ihr etwas zu, um sie zu beruhigen – um sich selbst zu beruhigen –, suchte in ihrem kühlen, porzellanartigen Gesicht, das er mit seinen Händen umfasst hielt, nach irgendeinem Zeichen von Leben.

Behutsam blies er die zarten Falten des Schneeschleiers von ihren Wangen, bis ihr nunmehr unverhülltes schlafendes Gesicht in sanfter Ruhe dalag. Dann entdeckte er die Spur einer Träne und fuhr mit dem Finger die eisige Linie nach, um ihre weiche Haut zu spüren. Es war eine unbewusste Geste der Liebkosung und zärtlichen Fürsorge – ein Moment, den er seitdem nicht hatte vergessen können.

In jenem Augenblick hatte er beschlossen, sich nicht länger an sein Leben zu klammern. Ohnmächtig hatte er mit angesehen, wie ihre Schönheit dahinwelkte, hatte gemerkt, wie ihm Bewusstsein und Beherrschung entglitten und im Dunkeln verschwanden, und wieder hatte ihn dieses Gefühl der Haltlosigkeit ergriffen. Seitdem war sein Lebenswille nie mehr ganz zurückgekehrt. Er hätte – das war ihm nun klar – bei ihr bleiben sollen, hätte neben ihr liegen bleiben, weiterschlafen und ihre verstümmelte Hand, die er zuvor losgelassen hatte, wenigstens jetzt festhalten sollen. Es wäre damals so leicht gewesen, einfach zu atmen aufzuhören. Er schaute sich um und sah die Wände der Gletscherspalte schimmern. *Dann wären wir jetzt beide hier, zusammen.*

»Es tut mir leid«, sagte er, und seine Worte brachen sich an den Wänden, hallten durch seine Erinnerung. »Es tut mir so leid.« Er hatte ihr geschworen, am nächsten Morgen wiederzukommen und sie mit nach Hause zu nehmen. Doch dann war er so erschöpft gewesen, dass er sie – erneut – im Stich gelassen hatte. Er hatte die Bergführer zu überreden versucht, eine Bergungsaktion in die Wege zu leiten, aber selbst das war ihm nicht gelungen.

Unbemerkt waren die Stunden vergangen. Schon glitt die Mittagssonne über den schmalen Eingang der Gletscherspalte. Ein paar vereinzelte Lichtstrahlen durchdrangen die finstere Grabeskühle und wurden von den glänzend nassen, spiegelglatten Wänden aus schmelzendem blaugrünem Eis reflektiert. Tief unten am Grund der Spalte kauerte Patrick, und als er aufblickte, zuckte er zusammen und musste die Augen schließen, so sehr blendete es ihn. Das Sonnenlicht fiel auf die Holzkiste, und schlagartig verflüchtigte sich das Bild ihres schlafenden Gesichts vor seinem inneren Auge. Die Knochen, die schmutzigen Stofffetzen und das schillernde, verfaulte Fleisch waren in ein gleißendes Licht getaucht. Patrick griff nach der knochigen Hand, legte seine eigene darauf und senkte den Kopf.

»O Patrick«, drang ein Flüstern an sein Ohr. Die Worte schienen von irgendwoher über ihm zu kommen. Langsam hob er den Kopf, ohne recht zu begreifen, was er da gehört hatte. Einen Moment lang glaubte er ein Heer von Gesichtern vor sich zu sehen, die ihn unablässig fixierten, bis er begriff, dass es die Tränen waren, die ihm aus den Augen schossen und ihm dieses dutzendfach gebrochene Bild vorgaukelten. Er schreckte zusammen, als er hörte, wie jemand noch einmal seinen Namen flüsterte. »Patrick. Ich bin es, Patrick. Cassie.«

Er blinzelte, und nun sah er, wie sie sich über den am Grund der Gletscherspalte verkeilten Felsblock lehnte. Flüchtig trafen sich ihre Blicke, wortlos, aber umso beredter – es war ein gänzlich unverstellter, unmittelbarer Moment.

»Es ist alles gut, Patrick. Es ist alles gut.« Sie streckte ihm ihre Hand entgegen.

Zunächst rührte er sich nicht, doch dann griff er zögernd danach. Beim Aufstehen zuckte er vor Schmerz zusammen, denn die scharfen Steine unter seinen Knien hatten sich tief in sein Fleisch gebohrt. Er schwankte wie ein Betrunkener, und sie hielt seine Hand fester, damit er das Gleichgewicht nicht verlor.

»Ich wusste nicht, dass du auf sie gewartet hast«, sagte Cassie, doch sein Blick war leer und abwesend, ohne ein Zeichen irgendeiner inneren Regung. Er war nicht bei ihr.

Kurz nach Sonnenaufgang hatte Cassie die verlassene Hütte erreicht und erst den Schlafsack am Grat und dann den mit Steinmännchen markierten Pfad entlang des Gletscherrückens entdeckt. Als sie schließlich auf der Felsplatte gestanden und um sich geblickt hatte, war ihr der Rucksack am Rand des Sees ins Auge gefallen. Vorsichtig und immerzu Patricks Namen rufend, war sie über die Eisrampe bis ins Labyrinth des schmelzenden Gletschers hinuntergestiegen, um dort nach irgendeiner Spur von ihm zu suchen. Schließlich hatte sie ein paar Fußabdrücke gefunden, die geradewegs zu der größten Spalte am Fuß des Gletschers führten. Während sie noch gezögert hatte, sich in die bedrohliche Dunkelheit vorzuwagen, hatte das Eis unter ihren Füßen plötzlich gebebt, und aus der Tiefe war ein dumpfes Grollen gedrungen.

Dann dröhnte es ohrenbetäubend, und sie spürte eine heftige Erschütterung. Als sie aufblickte, sah sie, dass der riesige Gletschertisch seinen Sockel zermalmt hatte und auf die Eisfläche gerutscht war. Schon begann er, polternd die Eiswand hinunterzustürzen, die direkt über ihr am oberen Ende der Rampe aufragte. Mit einem Mal war ihre Angst wie weggeblasen. Im nächsten Moment, noch bevor sie ihren Blick von dem gewaltigen, sich überschlagenden Felsen losgerissen hatte, rannte sie bereits auf den offenen Schlund der Gletscherspalte zu. Sie hörte, wie der Felsen donnernd auf die Eisrampe krachte, nahm Anlauf, sprang und landete mitten im See. Ohne Zeit zu verlieren, rannte sie weiter. Sie stieß bereits mit den Schultern an die Wände der immer enger werdenden Gletscherspalte, als ihr plötzlich eine Walze aus schlammigem Geröll und eiskaltem Wasser den Boden unter den Füßen wegzog. Die knirschende, mahlende Masse riss sie mit, immer tiefer in die Spalte hinein, bis die Wucht des Stroms endlich abflaute und sich das Wasser aus der Gletscherspalte zurückzog. Am ganzen Körper bebend und völlig durchnässt fand Cassie sich in der eisumschlossenen Kammer wieder. Zunächst wartete sie, bis ihr rasender Puls sich beruhigt und ihre Augen sich an die Dunkelheit gewöhnt hatten.

Dann ging sie weiter und gelangte bald zu dem zwischen den Eiswänden verkeilten Felsblock. Ein Weiterkommen erschien ihr unmöglich, denn trotz der Finsternis konnte sie erkennen, dass die Wände ein Stück hinter dem Felsen zusammenstießen. Sie wollte gerade umkehren, als sie am Fuß des Felsblocks etwas sah, was fast unnatürlich weiß leuchtete. Sie kniete nieder, um es sich genauer anzusehen. Für einen kurzen Augenblick blitzte auf dem dunklen, steinigen Gletscherboden etwas Goldenes auf, doch als sie wieder hinschaute, war es fort.

Sie griff nach dem weißen länglichen Splitter, der unterhalb des Felsens fest im Eis steckte. Mit einem leisen, knackenden Geräusch löste er sich, und als Cassie ihn sich vor die Augen hielt, nahm sie plötzlich den seltsam fauligen Geruch wahr. Sie drehte und wendete ihr Fundstück, um es näher zu betrachten. Es kam ihr irgendwie vertraut, aber zugleich auch fremd vor. In der Mitte war es hell und glatt, an den beiden Enden jedoch brüchig. Zunächst hielt sie es für ein vom Wasser abgeschliffenes, vom Eis ausgebleichtes Holzstück. Sie suchte den Boden zu ihren Füßen nach weiteren Stücken ab, fand jedoch nichts. Stattdessen sah sie wieder dieses Glitzern. Irgendetwas blitzte auf wie Gold – erst einmal, dann noch einmal –, dann wusste sie, wo sie suchen musste. Sie ließ das Holzstück fallen, bückte sich und streckte die Hand aus. Als ihre Finger den Boden berührten, drang plötzlich ein Sonnenstrahl in die Tiefe der Gletscherspalte vor und ließ die Wände ringsherum hell glänzen. Doch Cassie starrte nur wie gebannt auf das, was sie freigelegt hatte – es war Gold.

Sie kratzte die Steine und das Eis mit dem Fingernagel fort, bis er abbrach. Eine dünne Goldeinfassung war zum Vorschein gekommen, an der etwas hing, das wie ein Kieselstein oder Knochen aussah. Sie hielt inne und starrte auf den weißen Holzsplitter, der immer noch dort lag, wo sie ihn hatte fallen lassen. Schlagartig war ihr klar, was es war. Sie musste daran denken, wie wütend Patrick plötzlich geworden war, als sie an jenem Abend in der Hütte den kleinen Samtbeutel geöffnet und darin die Knochen entdeckt hatte. Der eiskalte Zorn seiner Worte und der strenge, bohrende Blick, mit dem er sie fixiert hatte, hatten sie so überrascht, dass sie den Beutel auf der Stelle losgelassen und weggeschaut hatte. Ein zutiefst verstörendes Gefühl ergriff sie und ließ sie erschauern.

Nachdem sie den goldenen Gegenstand endgültig aus dem Eis gelöst hatte, stand sie mit wackligen Beinen auf und streckte den Arm aus, sodass der Lichtstrahl von oben genau in ihre Hand fiel. In einem Gemisch aus Wasser, Eissplittern und zermahlenem Glimmer ruhte eine winzige, zartrosa und cremefarbene Meeresschnecke und funkelte in der Sonne. Sie war von einem dünnen Goldrand eingefasst, und obwohl der Stift des Ohrrings sich verbogen hatte, erkannte Cassie sofort, was es war. Nicht nur einmal hatte sie Patrick nach dem Anhänger gefragt, den er an einem Lederband um den Hals trug, doch er hatte immer nur geschwiegen. Während sie den Ohrring anstarrte, vernahm sie plötzlich ein dumpfes Murmeln, eine Mischung aus Worten und Schluchzern, so tief, dass es kaum zu hören war. Es schien von jenseits des Felsblocks zu kommen.

Rechts von dem Block erkannte sie einen niedrigen Durchschlupf, und Cassie beugte sich hindurch, um zu sehen, was sich dahinter verbarg. Ein Stück unter ihr kauerte Patrick, wiegte sich vor und zurück und stieß im Rhythmus seiner Bewegungen ein befremdliches, tiefes Stöhnen aus. Es klang wie eine Totenklage. Neben ihm lag eine Holzkiste, über die das Sonnenlicht flutete. Als Cassie den fauligen Geruch wahrnahm, auf die Skeletthand und das Stück Wirbelsäule in der Kiste starrte und dann die elende, schwankende Gestalt vor sich sah, ergriff sie eine Mischung aus Mitleid und Grauen.

»O Patrick«, hörte sie sich noch einmal flüstern, als sie sich neben ihn kniete. »Patrick?« Keine Antwort.

Er hatte in seiner Bewegung innegehalten und nahm die Hand aus der Kiste. Cassie schaute ihn an und sah, wie er um Fassung rang, doch sie merkte, dass ihm die Kontrolle entglitten war, dass er den Halt längst verloren hatte.

»Jetzt ist es gut, Patrick«, sagte sie und versuchte, das Zittern in ihrer Stimme zu unterdrücken. Sie schloss den Deckel der Kiste, und während sie den Holzzapfen durch das Schloss schob, drehte sie sich zu ihm um, nahm seinen Kopf in ihre Hände und zwang ihn, sie anzusehen. »Es ist vorbei, Patrick. Du hast sie.« Schwankend erhob sie sich und streckte ihm die Hand entgegen.

Widerstandslos und mit abwesendem Blick ergriff er sie und kam mühsam auf die Beine. Taumelnd stand er da, als müsse er sich gegen einen gewaltigen Sturm stemmen, und zögerte vorwurfsvoll.

»Du hast sie«, beruhigte Cassie ihn. Sie bückte sich, hob die Kiste hoch und reichte sie ihm. »Und jetzt bringen wir sie nach Hause.« Sie nahm Patrick an der Hand, half ihm über den Felsblock und führte ihn hinaus, dem Tageslicht entgegen.

Dank

Ich stehe in der Schuld einiger Menschen, deren Rat und Urteil für mich während der langen Zeit, in der dieser Roman entstand, sehr wertvoll waren. Ich danke Mary Weston, Nadine Towers, Marek und Karen Kriwald von Parliament Communications und meinem Bruder David Simpson für ihre Geduld und ihre ehrliche Meinung. Die Liebe und Unterstützung meiner Partnerin Corrinne halfen mir, mein angekratztes Selbstvertrauen immer wieder zu stärken und aufkommende Zweifel aus dem Weg zu räumen. Millys unermüdliche und stundenlange Versuche, sich auf die Tastatur meines Computers zu setzen, waren für mich stets eine willkommene Abwechslung. Mein Dank geht auch an Phil Kelly, der meine verschwundenen Kapitel aus der virtuellen Versenkung holte, an meine Agentin Vivienne Schuster für ihren klugen Beistand und an Dan Franklin vom Verlag Jonathan Cape für seinen verständigen Rat in der letzten Phase vor Drucklegung des Buches.

Dieses Buch ist das letzte, an dem ich gemeinsam mit Tony Colwell gearbeitet habe. Als mein Lektor, Freund und Mentor hatte er mich im Lauf der Jahre vieles gelehrt. Ich hatte weder gedacht, dass es acht Jahre dauern würde, bis dieses Buch schließlich gedruckt wurde, noch war mir bewusst gewesen, dass ich das ohne seinen Beistand würde schaffen müssen. Diesen Roman zu schreiben fiel mir so schwer, wie Tony es mir prophezeit hatte, und ohne Val Randalls unermüdliche Ermutigung und Unterstützung hätte ich ihn vielleicht nie zu Ende gebracht. Sie war mir eine unschätzbare Hilfe beim Verfassen der vielen Entwürfe, beim Umschreiben und bei den unzähligen Überarbeitungsdurchgängen, die sie mit derselben Scharfsicht, Klugheit und Kompromisslosigkeit begleitete wie Tony Colwell.

PIPER

Joe Simpson
Sturz ins Leere

Ein Überlebenskampf in den Anden. Vorwort von
Chris Bonington. Aus dem Englischen von Jürg Wahlen.
243 Seiten und 21 Fotos. Piper Taschenbuch

Die beiden Bergsteiger Joe Simpson und Simon Yates brechen
auf, um den Andengipfel Siula Grande über die bisher un-
bezwungene Westwand zu besteigen. Beim gefährlichen
Abstieg stürzt Joe ab und zerschmettert sich das Knie.
Schwerverletzt hängt der junge Bergsteiger im Seil, gehalten
von seinem Freund Simon. Doch der spürt, daß er allmählich seinen Halt verliert. Um sein eigenes Leben zu retten,
zerschneidet Yates das Seil ...

»Kunstvoll werden die inneren und äußeren Erfahrungen
der beiden Protagonisten gegeneinander gesetzt. Die elegante,
bildkräftige Sprache ist der geschilderten Grenzsituation
gewachsen.«
Süddeutsche Zeitung

01/1437/02/L

Steve House

Jenseits der Berge

Expeditionen eines Suchenden. Aus dem Amerikanischen von Hans Freundl und Karina Of. 336 Seiten mit 23 Farbfotos, 55 Schwarzweißfotos und drei Karten. Gebunden

»Als ich 29 war, waren alle meine Kletterkameraden entweder tot oder nicht mehr aktiv.« – Steve House ist vom Berg besessen. Ein Perfektionist, seit seiner Jugend von der Idee getrieben, der weltbeste Bergsteiger zu werden. Als 19-Jähriger wird er zum ersten Mal zum Nanga Parbat mitgenommen; 15 Jahre später sorgt seine sechstägige Durchsteigung der höchsten Steilwand der Erde im Alpinstil für Furore. Er erlebt Scheitern und den Tod enger Freunde, verschiebt immer wieder die Maßstäbe des Höhenbergsteigens – und verweigert sich konsequent der multimedialen Vermarktung. Mit jener schnörkellosen Präzision, mit der er seine Ziele erreicht, schildert House in seinem ersten Buch die lebenslange Faszination des Extremen. – 2009 mit dem »Jon Whyte Award for Mountain Literature« ausgezeichnet.

»Der beste Höhenbergsteiger unserer Zeit.«
Reinhold Messner

02/1122/01/R

MALIK

Graham Bowley

Kein Weg zurück

Leben und Sterben am K2. Mit einem Vorwort von
Kurt Diemberger. Aus dem Englischen von Karina Of und
Ulrike Frey. 320 Seiten mit 36 Abbildungen und einer Karte.
Gebunden

Der K2 ist der zweithöchste Achttausender, doch ungleich
gefährlicher und anspruchsvoller als der Everest. Am
1. August 2008 machten sich 24 Bergsteiger unterschiedlicher
Nationalitäten an die Besteigung. Ein Großteil von ihnen
erreichte den Gipfel. Im Abstieg dann kam es zur Katastrophe,
als mehrere Bergsteiger sowie die Fixseile von einem Eisblock in die Tiefe gerissen wurden und den übrigen Expediti-
onsteilnehmern der Weg nach unten verwehrt war. Am
Ende des mehrtägigen Kampfes hatte der K2 elf Menschenle-
ben gefordert – eins der schwerwiegendsten Dramen im
Himalaya überhaupt. Von der New York Times beauftragt,
begann Graham Bowley zu recherchieren. Seine aufsehen-
erregende Reportage wurde zum Ausgangspunkt für dieses
packende, zeitlose Bergbuch. Minutiös analysiert der
Autor den Verlauf der Expedition, Hoffnungen und Träume
der einzelnen Alpinisten, und was letztlich zum Unglück
am K2 führte.

02/1128/01/L